O Inimigo de SHARPE

OBRAS DO AUTOR PUBLICADAS PELA EDITORA RECORD

1356
Azincourt
O condenado
Stonehenge
O forte
Tolos e mortais

Trilogia *As Crônicas de Artur*
O rei do inverno
O inimigo de Deus
Excalibur

Trilogia *A Busca do Graal*
O arqueiro
O andarilho
O herege

Série *As Aventuras de um Soldado nas Guerras Napoleônicas*
O tigre de Sharpe (Índia, 1799)
O triunfo de Sharpe (Índia, setembro de 1803)
A fortaleza de Sharpe (Índia, dezembro de 1803)
Sharpe em Trafalgar (Espanha, 1805)
A presa de Sharpe (Dinamarca, 1807)
Os fuzileiros de Sharpe (Espanha, janeiro de 1809)
A devastação de Sharpe (Portugal, maio de 1809)
A águia de Sharpe (Espanha, julho de 1809)
O ouro de Sharpe (Portugal, agosto de 1810)
A fuga de Sharpe (Portugal, setembro de 1810)
A fúria de Sharpe (Espanha, março de 1811)
A batalha de Sharpe (Espanha, maio de 1811)
A companhia de Sharpe (Espanha, janeiro a abril de 1812)
A espada de Sharpe (Espanha, junho e julho de 1812)

Série *Crônicas Saxônicas*
O último reino
O cavaleiro da morte
Os senhores do norte
A canção da espada
Terra em chamas
Morte dos reis
O guerreiro pagão
O trono vazio
Guerreiros da tempestade
O Portador do Fogo
A guerra do lobo
A espada dos reis
O senhor da guerra

Série *As Crônicas de Starbuck*
Rebelde
Traidor
Inimigo
Herói

BERNARD CORNWELL

O Inimigo de SHARPE

Espanha, dezembro de 1812

As Aventuras de um soldado nas Guerras Napoleônicas

Tradução de
Alves Calado

1ª edição

EDITORA RECORD
RIO DE JANEIRO • SÃO PAULO
2023

CIP-BRASIL. CATALOGAÇÃO NA PUBLICAÇÃO
SINDICATO NACIONAL DOS EDITORES DE LIVROS, RJ

C835i Cornwell, Bernard, 1944-
       O inimigo de Sharpe / Bernard Cornwell ; tradução Alves Calado. – 1. ed. – Rio de Janeiro : Record, 2023.
       (As aventuras de um soldado nas guerras napoleônicas ; 15)

       Tradução de: Sharpe's enemy
       Sequência de: A espada de Sharpe
       ISBN 978-65-5587-470-9

       1. Ficção inglesa. I. Calado, Alves. II. Título. III. Série.

22-80650   CDD: 823
                            CDU: 82-3(410)

Gabriela Faray Ferreira Lopes - Bibliotecária - CRB-7/6643

Título original:
Sharpe's Enemy

Copyright © Bernard Cornwell, 1981

Texto revisado segundo o Acordo Ortográfico da Língua Portuguesa de 1990.

Todos os direitos reservados. Proibida a reprodução, no todo ou em parte, através de quaisquer meios. Os direitos morais do autor foram assegurados.

Direitos exclusivos de publicação em língua portuguesa somente para o Brasil adquiridos pela
EDITORA RECORD LTDA.
Rua Argentina, 171 – Rio de Janeiro, RJ – 20921-380 – Tel.: (21) 2585-2000, que se reserva a propriedade literária desta tradução.

Impresso no Brasil

ISBN 978-65-5587-470-9

Seja um leitor preferencial Record.
Cadastre-se no site www.record.com.br
e receba informações sobre nossos
lançamentos e nossas promoções.

Atendimento e venda direta ao leitor:
sac@record.com.br

Para minha filha, com amor

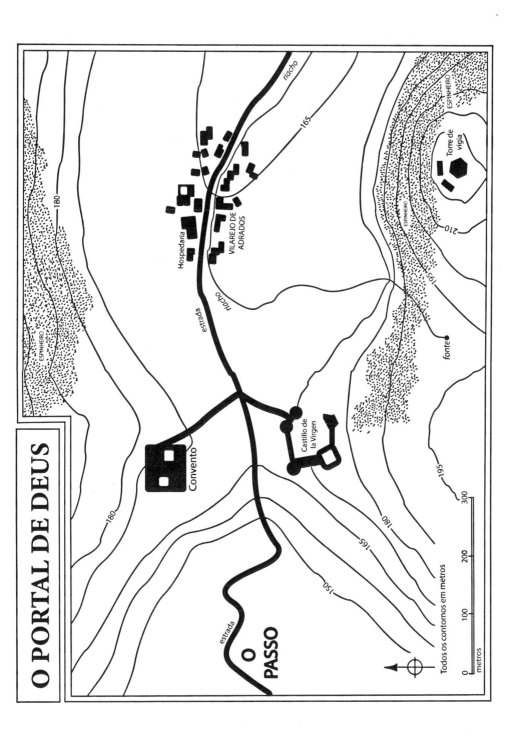

"... este sistema ainda está na infância

... muito foi realizado em pouco tempo, e há todos os motivos para crer que a precisão do Foguete pode se equiparar à de outras munições de artilharia para todos os objetivos importantes do serviço em campo."

Coronel Sir William Congreve, 1814

INTRODUÇÃO

A maioria dos livros de Sharpe segue campanhas reais, o que torna sua escrita muito mais fácil porque a história, ao fornecer uma batalha, oferece um clímax tentador para a narrativa. *O inimigo de Sharpe*, porém, é quase inteiramente fictício. O livro nasceu de uma passagem de *A History of the Peninsular War* [Uma história da Guerra Peninsular], de Charles Oman, onde ele menciona bandos compostos de uma "escória cambiante de saqueadores não autorizados que deixaram suas bandeiras sem licença e não tinham pressa para retornar às mesmas". Oman cita um livro de memórias francês que contava que um desses bandos, composto de homens de várias nacionalidades, era grande o suficiente para derrotar um batalhão enviado para caçá-lo. O líder desse bando se regozijava com o apelido de "*maréchal* Chaudron", ou marechal Caldeirão, e eu troquei isso para *maréchal* Pot-au-Feu. Fiz a mudança porque não queria que algum leitor atento, familiarizado com o livro *Memoires* [Memórias], de Lemonnier-Delafosse, me acusasse de ter entendido mal a história de Chaudron. Leitores atentos podem ser muito úteis, nesse sentido.

A ideia de um bando de desertores franceses, britânicos, espanhóis e portugueses era irresistível para uma história de Sharpe, fornecendo-lhe um inimigo absolutamente implacável porque não tem nada a perder. Além disso, o livro deu a Richard Sharpe seu primeiro grande comando independente; uma chance de controlar em batalha uma força do tamanho de um batalhão, o que, naturalmente, ele faz de forma brilhante.

Confesso que tive alguma ajuda. Com frequência, penso que escrever um livro se parece com escalar uma montanha, e, quando se olha para baixo na metade da subida, provavelmente se vê um caminho melhor do que o que foi tomado. Por isso se desce e recomeça, até que, a três quartos da subida, olha-se para trás e se vê uma rota melhor, e assim por diante. Houve ocasiões em que, na metade ou a um quarto do fim de uma história, Sharpe se viu num beco sem saída com um fuzil descarregado diante de uma horda de franceses pronta para acabar com ele. O que se faz numa situação como essa é voltar ao capítulo dois, ou três, ou aonde quer que seja, e inserir uma porta conveniente no fim do beco para que, quando seis capítulos depois Sharpe estiver ali parado com o fuzil descarregado, haja uma rota de fuga conhecida dos leitores, que não se sentem enganados quando Sharpe a usa, mas que se sentiriam se a porta não tivesse sido mencionada até aquele instante. E ao escrever este livro eu me lembro de ter construído estruturas úteis para Sharpe por todo o terreno por onde ele teria de lutar, de modo que, quando estivesse diante de uma força avassaladora, não parecesse absolutamente inacreditável que ele pudesse vencer.

Além disso, é claro, ele tem a oposição de Obadiah Hakeswill, que supostamente teria sobrevivido à condenação à forca. Confesso que a ideia parecia pouco crível, por isso senti um enorme alívio quando descobri, alguns meses depois de apresentar Obadiah a Sharpe, que foram tantos os sobreviventes ao cadafalso que a Companhia dos Cirurgiões-Barbeiros, uma das duas corporações autorizadas a dissecar corpos de criminosos enforcados, criou uma regra dizendo que, se uma pessoa enforcada chegasse viva, os responsáveis por trazer o corpo seriam responsáveis pelo custo da ressuscitação. Essa regra sugere as brigas que devem ter acontecido embaixo dos cadafalsos enquanto parentes e amigos tentavam salvar a vítima dos anatomistas, e os registros mostram que um bom número de criminosos sobreviveu, e, curiosamente, as autoridades não faziam nenhum esforço para prendê-los e enforcá-los adequadamente.

Muitos leitores, em especial mulheres, se perguntavam o que aconteceu com Antonia, a filha de Sharpe, e pediram que eu terminasse sua história. Direi pouco sobre ela, além de observar que *O inimigo de Sharpe* é dedicado à minha filha, cujo nome não é mencionado na dedicatória, mas que por acaso é Antonia, e esse é o meu jeito de garantir a esses leitores que Antonia vive feliz para sempre, é claro. Como deveria ser com todos nós.

BERNARD CORNWELL

PRÓLOGO

Em 8 de dezembro de 1812, os soldados ingleses chegaram a Adrados pela primeira vez.

O vilarejo havia escapado da guerra. Ficava naquela parte da Espanha a leste da fronteira norte de Portugal e, apesar de estar perto da fronteira, poucos soldados passaram pela sua única rua.

Os franceses vieram uma vez, três anos antes, mas na ocasião estavam fugindo de lorde Wellington, e correram tão depressa que mal tiveram tempo de parar e saquear.

Até que em maio de 1812 vieram os soldados espanhóis, a Guarnição de Adrados, mas os aldeões não se importaram. Eram só cinquenta soldados com quatro canhões, e, assim que as peças de artilharia foram posicionadas no velho castelo e na torre de vigia do lado de fora do vilarejo, os soldados pareceram achar que sua guerra estava encerrada. Bebiam na hospedaria do vilarejo, flertavam com as mulheres no riacho em que as pedras chatas facilitavam lavar roupas, e naquele verão duas jovens do vilarejo se casaram com artilheiros. Por causa de alguma confusão no Exército espanhol, um comboio de pólvora destinado a Ciudad Rodrigo foi enviado para a "guarnição", e os soldados alardeavam que tinham mais pólvora, e menos canhões, que qualquer outra tropa de artilharia da Europa. Faziam fogos de artifício rústicos para os casamentos, e os aldeões admiravam os clarões e os ecos das explosões em seu vale remoto. No outono, alguns soldados espanhóis desertaram, entediados com o serviço de guardar o vale onde nenhum inimigo chegava, ansiosos para voltar aos seus vilarejos e às suas mulheres.

Então vieram os ingleses. E logo naquele dia!

Adrados não era um local de grande importância. Segundo o padre, lá cresciam ovelhas e espinheiros, e o padre dizia aos aldeões que isso fazia do povoado um local sagrado, porque a vida de Cristo começou com a visita dos pastores e terminou com uma coroa de espinhos. Os aldeões, no entanto, não precisavam que um padre lhes dissesse que Adrados era sagrado, porque só uma coisa trazia visitantes ao vilarejo: a festa de 8 de dezembro.

Anos antes, ninguém sabia quantos, nem mesmo o padre, mas naqueles dias antigos em que cristãos lutavam contra muçulmanos na Espanha a Santa Mãe veio a Adrados. Todo mundo conhecia a história. Cavaleiros cristãos recuavam pelo vale, perseguidos, e seu líder parou para rezar ao lado de um pedregulho de granito na borda do passo que descia para Portugal, a oeste, e foi então que aconteceu. Ela apareceu! Ficou parada no granito, o rosto pálido feito gelo, os olhos como lagos de montanha, e disse ao cavaleiro que em pouco tempo os perseguidores muçulmanos também parariam para rezar, para se voltar para o leste e seu lar pagão, e que, se ele fizesse suas tropas darem meia-volta, se elas desembainhassem as espadas velhas, trariam glória à cruz.

Duas mil cabeças muçulmanas caíram naquele dia. Mais! Ninguém sabia quantas, e a cada ano o número aumentava junto com a narrativa. O arco do convento construído ao redor do lugar onde ela apareceu era decorado com esculturas de cabeças muçulmanas. Na capela do convento, no alto dos degraus do altar, havia um trechinho de granito polido; o local onde o Pé Santo esteve.

E a cada ano, em 8 de dezembro, o Dia do Milagre, mulheres vinham a Adrados. Era um dia de mulheres, não de homens. Os homens iam para a hospedaria do vilarejo assim que tivessem carregado a imagem da Virgem com as joias balançando sob o dossel dourado, rodeando os limites do povoado e retornando ao convento.

As freiras deixaram o convento duzentos anos antes, atraídas para casas mais ricas nas planícies, incapazes de competir com as cidades em que a Santa Mãe foi mais generosa em seu aparecimento, no entanto as construções ainda eram boas. A capela se tornou a igreja do vilarejo, o claustro superior era um depósito e um dia por ano o convento ainda era um local de milagres.

As mulheres entravam ajoelhadas na capela. Arrastavam-se desajeitadas pelas lajotas, as mãos ocupadas com contas, as vozes murmurando orações ansiosas, e os joelhos as levavam ao topo dos degraus. O padre entoava seu latim. As mulheres se curvavam e beijavam o granito escuro e liso. Havia um buraco na pedra, e a lenda dizia que, se você beijasse aquele lugar e a ponta da língua alcançasse o fundo do buraco, o bebê seria menino.

As mulheres choravam ao beijar a pedra; não de tristeza, mas com uma espécie de êxtase. Algumas precisavam de ajuda para sair.

Algumas rezavam para se livrar de doenças. Traziam seus tumores, suas desfigurações, seus filhos aleijados. Algumas vinham rezar para ter um filho e um ano depois voltavam e agradeciam à Santa Mãe porque agora compartilhavam seu segredo. Rezavam à Virgem que tinha dado à luz e sabiam, algo que nenhum homem jamais saberia, que uma mulher gerava os filhos em sofrimento, mas mesmo assim rezavam para ser mães e esticavam a língua no buraco. Rezavam na glória iluminada por velas da capela do convento de Adrados, e o padre empilhava seus presentes atrás do altar: a colheita de cada ano.

Oito de dezembro de 1812. Os ingleses vieram.

Não eram os primeiros visitantes. Mulheres chegavam à cidade desde o alvorecer, mulheres que andaram trinta quilômetros ou mais. Algumas vinham de Portugal, a maioria dos vilarejos escondidos nos mesmos morros de Adrados. Então chegaram dois oficiais ingleses, montados em grandes cavalos, e com eles estava uma garota. A voz dos oficiais era alta e feroz. Ajudaram a garota a apear do cavalo diante do convento e foram até o vilarejo, onde prestaram respeito ao comandante espanhol diante de cálices do vinho tinto rústico da região que era servido na hospedaria. Os homens na hospedaria estavam de bom humor. Sabiam que muitas mulheres rezavam por um filho e que seriam convocados a ajudar a Santa Mãe a realizar esse desejo.

Os outros soldados britânicos vieram do leste, o que era estranho porque não deveria haver soldados britânicos no leste, mas ninguém deu importância a esse fato. Não havia alarme. Os britânicos jamais estiveram em Adrados, mas os aldeões ouviram dizer que aqueles soldados pagãos eram respeitosos. Seu general ordenou que ficassem em posição de sentido quando a hóstia foi carregada pelas ruas até um leito de morte e que tirassem o chapéu, o que era bom. Esses soldados ingleses, no entanto, não eram como a guarnição espanhola. Esses homens de casaca vermelha pareciam imundos, vilanescos, estavam desarrumados, os rostos cheios de grosseria e ódio.

Cem homens esperavam na extremidade leste do vilarejo, sentados junto ao local de lavar roupa, perto da estrada, fumando cachimbos de barro curtos. Outros cem passaram pelo vilarejo comandados por um sujeito grande, a cavalo, cuja casaca vermelha era luxuosamente enfeitada com ouro. Um soldado espanhol, vindo do castelo para a hospedaria, prestou continência ao coronel e se surpreendeu quando o oficial inglês sorriu para ele, fez uma reverência irônica, e sua boca era quase desprovida de dentes.

O espanhol deve ter dito alguma coisa na hospedaria, porque os dois oficiais britânicos, de casaca desabotoada, foram para a rua e ficaram observando os últimos soldados passarem seguindo para o convento. Um dos oficiais franziu a testa.

— Quem diabos é você?

O soldado com quem ele falou riu.

— Smithers, senhor.

Os olhos do capitão se viraram rapidamente para a fila de soldados.

— De que batalhão?

— Terceiro, senhor.

— Que maldito regimento, seu idiota?

— O coronel vai lhe dizer, senhor. — Smithers parou no meio da rua e levou a mão à boca. — Coronel!

O grandalhão virou o cavalo, parou e o esporeou em direção à hospedaria. Os dois capitães se empertigaram e prestaram continência.

O coronel puxou as rédeas. Parecia já ter tido icterícia, talvez por ter servido nas ilhas da Febre, porque sua pele era amarela feito pergaminho velho. O rosto sob o bicorne cheio de borlas se retorceu num espasmo involuntário. Os olhos azuis, espantosamente azuis, não eram nada amistosos.

— Abotoem a porcaria das casacas.

Os capitães baixaram os cálices de vinho, abotoaram as casacas e colocaram o cinto no lugar. Um deles, um jovem gorducho, franziu a testa porque o coronel gritou com eles diante dos soldados sorridentes.

O coronel deixou seu cavalo se aproximar dois passos dos dois capitães.

— O que estão fazendo aqui?

— Aqui, senhor? — O capitão mais alto e mais magro sorriu. — Só estamos de visita, senhor.

— De visita, é? — O rosto se retorceu de novo. O coronel tinha o pescoço estranhamente comprido, escondido por um plastrão alto. — Só vocês dois?

— Sim senhor.

— E Lady Farthingdale, senhor — acrescentou o gorducho.

— E Lady Farthingdale, é? — O coronel imitou a voz afetada do capitão, depois gritou para eles com súbita veemência: — Vocês são uma desgraça, é isso que são! Odeio vocês! Pela barriga de Jesus, odeio vocês!

De repente a rua ficou silenciosa ao sol do inverno. Os soldados que se reuniram dos dois lados do cavalo do coronel riram para os dois capitães.

O capitão mais alto enxugou o perdigoto que tinha voado da boca do coronel e acertado sua casaca vermelha.

— Devo protestar, senhor.

— Protestar! Seu cara de vômito! Smithers!

— Coronel!

— Atire nele!

O capitão gorducho sorriu, como se tivesse ouvido uma piada, mas o outro levantou um braço, se encolheu, e, quando Smithers, sorrindo, apontou seu mosquete e atirou, o coronel sacou uma pistola ornamentada com relevos e atirou na cabeça do capitão gorducho. Os tiros ecoaram na rua, duas nuvens de fumaça pairaram acima dos corpos caídos, e o coronel gargalhou antes de se levantar nos estribos.

— Agora, rapazes, agora!

Limparam primeiro a hospedaria, passando por cima dos cadáveres cujo sangue estava esparramado no lintel da porta, e os mosquetes espocaram no interior da construção, as baionetas caçaram os homens nos cantos e os mataram. O coronel acenou para os soldados que esperavam na extremidade leste do vilarejo entrarem na rua. Não queria ter começado aquilo tão rápido, queria primeiro ter metade dos seus homens dentro do convento, mas aqueles capitães desgraçados o forçaram, por isso o coronel gritou com seus homens, instigou-os e levou metade da sua força para aquele convento grande, quadrado e de paredes vazias.

As mulheres no convento não ouviram os disparos quinhentos metros a leste. Estavam apinhadas no claustro superior, esperando a vez de entrar na capela arrastando os joelhos, e souberam que a guerra enfim havia chegado com seu horror a Adrados quando homens de casaca vermelha apareceram no portão, baionetas apontadas, e a gritaria começou.

Alguns homens limpavam as casas do vilarejo, uma a uma, enquanto outros se espalhavam pelo vale, seguindo para o castelo. Boa parte da guarnição espanhola bebia no povoado, só uns poucos homens estavam em seus postos, e estes presumiram que as fardas inglesas pertencessem aos seus aliados e, mais ainda, que esses soldados britânicos poderiam explicar o tumulto no vilarejo. Os espanhóis viram os casacas-vermelhas atravessarem o entulho da muralha leste caída do castelo e gritaram perguntas para eles, então mosquetes dispararam, baionetas avançaram, e a guarnição morreu nas fortificações medievais. Um tenente matou dois casacas-vermelhas. Lutou com habilidade e fúria, impeliu mais invasores para trás e escapou passando por cima da muralha caída, correndo no meio dos arbustos de espinheiros para a torre de vigia em seu morro a leste. Esperava encontrar lá um punhado dos seus homens, mas morreu nos espinhos, atingido por um atirador escondido, e nem chegou a ver que os homens que capturaram a torre de vigia usavam não o vermelho britânico, e, sim, o azul francês. Seu corpo rolou para um arbusto de espinheiro, esmagando os velhos ossos quebradiços de um corvo deixado por uma raposa.

Havia gritos na rua. Homens que tentavam proteger seus lares morriam, crianças gritavam enquanto seus pais morriam, enquanto suas casas eram abertas à força. Os disparos de mosquete salpicavam a brisa com pequenas nuvens brancas.

Mais homens vinham do leste, homens de fardas tão variadas quanto os batalhões que lutaram por Portugal e pela Espanha nos quatro anos da guerra na península. Com os homens vinham mulheres, e foram elas que mataram as crianças no vilarejo, atirando, esfaqueando, mantendo apenas as que podiam trabalhar. As mulheres discutiam nas casas para saber quem ficaria com o quê, às vezes fazendo o sinal da cruz ao passar por um crucifixo pregado às baixas paredes de pedra. Não demorou muito para Adrados ser destruída.

No convento, os gritos se tornaram constantes enquanto os soldados ingleses caçavam nos dois claustros, no corredor, nas salas vazias e na capela apinhada. O padre havia corrido à porta, abrindo caminho entre as mulheres, e agora, tremendo, seguravam-no enquanto os casacas-vermelhas escolhiam seus prêmios. Algumas mulheres eram empurradas para fora da construção, as que tinham sorte, mulheres doentes demais ou velhas demais, e outras eram mortas com as longas baionetas. Dentro da capela, os soldados arrancaram os ornamentos do altar, pegaram coisas entre os presentes empilhados no espaço estreito atrás dele, então despedaçaram o armário que guardava os paramentos da missa. Um soldado estava colocando a roupa branca e dourada que o padre guardava para a Páscoa. Andou pela igreja abençoando seus colegas que empurravam mulheres para o chão. A capela ressoava com choros, gritos, risadas de homens e panos rasgando.

O coronel havia cavalgado até o claustro superior e aguardava com um sorriso no rosto, observando seus soldados. Tinha mandado dois homens de confiança para a capela, e eles apareceram agora, segurando uma mulher entre os dois. O coronel olhou para ela, umedeceu os lábios, e seu rosto estremeceu com os espasmos.

Tudo nela era opulento, das roupas ao cabelo, uma riqueza que falava de dinheiro enfatizando a beleza. Os cabelos eram pretos e volumosos, caindo em ondas de cada lado do rosto generoso e provocador. Tinha olhos escuros que o fitavam sem medo, uma boca que parecia sorrir muito, e as roupas estavam cobertas por uma capa escura com acabamento em luxuosa pele prateada. O coronel sorriu.

— É ela?

Smithers deu um sorrisinho.

— É ela, senhor.

— Ora, ora, ora. Veja se lorde Farthingdale não é um sortudo desgraçado! Tire a porcaria da capa dela, vamos dar uma olhada.

Smithers tentou pegar o capuz com borda de pele, nas costas da capa, mas ela afastou os homens, soltou o fecho no pescoço e tirou lentamente a capa dos ombros. Tinha um belo corpo, no auge da juventude, e para o coronel havia algo hipnotizante em sua ausência de medo. O claustro fedia a sangue, com gritos de mulheres e crianças ecoando; no entanto, aquela mulher rica e belíssima estava imóvel, com o rosto calmo. O coronel sorriu de novo com sua boca desdentada.

— Então você é casada com lorde Farthingdale, quem quer que ele seja?

— Sir Augustus Farthingdale. — Ela não era inglesa.

— Nossa! Peço perdão a Vossa Senhoria. — O coronel deu sua gargalhada aguda. — Sir Augustus. Ele é general, é?

— Coronel.

— Como eu! — O rosto amarelo se retorceu enquanto ele ria. — Rico, é?

— Muito — declarou ela, constatando um fato.

O coronel apeou desajeitadamente. Era alto, com uma barriga gigantesca e uma feiura de fato notável. Seu rosto se retorcia enquanto ele se aproximava.

— Você não é a porcaria de uma dama inglesa, é?

Ela ainda parecia totalmente destemida. Cobriu a veste de montaria escura com a capa com borda de pele e até mesmo deu um sorrisinho.

— Portuguesa.

Os olhos azuis a observaram com atenção.

— Então como vou saber que está dizendo a verdade? O que uma portuguesa faz casada com Sir Augustus Farthingdale, hein?

Ela deu de ombros, tirou um anel da mão esquerda e jogou para o coronel.

— Confie nisso.

O anel era de ouro. Na face chanfrada havia um brasão esquartelado, e o coronel sorriu ao olhá-lo.

— Há quanto tempo é casada, milady?

Desta vez ela sorriu, e os soldados que olhavam riram cheios de desejo. Esse era o prêmio do coronel, mas o coronel podia ser generoso quando queria. Ela afastou o cabelo preto da pele olivácea.

— Seis meses, coronel.

— Seis meses. Ainda tem brilho, não é? — Ele deu uma risadinha. — Quanto Sir Augustus pagará para ter você de volta esquentando a cama?

— Muito. — Ela baixou a voz ao dizer isso, enriquecendo a palavra com promessa.

O coronel gargalhou. As mulheres bonitas não gostavam do coronel, por isso ele não gostava delas. Essa piranha rica era corajosa, mas ele poderia quebrar o espírito dela. Olhou para seus homens que a observavam e sorriu. Jogou o anel de ouro para o alto e o pegou de volta.

— O que estava fazendo aqui, milady?

— Rezando por minha mãe.

O sorriso desapareceu imediatamente do rosto dele. De repente seus olhos ficaram astutos, a voz resguardada.

— O quê?

— Rezando por minha mãe. Ela está doente.

— A senhora ama sua mãe? — A pergunta foi intensa.

Ela assentiu, perplexa.

— Amo.

O coronel estremeceu onde estava e se virou para seus homens, seu dedo apontou para eles feito uma lâmina.

— Ninguém! — Estava gritando de novo. — Ninguém vai tocar nela! Estão me ouvindo? Ninguém. — A cabeça estremeceu e ele esperou que o espasmo passasse. — Eu mato qualquer desgraçado que toque nela! Mato! — Em seguida se virou de volta para a mulher e fez uma reverência desajeitada. — Lady Farthingdale. A senhora terá de nos suportar. — Seus olhos percorreram o claustro e viram o padre amarrado a uma coluna. — Vamos mandar o vigário com uma carta e o anel. Seu marido pode pagar pela senhora, milady, mas prometo que ninguém vai tocá-la. — Ele olhou de novo para seus homens, gritou, e os perdigotos voaram à luz do sol. — Ninguém toca nela! — Seu humor mudou de novo com igual velocidade.

Ele observou o claustro ao redor, as mulheres caídas, ensanguentadas e espancadas nos ladrilhos coloridos, olhou as outras que esperavam, temerosas e aterrorizadas, dentro da cerca de baionetas, e sorriu. — Tem o suficiente para todo mundo, não é? O suficiente! — Gargalhou e se virou, a fina bainha da espada raspando no chão. Viu uma garota magricela, mal saída da infância, e o dedo apontou de novo. — Aquela é minha! Tragam-na aqui! — Gargalhou com as mãos nos quadris, dominando o claustro, e sorriu para os homens que estavam no convento. — Bem-vindos ao seu novo lar, rapazes!

O Dia do Milagre havia chegado mais uma vez a Adrados, e os cachorros do vilarejo farejavam o sangue que secava na única rua.

CAPÍTULO 1

Richard Sharpe, capitão da Companhia Ligeira do único batalhão do Regimento de South Essex, estava na janela, observando a procissão na rua abaixo. Fazia frio lá fora, ele sabia muito bem. Tinha acabado de marchar para o norte com sua reduzida companhia desde Castelo Branco, com a ordem de se apresentar no quartel-general do Exército, seguindo uma convocação misteriosa para a qual ainda não tinha recebido explicação. Não que o quartel-general costumasse dar explicações a meros capitães, mas irritava Sharpe já estar em Frenada há dois dias e ainda não fazer ideia do que significavam as ordens urgentes. O general, visconde Wellington de Talavera... Não, por Deus, não era isso! Agora ele era marquês de Wellington, grande de Espanha, duque de Ciudad Rodrigo, generalíssimo de todos os Exércitos Espanhóis, "Narigudo" para seus homens, par para seus oficiais, e — presumia Sharpe — o homem que o queria em Frenada. Mas o general não estava ali, e sim em Cádis, ou Lisboa, ou Deus sabe onde, e o exército britânico se amontoava nos alojamentos de inverno enquanto apenas Sharpe e sua companhia percorriam as frias estradas em dezembro. O major Michael Hogan, amigo de Sharpe e comandante do Departamento de Informações de Wellington, foi para o sul com o general, e Sharpe sentia sua falta. Hogan não o teria mantido esperando.

Ao menos estava aquecido. Tinha dado seu nome de novo ao funcionário no térreo e resmungado que esperaria no andar de cima, no refeitório do quartel-general, onde havia uma lareira. Não deveria usar aquela sala, mas pouca gente teria coragem de discutir com o fuzileiro alto, de cabelo preto e com uma cicatriz que dava ao rosto uma eterna expressão ligeiramente zombeteira.

Olhou para a estrada. Um padre borrifava água benta. Acólitos tocavam sinos e balançavam incensórios acesos. Estandartes seguiam a imagem da Virgem Maria no andor. Mulheres se ajoelhavam perto das construções e estendiam as mãos postas para a imagem. Um sol fraco iluminava as ruas, sol de inverno, e os olhos de Sharpe automaticamente buscaram nuvens no céu. Não havia nenhuma.

O refeitório estava vazio. Com Wellington longe, a maioria dos oficiais parecia passar as manhãs na cama, ou então na hospedaria ao lado, cujo senhorio havia sido treinado para preparar um desjejum decente. Costeletas de porco, ovos fritos, rins fritos, toucinho, torradas, clarete, mais torradas, manteiga e um chá tão forte que poderia limpar um cano de obus imundo. Alguns oficiais já haviam partido para Lisboa, para passar o Natal. Se os franceses atacassem agora, pensou Sharpe, poderiam atravessar Portugal e chegar ao mar.

A porta se abriu com um estrondo e um homem de meia-idade usando um robe volumoso por cima da calça da farda entrou. Fez cara feia para o fuzileiro.

— Sharpe?

— Sim senhor. — Parecia prudente usar "senhor". O sujeito tinha ar de autoridade, apesar do nariz escorrendo.

— General de divisão Nairn. — O general de divisão largou papéis numa mesa baixa, perto dos exemplares antigos do *Times* e do *Courier* de Londres, depois foi até a outra janela. Olhou feio para as ruas. — Papistas desgraçados.

— Sim senhor. — Outra resposta prudente.

— Papistas desgraçados! Os Nairn, Sharpe, são todos presbiterianos escoceses! Podemos ser tediosos, mas, por Deus, somos devotos! — Ele sorriu, depois deu um espirro violento antes de secar o nariz vigorosamente com um lenço cinza enorme. Fez um gesto com o lenço, indicando a procissão. — Outro maldito dia de festa, Sharpe, não consigo entender como eles todos são tão magros. — Ele deu risada, depois espiou o fuzileiro com olhos astutos. — Então você é Sharpe?

— Sim senhor.

— Bom, não chegue perto de mim, estou com a porcaria de um resfriado. — Ele se dirigiu à lareira. — Ouvi falar de você, Sharpe. Sujeito impressionante! Você é escocês?

— Não senhor. — Sharpe sorriu.

— Não é culpa sua, Sharpe, não é culpa sua. Não se pode escolher a porcaria dos pais, e é por isso que temos de espancar a porcaria dos filhos. — Ele olhou de relance para Sharpe, certificando-se de que estava sendo apreciado. — Você veio de baixo, das fileiras, não foi?

— Sim senhor.

— Fez muito bem, Sharpe, muito bem.

— Obrigado, senhor. — Era espantoso como em geral eram necessárias poucas palavras para se entender com os oficiais superiores.

O general de divisão Nairn se abaixou e agitou o fogo batendo nas toras com um atiçador.

— Imagino que esteja se perguntando por que está aqui. Certo?

— Sim senhor.

— Você está aqui porque esta é a porcaria da sala mais quente em Frenada e obviamente você não é idiota. — Nairn gargalhou, largou o atiçador e esfregou o nariz com o lenço. — Frenada é a porcaria de um lugar tenebroso.

— Sim senhor.

Nairn encarou Sharpe com um olhar acusatório.

— Sabe por que o par escolheu Frenada como quartel-general de inverno?

— Não senhor.

— Algumas pessoas vão lhe dizer — começou o general de divisão, mas parou por um instante para se jogar com um suspiro de satisfação numa enorme poltrona de crina de cavalo — que o lugar foi escolhido porque fica perto da fronteira com a Espanha. — Ele balançou um dedo para Sharpe. — Há certa verdade nisso, mas não toda a verdade. Algumas pessoas dirão que o par escolheu esta cidade incivilizada porque fica a muitos quilômetros de Lisboa e nenhum carreirista ou lambe-botas vai se dar ao trabalho de fazer a jornada até aqui para perturbá-lo. Bom, isso também pode conter um grão de verdade eterna, só que o par passa metade do tempo lá, o que facilita tremendamente a vida dos puxa-sacos malditos. Não, Sharpe, devemos procurar o motivo em outro lugar.

— Sim senhor.

Nairn gemeu ao se espreguiçar.

— O verdadeiro motivo, Sharpe, o motivo imaculadamente concebido para esse tugúrio capenga que chamam de cidade ter sido escolhido é porque ele fica no centro da melhor área de caça à raposa de Portugal.

Sharpe sorriu.

— Sim senhor.

— E o par, Sharpe, gosta de caçar raposas. Assim o restante de nós está relegado aos tormentos eternos desta desgraça de lugar. Sente-se, homem!

— Sim senhor.

— E pare de falar "sim senhor", "não senhor" como uma porcaria de um lambe-cu.

— Sim senhor. — Sharpe sentou na poltrona diante do general de divisão Nairn. O escocês tinha enormes sobrancelhas grisalhas que pareciam tentar crescer para cima com o objetivo de se encontrar com o tufo de cabelos grisalhos. Seu rosto era bom e forte, com olhos espertos e bem-humorados, estragado apenas pelo nariz vermelho de gripe. Nairn devolveu o olhar, espiando Sharpe de cima a baixo, das botas da cavalaria francesa aos cabelos pretos, depois girou na poltrona.

— Chatsworth! Seu lixo desgraçado! Seu biltre! Chatsworth! Aqui! Está ouvindo? Aqui!

Um ordenança apareceu e sorriu feliz para Nairn.

— Senhor?

— Chá, Chatsworth, chá! Traga um chá forte! Algo que reacenda meu ardor militar. E faça a gentileza de tentar trazê-lo antes do ano-novo.

— Já está na infusão, senhor. Algo para comer, senhor?

— Comer? Estou resfriado, Chatsworth. Estou à beira da morte e você falando de comida! O que você tem?

— Um pouco de presunto, senhor, do qual o senhor gostou. Mostarda. Pão e manteiga fresca? — Chatsworth era solícito, obviamente gostava de Nairn.

— Ah, presunto! Traga-nos presunto, Chatsworth, presunto e mostarda, com o seu pão e manteiga. Você roubou o garfo de tostar deste refeitório, Chatsworth?

— Não senhor.

— Então descubra quem dos seus colegas ladrões pegou, mande ser açoitado, depois me traga o garfo!

— Sim senhor. — Chatsworth sorriu enquanto saía da sala.

Nairn sorriu para Sharpe.

— Sou um velho inofensivo, Sharpe, deixado no comando desta porcaria de hospício enquanto o par saracoteia por meia península. Deus me ajude, mas eu deveria estar no comando deste quartel-general. Eu! Se tivesse tempo, Sharpe, acho que poderia comandar as tropas numa campanha de inverno! Poderia gravar meu nome na glória, mas não tenho tempo! Olhe isso! — Ele pegou um papel na pilha ao lado. — Uma carta do capelão geral, Sharpe. Do capelão geral, ninguém menos! Você sabia que ele recebe um salário de quinhentos e sessenta e cinco libras por ano, Sharpe, e além disso foi nomeado conselheiro para o estabelecimento de estações de telégrafo óptico e que para esse cargo absurdo recebe mais seiscentas libras? Acredita nisso? E o que o vigário de Deus para o Exército de Sua Majestade faz com seu tempo bem pago? Escreve isso para mim! — Nairn segurou a carta diante do rosto. — "Determino que o senhor informe sobre a contenção do metodismo dentro do Exército." Deus Todo-poderoso, Sharpe! O que se faz com uma carta dessa?

Sharpe sorriu.

— Não sei, senhor.

— Eu sei, Sharpe, eu sei. Por isso sou general de divisão. — Nairn se inclinou para a frente e jogou a carta no fogo. — É isso que se faz com cartas assim. — Nairn deu uma risadinha feliz enquanto o papel pegava fogo e lançava chamas fortes. — Você quer saber por que está aqui, não é?

— Sim senhor.

— Você está aqui, Sharpe, porque o príncipe de Gales enlouqueceu. Feito o pai, coitado, está completamente doido. — Nairn se recostou e assentiu em triunfo para Sharpe. A carta se encolheu até não passar de um fiapo preto na lenha enquanto Nairn esperava uma reação. — Santo Deus, Sharpe! Você deveria dizer alguma coisa! Deus abençoe o príncipe de Gales serviria, mas você fica aí sentado como se essa notícia não significasse nada. Um herói faz isso, certo, mantém o rosto impassível? É um negócio sério, é? Ser herói?

— Sim senhor. — Sharpe dava um sorriso largo.

A porta foi aberta e Chatsworth entrou com uma bandeja de madeira pesada, que pôs no chão, diante do fogo.

— Pão e presunto, senhor, mostarda no potinho. O chá está há um bom tempo em infusão, e informo que o garfo de tostar estava em seu quarto, senhor. Aqui está.

— Você é um patife e um safardana, Chatsworth. Daqui a pouco vai me acusar de queimar a correspondência do capelão geral.

— Sim senhor. — Chatsworth sorriu, contente.

— Você é metodista, Chatsworth?

— Não senhor. Não sei bem o que é um metodista, senhor.

— Você tem muita sorte.

Nairn estava espetando uma fatia de pão no garfo de tostar. Um tenente apareceu à porta aberta atrás dele, bateu hesitante para atrair a atenção.

— General Nairn, senhor?

— O general de divisão Nairn está em Madri! Negociando uma rendição com os franceses! — Nairn colocou o pão perto do fogo, enrolando a mão no lenço para manter o calor longe.

O tenente não sorriu. Ficou esperando junto à porta.

— O coronel Greave manda seus cumprimentos, senhor, e pergunta o que deve fazer com os suportes de ferro para os pontões.

Nairn revirou os olhos para o teto amarelado.

— Quem está encarregado dos pontões, tenente?

— Os engenheiros, senhor.

— E, por favor, quem comanda os nossos galantes engenheiros?

— O coronel Fletcher, senhor.

— Então o que você vai dizer ao nosso bom coronel Greave?

— Entendi, senhor. Sim senhor. — O tenente fez uma pausa. — Que pergunte ao coronel Fletcher, senhor?

— Você está no caminho para se tornar general, tenente. Vá e faça isso, e, se a lavadeira-chefe quiser me ver, diga que sou casado e não posso ceder às importunações dela.

O tenente saiu e Nairn fez cara feia para o ordenança.

— Tire esse sorriso da cara, soldado Chatsworth! O príncipe de Gales enlouqueceu e tudo o que você faz é sorrir!

— Sim senhor. É só isso, senhor?

— É, Chatsworth, e obrigado. Vá, e feche a porta sem fazer barulho.

Nairn esperou até a porta estar fechada. Depois virou o pão no garfo.

— Você não é idiota, é, Sharpe?

— Não senhor.

— Graças a Deus. É possível que o príncipe de Gales tenha mesmo um toque da loucura do pai. Ele está interferindo no exército, e o par está tremendamente chateado. — Nairn fez uma pausa, mantendo o pão perigosamente perto das chamas. Sharpe não disse nada, mas sabia que a chateação do par e a interferência do príncipe de Gales tinha algo a ver com sua súbita convocação para o norte. Nairn olhou de relance para Sharpe por baixo das sobrancelhas fartas. — Já ouviu falar de Congreve?

— O homem do foguete?

— Esse mesmo. Sir William Congreve, que tem o apoio do principezinho e é criador de um sistema de artilharia de foguetes. — Subiu fumaça do pão, e Nairn o puxou rapidamente. — Num momento em que precisamos de cavalaria, artilharia e infantaria, Sharpe, o que nos mandam? Foguetes! Uma tropa de cavalaria de foguetes! E tudo porque o principezinho, com um toque da loucura do pai, acha que vai ganhar a guerra. Aqui. — Ele estendeu o garfo de tostar para Sharpe, depois começou a passar uma farta quantidade de manteiga em sua fatia escurecida.

— Chá?

— Desculpe, senhor. — Sharpe deveria ter servido o chá. Encheu duas xícaras enquanto Nairn cobria a torrada com um enorme naco de presunto coberto de mostarda. Nairn bebericou o chá e suspirou.

— Chatsworth faz um chá digno do paraíso. Um dia ele transformará alguma mulher numa esposa adorável. — Observou Sharpe tostar uma fatia de pão. — Foguetes, Sharpe. Temos na cidade uma tropa da cavalaria de foguetes e recebemos a ordem de fazer um teste justo e meticuloso com essa tropa de foguetes. — Ele sorriu. — Não quer que fique mais preta que isso?

— Não senhor. — Sharpe gostava de torrada clara. Virou o pão.

— Gosto dela soltando fumaça feito o poço do inferno. — Nairn fez uma pausa enquanto comia um pedação de presunto. — O que temos de fazer, Sharpe, é testar a porcaria desses foguetes, e, quando descobrirmos que não funcionam, vamos mandá-los de volta para Inglaterra e manter todos os cavalos deles que pudermos usar. Entendido?

— Sim senhor.

— Bom! Porque o serviço é seu. Você assumirá o comando do capitão Gilliland e suas máquinas infernais e vai fazê-lo treinar como se estivéssemos em batalha. É o que dizem suas ordens. O que eu digo, e o que o par diria se estivesse aqui, é que você tem de testá-lo com tamanha dureza que ele volte para a Inglaterra com um pingo de bom senso na cabeça.

— O senhor quer que os foguetes fracassem? — Sharpe passou manteiga no pão.

— Não quero que fracassem, Sharpe. Eu adoraria que funcionassem, mas não vão funcionar. Tivemos alguns há uns dois anos e eles eram tão volúveis quanto uma cadela no cio, mas o principezinho acha que sabe mais das coisas. Você vai testá-los e treinar o capitão Gilliland nas manobras de guerra. Resumindo, Sharpe, você vai lhe ensinar como cooperar com a infantaria porque a infantaria, se algum dia ele entrar em batalha, teria de protegê-lo das tropas do Tirano Orgulhoso. — Nairn abocanhou mais um pedaço de presunto. — Falando pessoalmente — sua voz saiu abafada —, eu adoraria que o diabo o levasse junto com a porcaria dos seus foguetes, mas temos de mostrar boa vontade.

— Sim senhor. — Sharpe bebericou seu chá. Havia algo estranho ali, algo ainda não dito. Sharpe tinha ouvido falar do sistema de foguetes de Congreve; de fato, nos últimos cinco ou seis anos corriam boatos no exército sobre a nova artilharia secreta, mas por que Sharpe foi escolhido para testá-la? Ele era capitão, e Nairn falou que ele comandaria outro capitão? Não fazia sentido.

Nairn estava com mais um pedaço de pão perto do fogo.

— Você está se perguntando por que foi escolhido, não é? Dentre todos os corajosos oficiais e cavalheiros nós escolhemos você, não é?

— Estava me perguntando sim, senhor.

— Porque você é um estorvo, Sharpe. Porque você não se encaixa no bem organizado sistema estabelecido pelo par. — Sharpe comeu sua torrada com presunto, o que lhe poupava da necessidade de responder. Nairn parecia ter se esquecido do garfo de tostar, que estava na lareira, e em vez disso apanhou outro papel da mesa. — Eu lhe disse, Sharpe, que o principezinho enlouqueceu. Não só empurrou o pavoroso Gilliland para cima de nós com seus pavorosos foguetes de Congreve como também mandou isso. — "Isso" era um papel que Nairn balançou segurando na ponta do indicador e do polegar como se fosse contagioso. — Estarrecedor! Acho melhor você ler, se bem que só Deus sabe por que não coloquei no fogo com a carta daquele desgraçado. Aqui. — Ele estendeu o papel para Sharpe, depois retornou à sua torrada.

Era um papel grosso e de qualidade. Havia um selo grande e vermelho na larga margem esquerda. Sharpe o virou para a janela para que pudesse ler. As duas primeiras linhas eram impressas numa calcografia decorativa.

"Jorge III, pela Graça de Deus do Reino Unido da Grã-Bretanha e da Irlanda, defensor da fé e assim por diante." As palavras seguintes eram escritas à mão, em linhas feitas a régua. "*Ilustríssimo fidedigno e amado Richard Sharpe.*" Voltava a ter uma parte impressa. "Saudações. Por meio desta apresentamos, constituímos e o nomeamos." Sharpe levantou os olhos para Nairn.

O general de divisão estava resmungando enquanto pegava manteiga do prato.

— É perda de tempo, Sharpe! Jogue no fogo! O homem está louco!

Sharpe sorriu. Tentou controlar a empolgação que crescia no peito, empolgação e pura incredulidade, quase não ousou ler as palavras seguintes.

"*Major em nosso Exército em Portugal e na Espanha.*"

Santo Deus! Santo Deus do céu! Major! O papel tremia nas suas mãos. Ele se recostou um instante, deixando a cabeça encostar na poltrona. Major! Estava neste exército havia dezenove anos. Alistou-se dias antes do décimo sexto aniversário e marchou através da Índia como soldado raso, com mosquete e baioneta nas mãos, e agora era major! Santo Deus! Lutou muito para chegar a capitão, achando que jamais se tornaria, e agora, de repente, caindo do céu, vindo do nada, isso! Major Richard Sharpe!

Nairn sorriu para ele.

— É só um posto no exército, Sharpe.

Major honorário, então, mas ainda assim major. O posto regimental era o verdadeiro posto de um homem, e, se na carta de comissão estivesse escrito "major de nosso Regimento de South Essex", seria um posto regimental. Um posto no exército significava que ele seria major enquanto servisse fora do próprio regimento, seria pago como major, mas, caso se aposentasse agora, seu pagamento seria computado por seu posto regimental, e não pelo novo, de major. Mas quem se importa? Ele era major!

Nairn olhou para o rosto bronzeado e duro. Sabia que estava vendo uma pessoa notável, alguém que ascendeu muito em pouquíssimo tempo, e se perguntou o que impelia um homem como Sharpe. Sentado perto da lareira, com a carta de comissão nas mãos, ele parecia um homem quieto e contido, mas Nairn sabia quem era esse soldado. Poucas pessoas no Exército não sabiam quem era Sharpe. O par dizia que era o melhor comandante de companhia ligeira do Exército, e talvez por isso, imaginou Nairn, Wellington tenha ficado furioso com a interferência do príncipe de Gales. Sharpe era um bom capitão, mas seria um bom major? Nairn deu de ombros. Esse tal de Sharpe, esse sujeito que insistia em usar a farda verde do 95º Regimento de Fuzileiros, nunca deixou o exército na mão, e torná-lo major dificilmente aplacaria a ferocidade da sua capacidade de luta.

Sharpe leu a carta de comissão até o fim. Ele disciplinaria oficiais inferiores e soldados, observaria e seguiria as ordens que lhe fossem dadas. Santo Deus! Major!

"Dada em nossa Corte em *Carlton House* no *décimo quarto* dia de *novembro* de 1812 no *quinquagésimo terceiro* ano de Nosso Reinado." As palavras "Por ordem de Sua Majestade" foram riscadas. Em seu lugar, a carta de comissão dizia: *"Por ordem de Sua Alteza Real o príncipe regente, em nome de Sua Majestade."*
Nairn sorriu para ele.

— O principezinho ouviu falar de Badajoz, depois de García Hernández, e insistiu. É contra as regras, claro, absolutamente contra as regras. O desgraçado não tem nada que promover você. Jogue isso no fogo!

— O senhor ficaria ofendido se eu desobedecesse a essa ordem, senhor?

— Parabéns, Sharpe! Você está começando exatamente como deve prosseguir. — Disse apressado essas últimas palavras quando o nariz começou a coçar pronto para espirrar, então agarrou o lenço e espirrou nele com força. Balançou a cabeça, esfregou e assoou o nariz e sorriu de novo. — Parabéns de verdade.

— Obrigado, senhor.

— Não me agradeça, major. Agradeça a todos nós garantindo que os foguetinhos de Gilliland não passem de um traque. Sabia que o desgraçado tem mais de cento e cinquenta cavalos para os seus brinquedos? Cento e cinquenta! Precisamos desses cavalos, Sharpe, mas não podemos pôr a mão neles enquanto o principezinho achar que vamos usá-los para derrubar o nanico de bunda no chão. Prove que ele está errado, Sharpe! Ele ouvirá você.

Sharpe sorriu.

— Então eu fui escolhido por isso?

— Meu Deus! Você não é idiota. Claro que você foi escolhido por isso, e como castigo, é claro.

— Castigo?

— Por ser promovido antes do tempo. Se você tivesse a gentileza de esperar que um dos seus majores do South Essex morresse, conseguiria um posto regimental. Ele virá, Sharpe, ele virá. Se 1813 for parecido com este ano, todos seremos marechais de campo no próximo Natal. — Ele apertou mais o robe no peito. — Se vivermos para ver o próximo Natal, coisa que duvido. — Nairn se levantou. — Vá, Sharpe! Você vai encontrar

Gilliland brincando de fogos de artifício na estrada da Guarda. Aqui estão suas ordens. Ele sabe que você está a caminho, pobre coitado. Mande-o de volta ao principezinho, Sharpe, mas deixe a porcaria dos cavalos.

— Sim senhor. — Sharpe se levantou, pegou as ordens e sentiu de novo a empolgação. Major!

Sinos de repente dobraram na igreja, ressoando no ar parado, fazendo os pássaros assustados voarem às pressas. Nairn se encolheu com o som e foi até a janela.

— Livre-se de Gilliland, então todos teremos um Natal tranquilo! — Nairn esfregou as mãos. — A não ser pela porcaria desses sinos, major, não há nada, graças ao bom Senhor, que perturbe o exército de Sua Majestade em Portugal e na Espanha.

— Sim, senhor. Obrigado, senhor. — Meu Deus! "Major" soava bem em seus ouvidos.

Os sinos continuaram tocando, marcando o dia de festa, enquanto, oitenta quilômetros a nordeste, os primeiros soldados ingleses, com as casacas vermelhas desalinhadas, entravam no tranquilo vilarejo de Adrados.

CAPÍTULO 2

Os boatos logo chegaram a Frenada, mas, ao atravessar o interior de Portugal, a história se retorceu e se embolou como os rastros de fumaça dos foguetes de Congreve se emaranhavam acima do vale raso onde Sharpe os testava.

O sargento Patrick Harper foi o primeiro homem da companhia de Sharpe a ouvir a história. Soube por sua mulher, Isabella, que a tinha ouvido no púlpito da igreja de Frenada. A indignação se alastrou pela cidade, uma indignação compartilhada por Harper. Tropas inglesas, não só inglesas, mas protestantes, foram a um vilarejo remoto e saquearam, mataram, estupraram e violaram num dia santo.

Patrick Harper contou a Sharpe. Os dois estavam sentados com o tenente Price e os outros dois sargentos da companhia à luz do sol de inverno no vale. Sharpe ouviu o sargento, depois balançou a cabeça.

— Não acredito.

— Juro por Deus, senhor. O padre contou, bem ali na igreja.

— Você ouviu?

— Isabella ouviu! — Os olhos de Harper, debaixo das sobrancelhas castanho-claras, estavam beligerantes. Sua indignação havia deixado mais carregado o sotaque de Ulster. — O sujeito não iria mentir no próprio púlpito! Por que ele faria isso?

Sharpe meneou a cabeça. Lutou ao lado de Harper em uma dezena de batalhas, via no sargento um amigo, ainda assim não estava acostumado com essa amargura. Harper tinha a confiança e a calma de um homem forte. Seu humor inabalável o acompanhava em batalhas, bivaques e no destino cruel que o obrigou a, como irlandês, entrar no exército inglês. Donegal, porém, jamais estava distante da mente de Harper, e havia algo nesse boato que tocou o nervo patriótico que doía sempre que Harper pensava em como a Inglaterra tinha tratado a Irlanda. Protestantes estuprando e matando católicos, um local sagrado violado, os elementos fervilhando na cabeça de Harper. Sharpe sorriu.

— Você acredita mesmo, sargento, que alguns dos nossos rapazes foram a um vilarejo, mataram uma guarnição espanhola e estupraram todas as mulheres? Isso parece certo?

Harper deu de ombros, ainda que relutante.

— Admito que é a primeira vez, isso admito. Mas aconteceu!

— Pelo amor de Deus, por que eles fariam isso?

— Porque são protestantes, senhor! Capazes de atravessar cem quilômetros só para matar um católico, são mesmo. Está no sangue!

O sargento Huckfield, protestante dos condados da Inglaterra, cuspiu uma folha de grama que estava nos lábios.

— Harps! E o seu pessoal? A Inquisição? Nunca ouviu falar da Inquisição no seu país? Meu Deus! Você fala de matança! Nós aprendemos tudo com a porcaria de Roma!

— Basta! — Sharpe já havia suportado essa discussão muitas vezes, e não queria mesmo que ela acontecesse com Harper furioso. Viu que o irlandês enorme estava prestes a falar de novo e impediu antes que os ânimos se exaltassem. — Eu disse basta! — Em seguida, virou-se para ver se a tropa de Gilliland havia terminado seus preparativos aparentemente intermináveis e descontou a raiva na lentidão deles.

O tenente Price estava deitado, a barretina cobrindo os olhos, e sorriu ao ouvir os palavrões de Sharpe. Quando ele parou, puxou a barretina de volta para trás.

— É porque estamos trabalhando num domingo. Violando o Dia do Senhor. Nada de bom acontece quando se trabalha no sabá, é o que o meu pai diz.

— Além disso, é dia 13. — A voz do sargento McGovern soou sombria.

— Estamos trabalhando num domingo — disse Sharpe, esforçando-se para ser paciente — porque assim tudo estará concluído antes do Natal e vocês poderão se juntar de novo ao batalhão. Então vão poder comer os gansos que o major Forrest fizer a gentileza de comprar e se embebedar com o rum do major Leroy. Se preferirem não fazer isso, voltamos para Frenada agora mesmo. Alguma pergunta?

Price imitou a voz de um menininho ciciando.

— O que o senhor vai me dar de Natal, major?

Os sargentos riram, e Sharpe viu que Gilliland enfim estava pronto. Levantou-se, espanando a terra e o capim do macacão da cavalaria francesa que usava por baixo da jaqueta de fuzileiro.

— Hora de ir. Vamos.

Fazia quatro dias que treinava com os foguetes de Gilliland. Sabia, ou achava que sabia, o que teria de dizer sobre eles. Não funcionavam. Eram divertidos, até mesmo espetaculares, mas sem a menor precisão.

Não eram novidade em guerras. Gilliland, aficionado por foguetes, disse a Sharpe que foram usados pela primeira vez na China, centenas de anos antes, e o próprio Sharpe viu foguetes sendo usados pelos exércitos indianos. Esperava que esses foguetes ingleses, produto da ciência e da engenharia, se provassem melhores do que aqueles que decoraram o céu em Seringapatam.

Os foguetes de Congreve eram muito parecidos com os fogos de artifício que comemoravam os dias festivos da realeza em Londres, embora fossem muito maiores. O menor tinha três metros e trinta de comprimento, sendo sessenta centímetros compostos do cilindro que continha a propulsão de pólvora, e tinha na ponta uma bala maciça ou uma bomba, enquanto o restante era a vara robusta do foguete. O maior foguete, segundo Gilliland, media oito metros e meio, com a cabeça mais alta que um homem, e a carga tinha mais de vinte quilos de explosivo. Se desse para convencer um foguete como esse a ir ao menos vagamente na direção do alvo, seria uma arma temível.

Mais uma vez, por duas horas, sob um céu de dezembro sem nuvens cujo sol estava surpreendentemente quente, Sharpe fez os homens de Gilliland se exercitarem. Era, pensava, uma completa perda de tempo, porque duvidava que Gilliland fosse precisar se coordenar com a infantaria em batalha; no entanto, havia algo naquela nova arma que fascinava Sharpe.

Talvez, pensou ao tirar pela quarta vez sua fina linha de escaramuça da frente da bateria, fosse a matemática dos foguetes. Uma bateria de artilharia era composta por seis canhões, mas precisava de cento e setenta e dois homens e cento e sessenta e quatro cavalos para ser movida e munida. Numa batalha, a bateria era capaz de realizar doze disparos por minuto.

Gilliland tinha o mesmo número de homens e cavalos, mas a fogo pleno poderia mandar noventa mísseis no mesmo minuto. Era capaz de manter essa taxa de fogo por quinze minutos, disparando seu total de mil e quatrocentos foguetes, e nenhuma bateria de artilharia seria capaz de rivalizar com esse poder.

Havia outra diferença, um fato desconfortável. Dez de doze disparos de canhão acertariam um alvo a quinhentos metros. Mesmo a trezentos metros, Gilliland teria sorte se um foguete em cada cinquenta sequer chegasse perto.

Pela última vez naquele dia, Sharpe tirou sua linha de escaramuça. Price acenou do outro lado do vale.

— Está limpo, senhor!

Sharpe olhou para Gilliland e gritou:

— Fogo!

Os homens de Sharpe abriram um sorriso de expectativa. Desta vez apenas doze foguetes pequenos seriam disparados. Cada um estava posicionado numa canaleta com a extremidade aberta para que voasse rente ao chão quando fosse aceso. Os artilheiros encostaram o fogo nos pavios, a fumaça subiu dando voltas no ar silencioso, e então, quase juntos, os doze mísseis entraram em movimento. Grandes rastros de fumaça e fagulhas foram lançados para trás, o capim atrás das canaletas ficou chamuscado, e os foguetes partiram, cada vez mais rápido, erguendo-se ligeiramente acima do campo empalidecido pelo inverno, enchendo o vale com seu rugido entrelaçado, soando acima do pasto enquanto os homens de Sharpe gritavam de alegria.

Um deles bateu no chão, deu cambalhota, a vara se partiu e a ponta solta se chocou com a terra, lançando chamas e fumaça preta no vale. Outro deu uma guinada para a direita, colidiu com um segundo, e os dois mergulharam no capim. Dois pareciam ir muito bem, subindo acima do campo, enquanto o restante perambulava e criava intricados padrões de fumaça acima do capim.

Todos, menos um. Um foguete se impulsionou para cima numa curva perfeita, subindo cada vez mais, a ponto de ser escondido pela fumaça que parecia se acumular atrás da cauda feroz. Sharpe o acompanhou, os olhos semicerrados para a claridade do céu, e pensou ter visto a vara estremecer na fumaça, virando, e viu a chama de novo. O foguete tinha dado meia-volta e estava mergulhando para o chão, acelerando diante das chamas com seu som estridente para os homens que o dispararam.

— Corram! — gritou Sharpe para os artilheiros.

Harper, esquecendo temporariamente a indignação contra o massacre, estava gargalhando.

— Corram, seus idiotas!

Cavalos dispararam, homens entraram em pânico, e o som ficou mais alto, um trovão no céu de dezembro, e a voz aguda de Gilliland berrava, confusa, com seus homens. Os artilheiros mergulharam no chão, as mãos cobrindo a cabeça, e o barulho aumentou e de repente se chocou inofensivo no chão quando a bala sólida de seis libras se enterrou no solo. A vara estremeceu acima dela. Por um segundo o propelente do foguete continuou lançando chamas violentas na base do cilindro, depois morreu, e havia apenas um fogo azul lambendo a vara.

Harper enxugou os olhos.

— Deus salve a Irlanda!

— E os outros? — Sharpe estava olhando para o campo.

O sargento Huckfield balançou a cabeça.

— Estão espalhados por todo canto, senhor. O que chegou mais perto da área-alvo foi a provavelmente uns trinta metros. — Em seguida ele lambeu a ponta do lápis, fez uma anotação no seu caderno e deu de ombros. — Mais ou menos na média, senhor.

O que, infelizmente para Gilliland, era verdade. Os foguetes pareciam adquirir vontade própria assim que entravam em movimento. Como disse o tenente Harry Price, eram esplêndidos para assustar cavalos, contanto que ninguém se importasse com quais cavalos, franceses ou britânicos, seriam assustados.

Sharpe andou pelo vale com o capitão Gilliland em meio aos restos fumegantes de seus mísseis. O ar estava amargo com a fumaça de pólvora. O caderno dizia tudo: os foguetes eram um fracasso.

Gilliland, um homem pequeno e jovem de rosto magro, mas animado pela paixão mágica por sua arma, fez um apelo a Sharpe, que já tinha ouvido todos os argumentos. Escutou por alto, enquanto parte da sua mente simpatizava com o desespero de Gilliland em fazer parte da campanha de 1813. Este ano estava terminando com um gosto amargo. Depois das grandes vitórias de Ciudad Rodrigo, Badajoz e Salamanca, a campanha parou diante da fortaleza francesa de Burgos. O outono viu uma retirada britânica de volta a Portugal, de volta aos suprimentos de comida que manteriam o exército vivo durante o inverno, e a retirada foi difícil. Algum idiota mandou os suprimentos do exército por uma estrada diferente, o que levou as tropas a fazerem uma marcha exaustiva para oeste em meio a uma chuva torrencial, com fome e com raiva. A disciplina não resistiu. Homens foram enforcados à beira da estrada, acusados de saque. Sharpe despiu dois bêbados e os deixou à mercê dos perseguidores franceses. Depois disso, ninguém do South Essex ficou bêbado, e foi um dos poucos batalhões a chegar a Portugal em boa ordem. No ano seguinte iriam se vingar dessa retirada, e pela primeira vez os exércitos da península marchariam sob o comando de um único general. Wellington agora era chefe dos exércitos britânico, português e espanhol, e Gilliland implorava a Sharpe que fizesse parte das vitórias que essa unidade parecia prometer. Sharpe cortou o discurso.

— Mas eles não acertaram nada, capitão. O senhor não pode torná-los precisos.

Gilliland assentiu, deu de ombros, balançou a cabeça, agitou as mãos em sinal de impotência e se virou de novo para Sharpe.

— Senhor? Uma vez o senhor disse que um inimigo com medo já está meio derrotado, não foi?

— Foi.

— Pense no que isso fará com um inimigo! Eles são aterrorizantes!

— Como os seus homens acabaram de descobrir.

Gilliland balançou a cabeça, exasperado.

— Sempre há um ou dois foguetes desgarrados, senhor. Mas pense bem! Para um inimigo que nunca os viu? Subitamente as chamas, o barulho! Pense, senhor!

Sharpe pensou. Exigiram que ele testasse os foguetes, que os testasse meticulosamente, e assim o fez em quatro dias de trabalho pesado. Começaram com o alcance máximo dos foguetes, dois mil metros, e logo baixaram, baixaram para apenas trezentos, e os mísseis continuavam lamentavelmente imprecisos. Ainda assim... Sharpe sorriu sozinho. Que efeito teriam sobre alguém que nunca os tivesse visto? Olhou para o céu. Meio-dia. Havia torcido para ter uma tarde tranquila antes de ver a apresentação de *Hamlet* que os oficiais da Divisão Ligeira estavam montando num celeiro fora da cidade, mas talvez tivesse esquecido um teste. Não levaria muito tempo.

Uma hora depois, apenas com o sargento Harper, observou Gilliland fazer seus preparativos a seiscentos metros. Harper olhou para Sharpe e balançou a cabeça.

— Estamos loucos.

— Você não precisa ficar.

Harper pareceu lúgubre.

— Prometi à sua esposa que iria cuidar do senhor. Aqui estou, mantendo a promessa.

Teresa. Sharpe a conheceu dois verões atrás, quando sua companhia lutou o lado do grupo de guerrilheiros do qual ela fazia parte. Teresa lutava contra os franceses ao seu modo, com emboscadas e faca, com surpresa e terror. Estavam casados havia oito meses, e Sharpe duvidava ter passado mais de dez semanas com ela nesse tempo. A filha deles, Antonia, estava com dezenove meses, uma filha que ele amava porque era seu único parente consanguíneo, embora não a conhecesse e ela fosse crescer falando uma língua diferente da sua, mas ainda assim sua filha. Sorriu para Harper.

— Vamos ficar bem. Você sabe que eles sempre erram.

— Quase sempre, senhor.

Talvez fossem loucos em fazer esse teste, mas Sharpe queria ser justo com o entusiasmo de Gilliland. Os foguetes eram imprecisos, tanto que se tornaram uma piada para os homens de Sharpe, que adoravam ver os brinquedos de Gilliland se desviando, batendo no chão e queimando. Porém, a maioria dos foguetes viajava na direção do inimigo, ainda que seu caminho fosse curioso, e talvez Gilliland estivesse certo. Talvez eles pudessem aterrorizar os inimigos, e só havia um jeito de descobrir. Transformar-se no alvo.

Harper coçou a cabeça.

— Se a minha mãe soubesse, senhor, que eu estou encostado numa parede com trinta malditos foguetes apontados para mim... — Ele suspirou e tocou o crucifixo pendurado no pescoço.

Sharpe sabia que os artilheiros estavam juntando as varas. Cada míssil de doze libras precisava de duas varas. A primeira era presa a um tubo de metal na lateral da ponta do foguete e depois afixada amassando o metal com alicates. Um tubo de metal semelhante, amassado de maneira semelhante, juntava as duas varas para formar uma haste de três metros que equilibrava a ponta do foguete. A haste tinha outro uso, um uso que intrigava e impressionava Sharpe. Todo soldado da Cavalaria de Foguetes mantinha uma ponta de lança num coldre especial na sela. A ponta de lança podia ser martelada nas varas reunidas e depois levada a cavalo para a batalha. Os homens de Gilliland não eram treinados para lutar com a lança, assim como não eram treinados no uso dos sabres que todos carregavam, mas havia uma engenhosidade na ponta de lança separada que agradava a Sharpe. Ele havia espantado Gilliland ao insistir que a Tropa de Foguetes ensaiasse cargas de cavalaria.

— Bota-fogos acesos! — Harper parecia decidido a comentar a própria morte.

Dava para Sharpe ver sua companhia sentada perto dos "carros" dos foguetes de Gilliland, suas carroças de suprimentos especialmente preparadas.

— Ai, Deus! — Harper fez o sinal da cruz.

Sharpe sabia que os bota-fogos iriam tocar os pavios dos foguetes.

— Você mesmo disse que eles não conseguem acertar uma casa a cinquenta metros.

— Eu sou um alvo grande. — Harper tinha um metro e noventa e três.

Surgiu um fiapo de fumaça lá adiante no campo. Aquele foguete já estaria em movimento, queimando o capim, saltando feito azougue acima do solo, voando à frente do seu fogo e da sua fumaça. Os outros foram acesos.

— Ai, Deus — gemeu Harper.

Sharpe abriu um sorriso largo.

— Se chegarem perto, nós simplesmente pulamos o muro.

— O que o senhor disser.

Por um ou dois segundos, os foguetes eram curiosos pontos se retorcendo com halos de fogo centrados nos rastros de fumaça pulsante. Os rastros serpenteavam enquanto os mísseis subiam e se desviavam, e então, tão rápido que Sharpe quase não teve tempo de se jogar atrás da mureta de pedra, os foguetes pareceram se direcionar para os dois homens. O som encheu o vale, o fogo brilhou atrás dos mísseis espalhados, e então... então passaram, ressoando acima do muro, e Sharpe percebeu que havia se abaixado, ainda que o foguete mais próximo tivesse passado a trinta metros.

Harper xingou e olhou para Sharpe.

— Daqui não é tão engraçado, não é? — Sharpe se pegou aliviado pelos foguetes terem ido embora. Mesmo a trinta metros o barulho e o fogo eram alarmantes.

Harper sorriu.

— O senhor não diria que nosso dever foi cumprido?

— Só os grandes, então estará feito.

— Pelo que vamos receber.

A descarga seguinte não seria disparada rente ao chão, mas apontada para cima em tubos de disparo sustentados por um tripé. Naquele momento, Gilliland, Sharpe sabia, estaria trabalhando na matemática da trajetória. Sharpe sempre achou que matemática era a mais exata das ciências, e não via com clareza como poderia ser aplicada à natureza imprecisa dos foguetes, mas Gilliland estaria ocupado com ângulos e equações. O vento precisava ser medido, porque, quando uma brisa soprava no caminho dos foguetes, eles tinham o hábito perverso de se virar contra o vento. Isso, explicou Gilliland certa vez, acontecia porque o vento colocava mais pressão na vara longa que na ponta cilíndrica, de modo que os tubos precisavam ser apontados contra o vento para acertar um alvo a favor do vento. Outro cálculo era o comprimento da vara, já que uma vara mais comprida dava mais altura e um voo mais longo, e a seiscentos metros Sharpe sabia que os artilheiros estariam serrando um pedaço da cauda de cada foguete. Um terceiro elemento imponderável era o ângulo de lançamento. Um foguete viajava numa velocidade relativamente lenta quando saía do tubo de disparo, o que fazia a ponta apontar para o chão nos primeiros metros de voo, e o ângulo do lançamento precisava ser aumentado para compensar isso. Ciência moderna na guerra.

— Segure o chapéu, senhor.

Era fácil ver a fumaça e as chamas sob os tubos de lançamento, mesmo a seiscentos metros, e então, com uma velocidade espantosa, os mísseis subiram. Eram foguetes de oito quilos, doze deles, e cortaram o ar acima dos rastros de fumaça remanescentes da primeira descarga, subindo, subindo, e Sharpe viu um desviar para a esquerda, totalmente fora de rumo, enquanto os outros pareciam ter se fundido numa nuvem envolta em chamas, viva, que aumentava silenciosamente sobre o vale.

— Ai, Deus. — Harper estava segurando o crucifixo.

Curiosamente, os foguetes não pareciam estar se movendo. A nuvem aumentou, os pontos cercados de chamas estavam imóveis e pairando, e Sharpe soube que isso era uma ilusão criada pela trajetória que trazia os mísseis numa curva apontando direto para os dois. Então um único ponto caiu da nuvem com fogo nas bordas e fumaça escura contra o céu límpido. O barulho irrompeu sobre eles; um rugido agudo, nascido das chamas, e o ponto ficou maior.

— Pro chão!

— Cristo!

Harper mergulhou para a direita, e Sharpe se agarrou ao chão perto do muro, e o barulho o atingiu, crescendo, parecendo sacudir as pedras do muro, e o ar vibrava com ruído que chegava cada vez mais perto e enchia todo o mundo deles com terror enquanto o foguete se chocava com o muro.

— Jesus!

Sharpe rolou e se sentou. O foguete, o mais preciso da semana, havia demolido a mureta de pedra onde ele e Harper estavam antes. A vara quebrada tombou lentamente dos destroços. O cilindro soltava fumaça inocentemente no campo do lado oposto. Pairava fumaça sobre o capim queimado.

Eles começaram a gargalhar, espanando a terra das fardas, e de repente aquilo pareceu hilário para Sharpe, que rolou de lado, rindo descontroladamente.

— Santo Deus!

— É melhor agradecer a Ele. Se fosse uma bomba, em vez de uma bala maciça... — Harper não concluiu o pensamento. Estava de pé, encarando as ruínas do muro.

Sharpe se sentou de novo.

— Isso é apavorante?

Harper sorriu.

— O senhor lamentaria se estivesse de barriga cheia, isso é certo, senhor. — Ele se abaixou e pegou a barretina.

— Então talvez haja algo na invenção do coronel louco.

— Sim senhor.

— E imagine se você pudesse disparar uma carga inteira a cinquenta passos.

Harper assentiu.

— Certo, mas tem um monte de "talvez" e "se", senhor. — Ele abriu um sorriso. — O senhor gosta deles, não é? Gostaria de experimentá-los, certo? — Ele gargalhou. — Brinquedos para o Natal.

Uma figura de farda azul, conduzindo um segundo cavalo, cavalgava na direção deles vindo do local de disparo. Harper baixou sobre os olhos a barretina surrada e assentiu para o homem que galopava.

— Acho que ele está com medo de ter nos matado, senhor.

Torrões de terra voavam atrás dos cavalos galopantes. Sharpe balançou a cabeça.

— Não é Gilliland. — Dava para ver uma peliça da cavalaria por cima dos ombros da farda azul.

O cavalariano se desviou dos destroços de um foguete em chamas, instigou o cavalo e acenou enquanto se aproximava. Seu grito foi ansioso.

— Major Sharpe?

— Sim.

— Tenente Rogers, senhor. Quartel-general. O general de divisão Nairn manda seus cumprimentos e pede que se apresente imediatamente.

Sharpe pegou as rédeas do cavalo reserva com Rogers e as passou por cima da cabeça do animal.

— O que houve?

— O que houve, senhor? Não ouviu dizer? — Rogers estava impaciente, e seu cavalo parecia agitado. Sharpe colocou o pé esquerdo no estribo e segurou a sela, então Harper o ajudou, empurrando-o para cima. Rogers esperou enquanto o sargento pegava a barretina de Sharpe. — Houve um massacre, senhor, num lugar chamado Adrados.

— Massacre?

— Deus sabe, senhor. Um completa confusão. Está pronto?

— Vá na frente.

O sargento Patrick Harper ficou observando Sharpe cambalear enquanto seu cavalo partia atrás do tenente. Então os boatos eram verdadeiros, e Harper sorriu, satisfeito. Não por estar certo, mas por Sharpe ter sido convocado, e, aonde Sharpe fosse, Harper ia atrás. E daí se agora Sharpe era major, supostamente destacado do South Essex? Ele levaria Harper ainda assim, como sempre fazia, e o gigante irlandês queria ajudar na vingança contra os homens que ofenderam sua decência e sua religião. Começou o caminho de volta para a companhia, assobiando, a perspectiva de luta parecendo agradável na sua alma.

CAPÍTULO 3

— Inferno, inferno, inferno, inferno, inferno, inferno. — Ainda de robe, ainda resfriado, o general de divisão Nairn olhava pela janela. Virou-se quando o tenente Rogers saiu da sala depois de anunciar Sharpe. Os olhos, sob as sobrancelhas eriçadas, olharam para Sharpe. — Inferno.

— Senhor.

— Está fria feito o coração de um pároco.

— Senhor?

— Esta sala, Sharpe. — Era um escritório, uma mesa coberta de mapas que, por sua vez, estavam atulhados de xícaras e pratos vazios, caixas de rapé, duas torradas frias comidas pela metade, uma espora e um busto de mármore de Napoleão em que alguém, possivelmente Nairn, havia pintado adornos que faziam o imperador da França parecer um maricas afetado. O general de divisão foi até a mesa e sentou numa cadeira de couro. — O que você ouviu sobre essa porcaria de massacre, major? Anime um velho e diga que não ouviu nada.

— Infelizmente ouvi, senhor.

— Bom, o que ouviu, homem?

Sharpe contou o que foi dito na igreja naquela manhã, e Nairn ouviu com a ponta dos dedos unidas diante dos olhos fechados. Quando Sharpe terminou, Nairn gemeu.

— Deus do céu, major, não poderia ser pior, poderia? — Nairn se virou na cadeira e olhou para além dos telhados da cidade. — Já somos impopulares o bastante com os espanhóis. Eles não se esquecem do século XVII, os malditos, e o fato de estarmos lutando por seu país desgraçado não nos torna nem um pouco melhores. Agora os padres estão pregando que os britânicos pagãos estupram tudo que é católico de saia. Meu Deus! Se os portugueses estão acreditando nisso, em que diabo estarão acreditando do outro lado da fronteira? Devem estar fazendo uma petição ao papa para que declare guerra contra nós em seguida. — Ele se virou de novo para a mesa, recostou-se e fechou os olhos. — Precisamos da cooperação do povo espanhol, e será difícil conseguir se eles acreditarem nessa história. Entre! — Esta última palavra foi para um auxiliar que havia batido timidamente à porta. Ele entregou a Nairn um papel que o escocês examinou, resmungando em aprovação. — Preciso de doze, Simmons.

— Sim senhor.

Quando o auxiliar saiu, Nairn deu um sorriso malicioso para Sharpe.

— Sempre pagamos pelos nossos pecados, não é? Eu queimo uma carta daquele homem bom e grandioso, o desgraçado do capelão geral, e hoje tenho de escrever para cada bispo e arcebispo a uma cusparada de distância. — Ele imitou uma voz bajuladora: — A história não é verdadeira, Vossa Eminência, os homens não eram do nosso Exército, Vossa Santidade, mas mesmo assim prenderemos os desgraçados e vamos virá-los do avesso. Devagarinho.

— Não é verdade, senhor?

Nairn lançou um olhar de irritação para Sharpe.

— Claro que não é verdade, maldição! — Ele se inclinou para a frente e pegou o busto de Napoleão, mirando-o entre os olhos frios. — Você bem gostaria de acreditar nisso, não é? Colocar em letras garrafais na porcaria do seu *Moniteur*. Como os ingleses selvagens tratam as mulheres espanholas. Isso faria você esquecer todos aqueles homens bons que ficaram na Rússia. — Bateu com o busto na mesa. — Inferno. — E assoou o nariz ruidosamente.

Sharpe esperou. Estavam só ele e Nairn, mas tinha visto muito vaivém desde que havia entrado no quartel-general. O boato, independentemente da veracidade, havia agitado Frenada. Sharpe tomaria parte nisso, caso contrário Nairn não teria mandado chamá-lo, mas estava satisfeito em aguardar suas ordens. O momento evidentemente havia chegado, porque Nairn indicou uma poltrona para Sharpe, junto à pequena lareira, e ocupou outra diante dele.

— Tenho um problema, major Sharpe. Para ser breve, é o seguinte: há uma tremenda sujeira à minha porta, uma sujeira que preciso limpar, mas não tenho tropas para isso. — Ele ergueu a mão para impedir qualquer interrupção. — Ah, sim, eu sei. Eu tenho a porcaria de um exército inteiro, mas ele está sob o controle de Beresford. — Beresford tinha o comando nominal do exército enquanto Wellington fazia politicagem no sul. — Beresford está no norte, com seus portugueses, e não tenho tempo para escrever um bilhete pedindo "por favor, senhor". Se eu pedir ajuda de uma das divisões, todo general num raio de vinte quilômetros vai querer um pedaço desse bolo. Estou encarregado desse quartel-general. Meu serviço é repassar papéis e garantir que os cozinheiros não mijem na sopa. Mas tenho você, e tenho o suposto batalhão da guarnição de Frenada, e, se você estiver disposto, podemos colocar a tampa nesse pote de serpentes particularmente malignas.

— Disposto, senhor?

— Você será voluntário, Sharpe. Isso é uma ordem. — Ele sorriu. — Diga o que sabe sobre Pot-au-Feu. O marechal Pot-au-Feu.

Sharpe balançou a cabeça.

— Nada.

— Um exército de desertores?

Isso provocou uma leve recordação. Sharpe se lembrou de uma noite na retirada de Burgos, uma noite em que o vento lançava chuva no celeiro sem teto onde quatrocentos soldados molhados, arrasados e famintos se abrigavam. Lá correu uma conversa sobre um porto seguro para soldados, um exército de desertores que desafiava franceses e ingleses, mas Sharpe fez pouco caso das histórias. Eram como outros boatos que perpassavam o exército. Franziu a testa.

— Ele existe mesmo?

Nairn assentiu.

— Existe. — E contou a história que havia recolhido naquela manhã dos papéis de Hogan, do padre de Adrados e de um guerrilheiro que trouxe o padre para Frenada. Era uma história tão inacreditável que às vezes Sharpe interrompia Nairn simplesmente para pedir confirmação. Alguns dos boatos mais tresloucados, ao que parecia, eram verídicos.

Há um ano, talvez um ano e alguns meses, surgiu um bando organizado de desertores que se dizia um exército, morando nas montanhas do sul da Galícia. Seu líder era um francês cujo verdadeiro nome era desconhecido, um ex-sargento que agora usava a alcunha de marechal Pot-au-Feu. Nairn riu.

— Acho que a tradução é "ensopado". Há uma história de que ele já foi cozinheiro.

Sob o comando de Pot-au-Feu, o "exército" prosperou. Os homens viviam num território que não era importante para os marechais franceses nem para Wellington, sobreviviam aterrorizando o campo, pegando o que queriam, e seus números cresciam conforme desertores de todos os exércitos da península ouviam falar de sua existência. Franceses, britânicos, portugueses e espanhóis, havia de tudo nas fileiras de Pot-au-Feu.

— Quantos, senhor?

Nairn deu de ombros.

— Não sabemos. Os números variam entre quatrocentos e dois mil. Suponho que sejam seiscentos ou setecentos.

Sharpe ergueu as sobrancelhas. Essa podia ser uma força formidável.

— Por que eles vieram para o sul, senhor?

— É uma boa pergunta. — Nairn assoou o nariz no enorme lenço amarrotado. — Parece que os franceses têm andado bem animados na Galícia. Não sei, é outra porcaria de boato, mas dizem que eles podem tentar fazer um ataque no inverno contra Braganza e depois Oporto. Não acredito nisso por nada, mas há uma escola de pensamento que afirma que Napoleão está precisando de alguma vitória, qualquer vitória, depois da catástrofe russa. Se eles capturarem o norte de Portugal, podem alardear isso como alguma espécie de feito. — Nairn deu de ombros. — Não imagino o motivo, mas disseram que levássemos essa possibilidade a sério, e sem dúvida há muitas tropas de cavalaria francesa percorrendo a Galícia, e acreditamos que eles tenham impelido o nosso amigo Pot-au-Feu em nossa direção. E imediatamente ele mandou seus desertores ingleses atacarem um povoado chamado Adrados, onde assassinaram uma pequena guarnição espanhola e estão tomando todas as liberdades com todas as mulheres. Agora metade da porcaria da Espanha acha que os ingleses protestantes estão regredindo para Guerras Religiosas. Esse, Sharpe, é o resumo repugnante da história

— Então nós vamos até lá e viramos os malditos do avesso?

Nairn sorriu.

— Ainda não, Sharpe, ainda não. Temos um problema. — Ele se levantou, foi até a mesa, remexeu na bagunça de papéis e entulho e voltou com um livrinho com capa de couro. Jogou-o para Sharpe. — Você viu um homem alto e magro quando chegou aqui? Cabelo grisalho? Elegante?

Sharpe assentiu. Tinha reparado no sujeito por causa da farda impecável, da aparência de distinção e tédio e da riqueza óbvia nas esporas, na espada e em outros ornamentos.

— Vi.

— É ele. — Nairn apontou para o livro

Sharpe o abriu. Era novo, a capa rígida, e na folha de rosto leu: *Instruções práticas ao jovem oficial na arte da guerra, com referência especial às batalhas que acontecem atualmente na Espanha.* O autor era citado como o coronel Sir Augustus Farthingdale. O livro custava cinco xelins, era publicado por Richard Phillips e impresso por Joyce Gold, na Shoe Lane, em Londres. Quase nenhuma página estava refilada, mas Sharpe bateu os olhos numa frase que ia de uma página à outra, por isso ele pegou seu canivete e refilou as duas páginas seguintes. Terminou de ler a frase e sorriu. Nairn notou o sorriso.

— Leia para mim.

— "Durante a marcha, os homens devem manter as fileiras, e não será permitido nenhuma linguagem indecente nem barulho."

— Santo Deus! Passei direto por essa. — Nairn riu. — Você notará que o livro tem uma apresentação do meu amigo, o capelão geral. Ele recomenda o serviço divino frequente para manter os homens calmos e ordenados.

Sharpe fechou o livro.

— E por que ele é um problema?

— Porque o coronel Sir Augustus Farthingdale arranjou uma esposa. Uma esposa portuguesa. Alguma jovem de boa família, parece, mas papista. Deus sabe o que o capelão geral diria sobre isso! De qualquer modo, essa flor primaveril do outono de Sir Augustus quis ir a Adrados para rezar numa porcaria de templo onde os milagres custam dois tostões, e adivinhe quem ela encontrou lá? Pot-au-Feu. Agora Lady Farthingdale é refém. Se alguma tropa chegar a menos de dez quilômetros de Adrados, eles vão entregá-la aos estupradores e assassinos que compõem as fileiras. Por outro lado, Sir Augustus pode tê-la de volta mediante um pagamento de quinhentos guinéus.

Sharpe assobiou, Nairn sorriu.

— É, é um belo preço por um par de pernas para se enrolar na cama. De qualquer modo, Sir Augustus jura que o preço é justo, que fará qualquer coisa, qualquer coisa para trazer a esposa em segurança para casa. Meu Deus, Sharpe, não há coisa mais repulsiva que a visão de um velho apaixonado por uma mulher quarenta anos mais nova. — Sharpe se perguntou se haveria algum ciúme nas palavras de Nairn.

— Por que eles iriam cobrar um resgate por ela, senhor, se ela é o seguro contra um ataque?

— Você não é bobo, é? Só Deus sabe a resposta. Eles fizeram questão de nos mandar uma carta, e a carta informa que devemos mandar o dinheiro numa data específica, numa hora específica, e assim por diante. Quero que você vá.

— Sozinho?

— Pode levar mais um homem, só isso.

— E o dinheiro?

— Sir Augustus fornecerá. Ele afirma que sua esposa é uma pérola inestimável, por isso está ocupado escrevendo promissórias para tê-la de volta.

— E se eles não a libertarem?

Nairn sorriu. Estava aconchegado em seu robe.

— Acredito que não libertarão. Eles só querem o dinheiro e nada mais. Sir Augustus fez uma oferta desenxabida para levá-lo, mas recusei, para alívio dele. Acho que dois reféns é melhor que um, e um cavaleiro do reino teria um bom preço de barganha. De qualquer modo, preciso de um soldado para ir até lá.

Sharpe levantou o livro.

— Ele é um soldado.

— Ele é uma porcaria de escritor, Sharpe. Não passa de palavras e vento. Não, você vai, homem. Dê uma olhada nas defesas deles. Mesmo que não traga a moça de volta, saberá como pegá-la.

Sharpe sorriu.

— Um resgate?

Nairn assentiu.

— Um resgate. Sir Augustus Farthingdale, major, é nosso representante militar no governo português, o que significa, cá entre nós, nada mais importa desde que ele compareça a um monte de jantares e conheça jovens bonitas. Só Deus sabe como se mantém tão magro. Mas ele é popular em Lisboa. O governo gosta dele. Sua esposa, além disso, deve ser de uma família importante, e não vamos receber cartas de agradecimento se casualmente permitirmos que ela seja estuprada por um bando de vagabundos nas montanhas. Precisamos tirá-la de lá. Assim que isso estiver feito, estaremos livres para cozinhar Pot-au-Feu num caldeirão bem quente. Está feliz em ir?

Sharpe olhou pela janela. Dezenas de colunas de fumaça subiam das chaminés de Frenada, desfazendo-se num céu frio e sem nuvens. Claro que estava feliz. Nairn não deixou Sir Augustus ir porque o coronel poderia se tornar refém, mas não expressou o mesmo temor com relação a Sharpe, que sorriu para o general de divisão.

— Presumo que eu seja descartável, senhor.

— Você é um soldado, não é? Claro que é descartável!

Sharpe ainda sorria. Ele era um soldado, e uma dama precisava ser resgatada, e não foi isso que soldados fizeram por toda a história? O sorriso se alargou.

— Claro que estou, senhor. Vou com prazer.

Nas igrejas da Espanha, os fiéis rezavam por vingança contra os perpetradores do sofrimento de Adrados. As preces estavam sendo atendidas.

CAPÍTULO 4

La Entrada de Dios.
O Portal de Deus.
E parecia mesmo, vista de sessenta metros abaixo numa manhã clara de inverno, enquanto Sharpe e Harper seguiam a passo com seus cavalos pacientes pela trilha que serpenteava por pedras cujas sombras ainda abrigavam a geada da noite. Adrados ficava logo depois do ponto mais alto do passo, mas o passo era o Portal de Deus.

À esquerda e à direita havia picos rochosos, uma paisagem digna de um pesadelo, selvagem e afiada. À frente deles se estendia o capim macio da estrada que atravessava a *sierra*. Vigiando essa estrada ficava o Portal.

À direita do passo ficava o castelo. O Castillo de la Virgen. El Cid conheceu esse castelo, esteve no alto de suas muralhas antes de cavalgar contra as cimitarras do islã. Segundo a lenda, três reis muçulmanos morreram nas masmorras abaixo do Castelo da Virgem, recusando-se a professar o cristianismo, e supostamente seus fantasmas percorriam, como Fúrias, o Portal de Deus. O castelo estava de pé havia incontáveis anos, construído antes de as Guerras de Deus serem vencidas, mas, quando os muçulmanos foram impelidos de volta para o outro lado do mar, o castelo começou a ruir. Os espanhóis abandonaram os refúgios em lugares altos, atravessando os passos de volta às planícies. O castelo, no entanto, permanecia de pé, refúgio de raposas e corvos, com a torre de menagem e a guarita ainda sustentando a borda sul do Portal de Deus.

E, do lado norte, a duzentos metros do castelo, ficava o convento. Era uma construção enorme, baixa e quadrada, e suas paredes sem janelas pareciam brotar do granito da *sierra*. A Virgem esteve naquele lugar, e foi construído um templo ao redor de sua pegada e um castelo para protegê-la, e o convento não tinha janelas porque as freiras que viveram em seus claustros suntuosos não deveriam olhar para o mundo, só para o mistério do trecho liso de granito em sua capela pintada de ouro.

As freiras tinham ido embora, levadas em carroças com cortinas de couro até a casa-mãe em León, e os soldados cujas sobrevestes decoraram as paredes do castelo também se foram. A estrada ainda atravessava os morros, uma estrada que subia serpenteando desde as profundezas das ravinas dos rios na fronteira de Portugal, mas havia estradas novas e melhores ao sul. Agora o Portal de Deus só guardava Adrados, um vale de ovelhas, espinheiros e do desatinado bando de desertores de Pot-au-Feu.

— Eles já devem ter nos visto, senhor.

— É.

Sharpe tirou do bolso o relógio que Sir Augustus Farthingdale havia emprestado. Era cedo, por isso fez os três cavalos pararem. O terceiro cavalo carregava o ouro e, esperava-se, serviria de montaria para Lady Farthingdale se Pot-au-Feu cumprisse com a palavra e a soltasse mediante o pagamento do resgate. Harper apeou, alongou os músculos fortes e olhou para as construções na linha do horizonte.

— Eles seriam uns desgraçados se atacassem, senhor.

— Verdade.

Um ataque no Portal, vindo do oeste, seria um assalto morro acima, um morro íngreme, sem chance de aproximação sem ser visto. Sharpe se virou. Harper e ele levaram três horas para subir desde o rio, e durante boa parte desse tempo estariam visíveis para alguém com uma luneta nas fortificações do castelo. As pedras que ladeavam o passo eram amontoadas e íngremes, jamais permitiriam a passagem de uma artilharia, mal permitiriam a subida da infantaria. Quem dominasse o Portal de Deus barrava a única estrada através da *sierra*, e os britânicos tinham sorte de os franceses jamais terem precisado desses morros, porque assim nenhuma batalha jamais havia sido travada nesta encosta impossível. Os morros não tinham valor porque as estradas ao sul passavam ao largo da *sierra*, então era impossível defender a Espanha daquele ponto, mas, para Pot-au-Feu, as velhas construções eram um refúgio perfeito.

Muito acima deles havia pássaros voando em círculos, e Sharpe viu Patrick Harper olhando-os carinhosamente. Harper adorava pássaros. Eram seu refúgio particular para longe do exército.

— O que são?

— Milhafres-vermelhos, senhor. Devem ter subido do vale, procurando carniça.

Sharpe resmungou. Temia que acabassem servindo de comida para os pássaros. Quanto mais perto chegavam do alto vale, mais achava que aquilo era uma armadilha. Não acreditava que a esposa de Farthingdale seria libertada. Acreditava que o dinheiro seria tomado e se perguntou se ele ou Harper sairiam vivos. Tinha dito ao sargento que não precisava vir, mas o grande irlandês havia zombado dessa pusilanimidade. Se Sharpe ia, ele iria também.

— Venha. Vamos indo.

Sharpe não gostou de Sir Augustus Farthingdale. O coronel agiu com ar de superioridade com o fuzileiro, divertiu-se ao descobrir que Sharpe não possuía um relógio e que, portanto, não teria como acertar a chegada ao convento na hora exata estipulada na carta de Pot-au-Feu. Precisamente às onze horas e dez minutos. Entretanto, sob o tom de voz entediado do coronel, Sharpe detectou um pânico com relação à esposa. O coronel estava apaixonado. Aos 60 anos, tinha encontrado sua noiva, e agora ela estava sendo roubada dele. E, ainda que o coronel tentasse esconder cada emoção por baixo de uma elegante máscara de polidez, não conseguia ocultar a paixão que sua noiva inspirava. Sharpe não gostou dele, mas sentiu pena dele, e tentaria trazer de volta a noiva perdida.

Os milhafres-vermelhos pairavam de asas abertas com a cauda bifurcada por cima das fortificações do castelo, e agora Sharpe conseguia ver homens nos muros. Estavam nas muralhas da torre de menagem, na torreta de uma grande guarita voltada para o passo e atrás das ameias da muralha ao redor do pátio. Seus mosquetes eram linhas minúsculas contra o azul-claro do céu de dezembro.

Agora a estrada ziguezagueava enquanto o passo se estreitava. Atravessava o ponto mais alto do passo perto da muralha do castelo, perto demais, e Sharpe tirou seu cavalo da estrada, levando-o pelo barranco íngreme coberto de capim nos últimos metros da passagem. O convento estava à esquerda deles, e Sharpe via como fora construído na borda do passo, de modo que sua parede leste, voltada para o vilarejo, tinha apenas um andar de altura, ao passo que a do oeste, na direção de Portugal, tinha dois. Na parede sul, que dava para o passo, um grande buraco havia sido aberto grosseiramente no andar de baixo. Havia um cobertor em cima do buraco. Sharpe o indicou com um aceno de cabeça.

— Dá para imaginar que eles colocaram um canhão ali.

— É um bom lugar — respondeu Harper.

O canhão dispararia direto através do passo.

Percorreram os últimos metros, os cavalos tropeçando no terreno íngreme, e ali estava o alto vale de Adrados. A mais ou menos meio quilômetro ficava o vilarejo propriamente dito, um amontoado de casinhas construídas ao redor de uma casa maior, que Sharpe supôs que fosse a hospedaria. A estrada virava à direita assim que atravessava o vilarejo, uma curva brusca para o sul, e Sharpe quase deu um suspiro alto. Um morro funcionava como pivô do vale, um morro íngreme, coberto de espinheiros e coroado por uma velha torre de vigia. O Castillo de la Virgen guardava o passo, mas a torre de vigia era o posto de sentinela de toda a *sierra*. A torre parecia velha, mas ao seu pé dava para ver marcas de terra revirada, e ele supôs que a guarnição espanhola tinha feito novas defesas ali. Quem controlasse a torre de vigia, controlava todo o vale. Canhões posicionados no alto do morro da torre poderiam disparar até no pátio do castelo.

— Vamos indo.

Faltavam cinco minutos para a hora marcada, e Sharpe não virou para o convento; em vez disso, levou Harper pela trilha que passava por uma nascente e ia até o vilarejo. Queria ver a face leste do castelo, a face voltada para o vilarejo, mas, enquanto avançava, houve um grito súbito vindo da guarita, depois um estardalhaço de tiros de mosquete.

— Amigáveis. — Harper sorriu.

Os tiros passaram longe demais, eram apenas um alerta. Sharpe puxou as rédeas e olhou para o castelo. A guarita o encarou, com torretas enormes cheias de homens zombando dos fuzileiros. O arco, cujo portão havia sumido muito antes, tinha duas carroças de camponês servindo de barricada, provavelmente roubadas do vilarejo, enquanto as torretas da guarita acima pareciam sólidas e intocadas pela passagem do tempo. A torre de menagem não teve tanta sorte. Sharpe conseguia ver a luz do dia através de alguns buracos nos andares superiores, mas as escadas ainda deviam levar até o topo, porque havia homens nas ameias, olhando para os dois cavaleiros no vale.

Eles cavalgaram o suficiente para ver a extensão da muralha leste, e o avanço valeu a pena. A maior parte do muro se foi, agora não passava de uma pilha de entulho marcando a linha da muralha antiga. Seria fácil atravessar a linha de entulho, uma brecha pronta para entrar na fortaleza de Pot-au-Feu.

Viraram para o convento. Ninguém olhava do telhado aparentemente plano, nenhuma fumaça escapava dos claustros. Parecia abandonado. Uma porta dava para o leste, flanqueada por duas janelinhas gradeadas que Sharpe supôs serem os canais normais de comunicação com o mundo exterior. A porta em si era enorme, decorada com cabeças estranhas esculpidas no arco de pedra, e Sharpe apeou sob seu olhar erodido e amarrou as rédeas do animal nas barras enferrujadas da janela da esquerda. Harper tirou os alforjes do terceiro cavalo, pesados com o ouro, e Sharpe empurrou uma das folhas da porta.

Ela entreabriu com um rangido.

O relógio indicava onze e dez, com o elaborado ponteiro dos minutos apontando exatamente para o numeral romano II.

A porta, com dobradiças enferrujadas, se abriu por completo.

Revelou um claustro depois do túnel de entrada. Um século de negligência deixou o claustro em péssimo estado, mas ele mantinha sua beleza. As colunas de pedra que sustentavam os arcos eram esculpidas, seus capitéis uma confusão de folhas e passarinhos de pedra, enquanto o chão do claustro era pavimentado com ladrilhos coloridos, verdes e amarelos, agora margeados de mato e capim mortos. No centro havia uma fonte elevada, sem água, mas cheia de mato, e num canto do pátio uma bétula nova havia aberto caminho entre os ladrilhos, rachando-os ao redor do tronco. O claustro parecia vazio. A linha do telhado das paredes sul e leste estava desenhada numa sombra nos ladrilhos.

Sharpe tirou o fuzil do ombro. Era major agora, o posto de soldado raso já distante no passado, mas ainda carregava o fuzil. Sempre carregou uma arma longa em batalha; um mosquete quando soldado, um fuzil agora que era oficial. Não via por que não carregar uma arma. O trabalho de um soldado era matar. Um fuzil matava.

Engatilhou-o, o estalo subitamente alto na passagem escura, e ele andou com passos leves para a luz do sol no claustro. Seus olhos examinavam as sombras dos arcos. Nada se movia.

Sinalizou para Harper.

O sargento enorme carregou os alforjes para o pátio. As moedas tilintavam levemente dentro do couro. Seus olhos, como os de Sharpe, examinaram a linha do telhado, as sombras, e não viram nada, ninguém.

Embaixo dos arcos, portas se abriam do claustro, e Sharpe as empurrou uma a uma. Pareciam depósitos. Um deles estava cheio de sacos. Sharpe desembainhou sua espada enorme e desajeitada e cortou o pano rústico. Grãos se derramaram no chão. Embainhou a espada.

Harper largou o alforje ao lado da fonte, tirou do ombro a arma de sete canos e puxou para trás a pederneira. A arma foi um presente de Sharpe e disparava sete balas de meia polegada dos sete canos. Apenas homens tremendamente fortes conseguiriam usá-la, e eram poucos, tanto que a Marinha Real, para quem as armas foram feitas, abandonou-as quando descobriu que o coice feria mais seus próprios soldados que as balas feriam o inimigo. Harper adorava aquela arma. De perto era temível, e ele se acostumou ao coice violento. Levantou o cão e verificou com o dedo se havia pólvora na caçoleta.

À esquerda, no pátio, havia apenas uma porta sob uma janela escura com vidro sujo. Era uma porta grande, toda ornamentada, maior que a do lado oeste que Sharpe havia tentado abrir, empurrado e descoberto que estava firmemente barrada por dentro. Experimentou a maçaneta da porta enfeitada e ela se mexeu. Harper balançou a cabeça, indicou a arma de sete canos e ocupou o lugar de Sharpe. Olhou interrogativamente para o oficial.

Sharpe assentiu.

Harper gritou enquanto pulava passando pela porta, um temível grito de desafio destinado a aterrorizar qualquer pessoa no prédio, então se jogou para o lado, agachou-se e girou a arma de sete canos na escuridão. Sua voz morreu. Estava na capela, totalmente vazia.

— Senhor?

Sharpe entrou. Não conseguia ver muita coisa. A bacia que já conteve água benta estava seca, repleta agora de poeira e pedacinhos de pedra minúsculos. A luz atravessava a porta e batia nos ladrilhos, e Sharpe viu uma mancha quebradiça marrom nas bordas dos ladrilhos. Sangue.

— Olhe, senhor.

Harper havia parado diante de uma grande grade de ferro que transformava a área onde estavam numa espécie de antecâmara da capela propriamente dita. Havia uma porta na grade, mas estava fechada com cadeado. Harper mexeu no cadeado.

— É novo, senhor.

Sharpe virou a cabeça para trás. A grade ia até o teto, onde a tinta de ouro brilhava opaca nas traves.

— Por que isso está aqui?

— Para impedir que as pessoas de fora entrassem na capela, senhor. As pessoas só podiam ir até aqui. Só as freiras tinham permissão de entrar. Quando isso aqui era um convento, é claro.

Sharpe encostou o rosto nas barras frias. A capela ia da esquerda para a direita, com o altar à esquerda, e, à medida que seus olhos se acostumavam com a escuridão, viu que ela havia sido vandalizada. Havia sangue espirrado nas paredes pintadas, imagens foram arrancadas dos nichos, a luz da Presença Eterna foi arrancada das correntes onde ficava pendurada. Parecia uma destruição sem sentido, mas o bando de Pot-au-Feu era desatinado, homens que fugiram e não tinham para onde ir, e esses homens se vingariam de qualquer coisa bela, valorizada e boa. Sharpe se perguntou se Lady Farthingdale sequer estaria viva.

O som de cascos de cavalo chegou fraco de fora do convento. Os dois fuzileiros ficaram quietos e prestaram atenção.

Os cascos se aproximavam. Sharpe escutou vozes.

— Por aqui!

Moveram-se rápido, em silêncio, para o claustro. Os cascos estavam mais perto. Sharpe apontou para o outro lado do pátio, e Harper, num silêncio espantoso para um homem tão grande, desapareceu na sombra escura sob os arcos. Sharpe recuou, entrando na capela, e fechou a porta, permitindo que ele e seu fuzil tivessem visão do túnel de entrada por uma fenda.

Silêncio no pátio. Não havia sequer uma brisa para agitar as folhas mortas do arbusto nos ladrilhos verdes e amarelos. Os cascos pararam do lado de fora, uma sela rangeu quando um homem apeou, ouviu-se o som de botas no cascalho da estrada, e depois silêncio.

Dois pardais voaram para a fonte e bicaram no meio do mato morto.

Sharpe se moveu ligeiramente para a direita, procurando Harper, mas o irlandês estava invisível nas sombras. Sharpe se agachou para que sua forma, se fosse vista pela fresta, fosse confusa para quem saísse do túnel escuro.

O portão rangeu. Silêncio de novo. Os pardais saíram voando, as asas ressoando alto no claustro, então Sharpe quase deu um pulo, assustado, porque o silêncio foi quebrado por um berro, um desafio, e um homem saltou no claustro, movendo-se rápido, seu mosquete indo de um lado para o outro para cobrir as sombras escuras onde agressores poderiam estar à espera, e então se agachou ao pé de uma coluna junto à entrada e chamou alguém atrás, em voz baixa.

Era um homem grande, tão grande quanto Harper, e usava o azul francês com um único aro de ouro na manga. A farda de um sargento francês. Ele chamou de novo.

Um segundo homem apareceu, tão cauteloso quanto o primeiro, e esse arrastava alforjes. Usava farda de oficial francês, oficial de alta patente, a jaqueta azul com colarinho vermelho cheio de insígnias douradas. Seria Pot-au-Feu? Carregava uma carabina de cavalaria, apesar da farda da infantaria, e à cintura, pendurado em correntes de prata, um sabre de cavalaria.

Os dois franceses correram os olhos pelo claustro. Nada se mexia, ninguém.

— *Allons*. — O sargento pegou o alforje e ficou quieto, apontando. Tinha visto a sacola de Harper ao lado da fonte.

— Parem! — gritou Sharpe, chutando a porta com o pé direito enquanto se levantava. — Parem! — O fuzil apontava para eles.

Os dois se viraram.

— Não se mexam! — Dava para ver os olhos dos homens avaliando a distância de um fuzil disparado da altura do quadril. — Sargento!

Harper apareceu no flanco deles, um homem vasto furtivo feito um gato, sorrindo, com a arma enorme escancarando o feixe de canos para eles.

— Mantenha-os aí, sargento.

— Senhor!

Sharpe passou por eles, rodeando-os, e entrou no túnel. Havia cinco cavalos amarrados do lado de fora do convento, ao lado dos três que ele e Harper trouxeram. Depois de vê-los, fechou a porta do convento e voltou para observar os dois prisioneiros. O sargento era enorme, com a compleição de um carvalho, a pele bronzeada por trás do vasto bigode preto. Encarou Sharpe com ódio. Suas mãos pareciam grandes o suficiente para estrangular um boi.

O homem com farda de oficial tinha rosto fino, olhos inteligentes e feições afiladas. Olhou Sharpe com desdém e ar de superioridade.

Sharpe manteve o fuzil apontado entre os dois.

— Pegue as armas deles, sargento.

Harper se aproximou por trás deles, tirou a carabina do oficial e depois o mosquete do sargento. Sharpe sentiu a enorme resistência do sargento e virou ligeiramente o fuzil para o brutamontes, e o sargento soltou o mosquete com relutância. Sharpe olhou de novo para o oficial.

— Quem é você?

A resposta foi em bom inglês.

— Meu nome não é para desertores.

Sharpe não disse nada. Cinco cavalos, mas apenas dois cavaleiros. Alforjes como ele e Harper haviam carregado. Avançou com os olhos fixos no oficial e chutou os alforjes. Barulho de moedas. O rosto fino do oficial francês zombou dele.

— Vão descobrir que está tudo aí.

Sharpe recuou três passos e baixou o fuzil. Sentiu a surpresa de Harper.

— Sou o major Richard Sharpe, do 95º Regimento, oficial de Sua Majestade britânica. Sargento!

— Senhor?

— Baixe a arma.

— Senhor?

— Faça o que mandei.

O oficial francês observou os sete canos baixarem, depois olhou para Sharpe.

— Sua palavra, *m'sieu*?

— Dou minha palavra.

O francês juntou os calcanhares.

— Sou *chef du battalion* Dubreton, Michel Dubreton. Tenho a honra de comandar o 54º Batalhão da Linha do Imperador.

Chef du battalion, duas dragonas de ouro pesadas, nada menos que coronel pleno. Sharpe prestou continência e se sentiu estranho.

— Peço desculpas, senhor.

— Não é preciso. O senhor foi bem impressionante. — Dubreton sorriu para Harper. — Para não mencionar o seu sargento.

— Sargento Harper.

Harper assentiu com familiaridade para o oficial francês.

— Senhor!

Dubreton sorriu.

— Acho que o meu é mais alto. — Ele olhou do seu sargento para Harper e deu de ombros. — Talvez não. O senhor descobrirá que o nome dele é apropriado. Sargento Bigeard.

Bigeard, tranquilizado pelo tom de voz de seu oficial, ficou em posição de sentido e assentiu ferozmente para Sharpe. O fuzileiro indicou Harper.

— As armas deles, sargento.

— Obrigado, major. — Dubreton sorriu com cortesia. — Presumo que esse gesto signifique que estamos desfrutando de uma trégua, certo?

— Claro, senhor.

— Que sensato. — Dubreton pendurou a carabina no ombro. Podia ser coronel, mas parecia capaz de usar a arma com habilidade e familiaridade. Olhou para Harper. — Fala francês, sargento?

— Eu, senhor? Não, senhor. Gaélico, inglês e espanhol. — Harper não pareceu ver nada de estranho em encontrar dois inimigos no convento.

— Bom! Bigeard fala um pouco de espanhol. Posso sugerir que vocês fiquem de guarda enquanto nós dois conversamos?

— Senhor! — Harper não pareceu ver nada de estranho em receber ordens do inimigo.

O coronel francês voltou seu charme para Sharpe.

— Major? — Ele fez um gesto para o centro do claustro, abaixou-se, pegou seu alforje e o deixou ao lado do de Sharpe. Dubreton assentiu para ele. — É seu?

— Sim senhor.

— Ouro?

— Quinhentos guinéus.

Dubreton arqueou as sobrancelhas.

— Presumo que tenha reféns aqui, certo?

— Só uma, senhor.

— E cara. Temos três. — Seus olhos espiavam a linha do telhado, examinavam as sombras, enquanto as mãos pegavam um charuto amassado que ele acendeu com seu isqueiro. Levou alguns segundos para o pano chamuscado pegar fogo. Ofereceu um charuto a Sharpe. — Major?

— Não, obrigado, senhor.

— Três reféns. Inclusive minha mulher.

— Sinto muito, senhor.

— Eu também. — A voz era afável, até mesmo leve, mas o rosto era duro feito sílex. — Deron vai pagar.

— Deron?

— O sargento Deron, que agora se diz marechal Pot-au-Feu. Ele era cozinheiro, major, e dos bons. É tremendamente indigno de confiança. — O olhar baixou da linha do telhado para examinar Sharpe. — Você espera que ele cumpra com a palavra?

— Não senhor.

— Nem eu, mas parecia valer o risco.

Nenhum dos dois falou por um instante. Ainda havia silêncio fora do convento e entre as paredes. Sharpe tirou o relógio do bolso. Onze e trinta e cinco.

— O senhor recebeu ordem de chegar numa hora específica?

— De fato, major. — Dubreton soprou fumaça no ar. — Onze e vinte e cinco. — Ele sorriu. — Talvez o nosso sargento Deron tenha senso de humor. Suspeito que tenha achado que iríamos lutar um contra o outro. Quase o fizemos.

Harper e Bigeard, de cada lado do claustro, observavam os telhados e as portas. Formavam uma dupla assustadora e faziam Sharpe acreditar que talvez todos saíssem vivos. Dois homens como aqueles sargentos fariam uma tremenda matança. Olhou de novo para o coronel francês.

— Posso perguntar como sua esposa foi capturada, senhor?

— Uma emboscada, major, num comboio que ia de León para Salamanca. Pararam-no usando fardas francesas, ninguém suspeitou de nada, e os desgraçados partiram com suprimentos para um mês. E com três esposas de oficiais que iam passar o Natal conosco. — Ele foi até a porta na parede oeste, depois voltou para perto de Sharpe. Sorriu. — Por acaso você seria o Sharpe de Talavera? De Badajoz?

— Provavelmente, senhor.

Dubreton olhou para o fuzil, para a enorme espada de cavalaria que Sharpe optava por pendurar alta, na cintura, e depois para o rosto marcado de cicatrizes.

— Creio que eu poderia fazer um grande serviço ao império se o matasse, major Sharpe. — Ele disse estas palavras sem ofensa.

— Tenho certeza de que eu poderia fazer um serviço igualmente grande para a Grã-Bretanha se o matasse, senhor.

Dubreton gargalhou.

— É, poderia, sim. — Ele riu de novo, satisfeito com a própria imodéstia, mas, apesar da risada, continuava tenso, atento, o olhar raramente se desviando das portas e do telhado.

— Senhor! — resmungou Harper de trás deles, apontando a arma para a porta da capela. Bigeard havia se virado para lá. Houve um leve ruído lá dentro, algo rangendo, e Dubreton jogou o charuto fora.

— Sargento! À nossa direita.

Harper se moveu rápido enquanto Dubreton sinalizava para que Bigeard ficasse atrás e à esquerda dos oficiais. O coronel olhou para Sharpe.

— Você esteve lá dentro. O que tem ali?

— Uma capela. Tem uma grade enorme atrás da porta. Acho que ela está sendo destrancada.

A porta dupla da capela foi aberta, e, diante deles, fazendo uma mesura, estavam duas jovens. Deram risadinhas, viraram-se e puxaram de trás delas uma mesa, colocando-a sob o claustro ao sol. Uma olhou para Bigeard, depois para Harper, e fez cara de surpresa fingida diante da altura deles. Riram de novo.

Uma terceira jovem apareceu com uma cadeira, que pôs ao lado da mesa. Ela também fez uma mesura para os oficiais e soprou um beijo.

Dubreton suspirou.

— Temo que devemos suportar o que quer que eles tenham planejado para nós.

— Sim senhor.

Botas ressoaram na capela, e soldados saíram de lá, indo para a esquerda e para a direita no claustro. Usavam fardas da Grã-Bretanha, da França, de Portugal e da Espanha, e seus mosquetes tinham baionetas caladas. Os rostos eram zombeteiros enquanto se enfileiravam em três das quatro paredes. Só a parede atrás de Dubreton e Sharpe estava sem guardas. As três garotas ficaram perto da mesa. Usavam blusas decotadas, e Sharpe imaginou que estivessem com frio.

— *Mes amis! Mes amis!* — A voz estrondeou dentro da capela. Era profunda, rouca, uma voz grave fantástica. — *Mes amis!*

Uma figura ridícula saiu da sombra, atravessou o arco do claustro e parou junto à mesa. Era baixo e imensamente gordo. Abriu os braços e sorriu.

— *Mes amis!*

Suas pernas estavam enfiadas em botas altas de couro preto, com um curte atrás dos joelhos, e depois em culotes perigosamente apertados nas coxas gordíssimas. A barriga bamboleava enquanto ele ria em silêncio, ondas de gordura correndo pelo corpo sob o colete floral que usava sob a jaqueta azul de uma farda luxuosamente adornada com folhas de ouro e fios encaracolados. Não dava para abotoar a jaqueta por cima da pança; em vez disso, era mantida no lugar por uma faixa de cintura dourada, e uma faixa vermelha estava jogada no ombro direito. No pescoço, abaixo de uma infinidade de queixos, pendia uma cruz de ouro esmaltada. As franjas das dragonas de ouro pousavam nos braços gordos.

O sargento Deron, que agora se chamava de marechal Pot-au-Feu, tirou o chapéu ornado com maravilhosas plumas brancas e revelou um rosto quase querubínico. Um querubim velho com um halo de cachos brancos, um rosto que reluzia de boa vontade e deleite.

— *Mes amis!* — Ele olhou para Sharpe. — *Parlez-vous français?*

— Não.

Ele balançou um dedo para Sharpe.

— Você devia aprender francês. Uma língua linda! Não é, coronel? — E sorriu para Dubreton, que não disse nada. Pot-au-Feu deu de ombros, riu e olhou de novo para Sharpe. — Meu inglês é muito ruim. Você e coronel conheceu, sim? — Ele virou a cabeça o máximo que as camadas de gordura no pescoço permitiam. — *Mon colonel! Mon brave! Ici!*

— Estou indo, senhor! Estou indo! E cá estou! — Um homem de rosto amarelo, sorriso desdentado, olhos azuis infantis e espasmos horrendos e incontroláveis saltou grotescamente pela porta. Usava farda de coronel inglês, mas as roupas não conseguiam esconder o corpo nojento cheio de calombos e a força bruta que havia em seus braços e pernas.

A figura saltitante parou, meio se agachando, e olhou para Sharpe. O rosto estremeceu, a voz grasnou, então a boca se retorceu num sorriso.

— Sharpezinho! Olá, Sharpezinho! — Um fio de cuspe dançou pendendo dos seus lábios enquanto o rosto se retorcia.

Sharpe se virou calmamente para Harper.

— Não atire, sargento.

— Não senhor. — A voz de Harper era só desprezo. — Por enquanto, não, senhor.

— Senhor! Senhor! Senhor! — O rosto amarelo gargalhou para eles enquanto o homem que se dizia coronel se empertigava. — Nada de "senhores" aqui, não. Nenhuma porcaria de ares e graças aqui. — A risada soou de novo, obscena e cortante.

Parte de Sharpe esperava isso, e suspeitava que Harper também esperasse, mas nenhum dos dois tinha verbalizado o medo. Sharpe torcia para que esse homem estivesse morto, mas ele alardeava que não podia ser assassinado. Ali, ao sol do claustro, com cuspe pendendo da boca, estava o ex-sargento Obadiah Hakeswill. Hakeswill.

CAPÍTULO 5

Obadiah Hakeswill, o sargento que recrutou Sharpe para o Exército, o homem que fez Sharpe ser açoitado numa praça empoeirada na Índia. Hakeswill.

O homem que fez Harper ser açoitado naquele mesmo ano, que tentou estuprar Teresa, a esposa de Sharpe, que apontou o gume serrilhado de uma baioneta para o pescoço de Antonia, a filhinha de Sharpe. Obadiah Hakeswill.

A cabeça estremecia sobre o pescoço comprido. A saliva pingou da boca dando uma cambalhota reluzente. Ele escarrou, cuspiu e arrastou os pés para o lado. Esse era o homem que não podia ser morto.

Foi enforcado aos 12 anos. Uma acusação infundada de roubo de ovelha; infundada porque o vigário cuja filha o jovem Hakeswill tentou molestar não queria arrastar na lama a reputação da filha. Os magistrados ficaram felizes em concordar.

Era o mais jovem dos prisioneiros a serem enforcados naquele dia. O carrasco, para agradar a massa de espectadores, não deu a nenhuma vítima uma queda capaz de quebrar o pescoço. Suspendeu-as lentamente, deixando-as penduradas, sufocando até a morte, permitindo que a turba desfrutasse de cada som de sufocamento, de cada chute inútil, e o carrasco provocou a multidão oferecendo-se para puxar os tornozelos, atendendo aos gritos de sim ou não. Ninguém se importou com o garoto na ponta do patíbulo. Hakeswill ficou pendurado, fingindo estar morto, esperto até mesmo ao escorregar para uma escuridão dominada por pesadelos, e então, antes do fim, o céu desabou.

A rua ao lado da cadeia foi atingida por um temporal e virou um rio, um raio atingiu o cata-vento na torre alta da igreja, que ficou amassado, e a larga rua do mercado ficou vazia enquanto homens, mulheres e crianças corriam em busca de abrigo. Ninguém se importou quando o tio de Hakeswill cortou a corda e tirou o pequeno corpo da forca. Acharam que o menino estava morto, que o corpo seria vendido a algum médico ansioso por um cadáver fresco para explorar, mas o tio levou Obadiah para um beco, devolveu-lhe a consciência a tapas e disse que fosse embora e nunca mais voltasse. Hakeswill obedeceu.

Foi nesse dia que começou a ter espasmos, e os tremeliques não pararam em trinta anos. Encontrou o Exército, um refúgio para homens como ele, e em suas fileiras descobriu um código de sobrevivência simples. Para os superiores, os oficiais, Hakeswill era o soldado perfeito. Meticuloso no cumprimento do dever, no respeito, e chegou a sargento. Um oficial que tivesse Hakeswill como soldado não precisava se preocupar com disciplina. O sargento Hakeswill fazia suas companhias serem obediente pelo terror, e o preço da liberdade dessa tirania era pago ao sargento feioso em dinheiro, álcool ou mulheres. Hakeswill jamais deixou de se espantar com o que uma mulher casada era capaz de fazer para evitar que seu marido soldado fosse açoitado. A vida dele era dedicada a se vingar de um destino que o tornou feio, mal-amado, uma criatura desprezada pelos companheiros, útil apenas para os superiores.

Mas o destino também podia trazer bênçãos. O destino enganou a morte para Obadiah Hakeswill. Ele não era o único homem ou mulher a escapar de um enforcamento. Tantos sobreviveram que alguns hospitais cobravam uma taxa para cuidar dos enforcados vivos, livrando-os das criaturas malignas que lutavam para roubar cadáveres recentes dos cadafalsos para vender aos médicos; no entanto, Hakeswill se considerava especial. Ele era o homem que tinha sobrevivido à morte, e agora ninguém poderia matá-lo. Não temia ninguém. Podia ser ferido, mas não morto, e provou isso em campos de batalha e em becos. Era o filho predileto da morte.

E aqui estava, no Portal de Deus, com o tenente de Pot-au-Feu. Tinha desertado da companhia de Sharpe em abril, quando suas cuidadosas regras de sobrevivência no Exército foram despedaçadas pela luxúria por Teresa, e sua corte marcial e sua execução foram garantidos pelo assassinato do amigo de Sharpe, o capitão Robert Knowles. Por isso entrou na escuridão vermelha e preta do horror que foi Badajoz no fim do cerco. Agora estava em Adrados, onde encontrou outros homens desatinados que jogariam com sua maldade, aproveitariam sua loucura, que o seguiriam para a lama de seus desejos lascivos.

— Uma maravilha, não? — Hakeswill deu uma risada para Sharpe. — Agora você tem de me chamar de "senhor"! Sou coronel! — Pot-au-Feu olhava para Hakeswill com carinho, sorrindo com seu desempenho. O rosto sofreu um espasmo. — Vai prestar continência a mim, não vai? Hein? — Ele tirou o bicorne, fazendo o cabelo, agora grisalho, pender escorrido na pele amarela. Os olhos eram de um azul de porcelana no rosto devastado. Ele olhou para além de Sharpe. — Trouxe a porcaria do irlandês. Nascido num chiqueiro. Maldito esterco irlandês!

Harper deveria ter ficado calado, mas havia orgulho no irlandês, e sua voz saiu com tom zombeteiro.

— Como vai a sua mãe sifilítica, Hakeswill?

A mãe de Hakeswill era a única pessoa que ele amava no mundo. Não que a conhecesse, não que a tivesse visto desde os 12 anos, mas a amava. Tinha esquecido as surras, o choro quando na infância sofria com a fúria dela, só se lembrava de que ela mandou o irmão tirá-lo da forca, e em seu mundo esse era o único ato de amor. Mães eram sagradas. Harper gargalhou, e Hakeswill berrou numa fúria incontrolável e começou a correr, e sua mão tentou pegar a espada pouco familiar à cintura.

O claustro ficou atônito com o tamanho daquele ódio, com a força dele, com o barulho que ecoou pelos arcos enquanto o sujeito enorme investia contra Harper.

O sargento se manteve calmo. Deixou a pederneira baixar no aço da arma, virou-a ao contrário e acertou a culatra de latão na barriga de Hakeswill, deu um passo para o lado e lhe deu um chute na lateral do corpo.

Os mosquetes dos homens de Pot-au-Feu estremeceram nos ombros, as pederneiras recuadas, e Sharpe se apoiou em um joelho, o fuzil a postos, o cano apontado para o ponto entre os olhos de Pot-au-Feu.

— *Non! Non!* — gritou Pot-au-Feu para seus homens, balançando uma das mãos na direção de Sharpe. — *Non!*

Hakeswill estava de pé outra vez, os olhos lacrimejando de dor e raiva, e a espada continuava na sua mão indo de um lado para o outro, tentando acertar o rosto de Harper, o aço sibilando e virando um borrão ao sol. Harper a aparou com a coronha da arma, riu, e ninguém se mexeu para ajudar Hakeswill porque todos temiam o fuzileiro enorme. Dubreton olhou para Bigeard e assentiu.

Aquilo precisava parar. Se Hakeswill morresse, Sharpe sabia que todos eles estariam condenados. Se Harper morresse, Pot-au-Feu morreria, e seus homens iriam vingá-lo. Bigeard andou calmamente por trás dos oficiais, e Hakeswill berrou com ele, gritou pedindo ajuda, mas mesmo assim ninguém se mexeu. Tentou perfurar Harper com a espada, errou, e a brandiu impotente contra o enorme sargento francês, que pareceu rir e avançou com súbita velocidade, e Hakeswill ficou preso pelos grandes braços. O inglês lutou com toda a sua força, se retorceu tentando escapar das mãos que o seguravam, mas era como um gatinho seguro pelo francês. Harper deu um passo à frente, tirou a espada da mão de Hakeswill e recuou empunhando-a.

— Sargento! — O tom de Dubreton era um alerta. Sharpe ainda estava com o olhar fixo em Pot-au-Feu.

Harper balançou a cabeça. Não tinha intenção de matar aquele homem por enquanto. Segurou o cabo da espada com a mão direita, a lâmina com a esquerda, riu para Hakeswill e bateu com força a espada no joelho. Ela se partiu ao meio, e Harper jogou os pedaços nos ladrilhos. Bigeard sorriu.

Um grito atravessou o convento, um grito medonho, agonia rasgando o ar.

Ninguém se mexeu. O grito tinha vindo do interior do convento. Um grito de mulher.

Pot-au-Feu olhou para o fuzil de Sharpe, depois para Dubreton. Falou num tom razoável, com a voz grave soando apaziguadora, e Dubreton olhou para Sharpe.

— Ele sugere que esqueçamos esse pequeno contratempo. Se você baixar sua arma, ele chamará seu homem de volta.

— Diga a ele que chame o homem primeiro. — Era como se o grito jamais tivesse acontecido.

— Obadiah! Obadiah! — A voz de Pot-au-Feu era aduladora. — Venha cá, Obadiah! Venha!

Dubreton falou com Bigeard, e o sargento francês diminuiu aos poucos a força do agarrão. Por um segundo, Sharpe achou que Hakeswill iria se lançar de novo sobre Harper, mas a voz de Pot-au-Feu atraiu a figura trôpega de rosto amarelo. Hakeswill se curvou, pegou o pedaço da espada com o cabo e a enfiou pateticamente na bainha, de modo que pelo menos parecesse correta. Pot-au-Feu falou baixinho com ele, deu-lhe um tapinha no braço e chamou uma das três jovens. Ela se aconchegou em Obadiah, acariciando-o, e Sharpe baixou o fuzil enquanto se levantava.

Pot-au-Feu falou com Dubreton. O coronel traduziu para Sharpe:

— Ele diz que Obadiah é seu leal servo. Obadiah mata para ele. Ele recompensa Obadiah com bebida, poder e mulheres.

Pot-au-Feu gargalhou quando Dubreton terminou. Sharpe via a tensão no rosto do coronel e soube que o francês estava se lembrando do grito. Sua esposa estava presa ali. Mas nenhum oficial perguntou sobre o grito, porque os dois sabiam que isso seria ceder ao jogo de Pot-au-Feu. Ele queria que os dois perguntassem.

O grito voltou, oscilando até ficar estridente, chorando de soluçar até o silêncio. Pot-au-Feu agia como se aquilo nunca tivesse acontecido. Sua voz grave falou de novo com Dubreton.

— Ele diz que vai contar o dinheiro, depois as mulheres serão trazidas.

Sharpe havia presumido que a mesa fosse para contar o dinheiro, mas três homens arrastaram as bolsas de moedas para um trecho limpo nos ladrilhos e começaram a tarefa laboriosa de empilhá-las e contá-las. A mesa tinha outro objetivo. Pot-au-Feu bateu palmas com as mãos rechonchudas e uma quarta garota apareceu carregando uma bandeja. Ela a colocou na mesa, e o francês gordo apalpou a garota, tirou a tampa do pote de cerâmica na bandeja e falou longamente com Dubreton. A voz retumbante parecia cheia de prazer; demorou-se lascivamente em certas palavras enquanto colocava colheradas de comida numa tigela.

Dubreton suspirou e se virou para Sharpe, mas seus olhos estavam voltados para o céu. Havia fumaça subindo onde vinte minutos antes não tinha nada.

— Quer saber o que ele disse?

— Eu devo, senhor?

— É uma receita de cozido de lebre, major. — Dubreton deu um sorriso sutil. — Suspeito que seja muito bom.

Pot-au-Feu comia vorazmente, o caldo espesso pingando nas coxas gordas cobertas pelos culotes brancos.

Sharpe sorriu.

— Eu simplesmente corto tudo e fervo na água com sal.

— Posso acreditar mesmo nisso, major. Eu tive de ensinar minha esposa a cozinhar.

Sharpe arqueou uma sobrancelha. Havia uma inflexão intrigante nas palavras de Dubreton.

O francês sorriu.

— Minha esposa é inglesa. Nós nos conhecemos e nos casamos durante a Paz de Amiens, na última vez em que estive em Londres. Desde então ela morou na França e agora é uma cozinheira até mesmo digna de crédito. Não tão boa quanto as serviçais, é claro, mas é preciso uma vida inteira para aprender como cozinhar é simples.

— Simples?

— Claro. — O coronel olhou de relance para Pot-au-Feu, que pegava delicadamente um pedaço de carne que tinha caído no colo. — Ele pega as lebres, desossa e depois deixa marinar um dia inteiro em azeite, vinagre e vinho. Acrescente alho, major, um pouco de sal, um pouco de pimenta e um punhado de bagas de zimbro, se tiver. Guarde o sangue e misture com o fígado, que você amassou até virar uma pasta. — Havia entusiasmo na voz de Dubreton. — Bom. Depois de um dia pegue a carne e frite em manteiga e gordura de porco. Só para tostar. Ponha um pouco de farinha na panela e coloque tudo de volta no caldo. Acrescente mais vinho. Acrescente o sangue com o fígado e esquente. Ferva. Você vai descobrir que é soberbo, especialmente se acrescentar uma colherada de azeite ao servir.

Pot-au-Feu deu uma risadinha. Entendeu boa parte do que Dubreton disse, e, enquanto Sharpe olhava, o francês gordo sorriu e levantou uma pequena jarra.

— Azeite! — E deu um tapa na barrigona e soltou um peido.

O grito veio de novo, a terceira vez, e havia um desamparo naquela agonia. Uma mulher estava sendo ferida, terrivelmente ferida, e os homens de Pot-au-Feu olhavam para os quatro estranhos e riam. Eles sabiam o que estava acontecendo e queriam ver o efeito nos visitantes. A voz de Dubreton saiu baixa:

— Nossa hora chegará, major.

— Sim senhor.

Hakeswill e sua mulher foram até as pilhas de dinheiro e ele se virou com um sorriso no rosto.

— Está tudo aí, marechal!

— *Bon!* — Pot-au-Feu estendeu uma das mãos e Hakeswill jogou um dos guinéus de ouro. O francês o levantou e virou.

Hakeswill esperou até que os espasmos no rosto parassem.

— Quer sua mulher agora, Sharpezinho?

— Esse foi o trato.

— Ah! O trato! — Hakeswill gargalhou. E puxou a garota que estava ao lado. — Que tal essa, Sharpezinho? Quer essa, é? — A garota olhou para Sharpe e gargalhou. Hakeswill estava se divertindo. — Essa é espanhola, Sharpezinho, como a sua mulher. Ainda está com ela, não é? Teresa? Ou ela já morreu de sífilis?

Sharpe não disse nada. Ouviu Harper se mexer inquieto atrás.

Hakeswill chegou mais perto, e a garota veio junto.

— Bom, por que não pega essa, Sharpezinho? Você vai gostar dela. Olha! — Ele deu a volta com a mão esquerda e puxou os cordões do corpete da jovem. O corpete se abriu. Hakeswill deu risada. — Pode olhar, Sharpezinho. Anda! Olha! Ah, claro. É uma porcaria de um oficial, não é? Importante e altivo demais para olhar os peitos de uma puta!

Os homens nas bordas do claustro gargalharam. A garota sorriu enquanto Hakeswill a apalpava. Ele deu outra risada.

— Pode ficar com ela, Sharpezinho. Ela é soldada, o que significa que pelo dinheiro que você trouxe ela é sua pelo resto da vida! — Ela era soldada porque, como os soldados rasos, serve em troca de um xelim por dia. A garota fez biquinho com os lábios pintados para Sharpe.

Pot-au-Feu gargalhou, depois falou em francês com Dubreton. As respostas de Dubreton foram breves.

Hakeswill não havia terminado seu joguinho com Sharpe. Empurrou a garota para ele, com tanta força que ela tropeçou de encontro ao fuzileiro, e Hakeswill apontou e gargalhou.

— Ela quer ficar com ele!

Sharpe pendurou o fuzil no ombro. Os olhos da garota eram duros feito sílex, o cabelo estava sujo. Ele a fitou, e havia algo nos seus olhos que a deixou envergonhada, e ela baixou o olhar. Ele a afastou gentilmente, pegou os cordões do corpete e o puxou para cima, dando um nó.

— Vá.

— Major? — Dubreton falava bem baixo. Ele fez um gesto para além de Sharpe, para a porta na parede oeste, trancada antes, mas agora aberta. Atrás dela havia outra porta, uma grade, e depois disso Sharpe pôde ver a luz do sol em outro claustro. — Ele quer que a gente vá até lá. Só nós dois. Acho que deveríamos ir. — Dubreton deu de ombros.

Sharpe passou pela fonte com o francês ao lado, e os soldados do lado oeste do claustro abriram caminho enquanto os dois oficiais passavam debaixo do arco e pela porta. A grade se abriu ao ser empurrada, e eles chegaram a um corredor curto e frio, em seguida estavam no balcão superior do claustro inferior. Hakeswill os acompanhou, e com ele havia meia dúzia de soldados que se posicionaram dos dois lados dos oficiais. Seus mosquetes estavam engatilhados, as baionetas apontando para Sharpe e Dubreton.

— Santo Deus. — A voz de Sharpe soou amarga.

Esse claustro inferior já foi belíssimo. Canalizaram água no pátio, formando um labirinto de pequenos canais decorados que brilhavam com ladrilhos pintados, mas a água não corria mais havia muito tempo, e os canais estavam quebrados e as pedras do pátio rachadas.

Tudo isso Sharpe viu em alguns segundos, assim como viu os arbustos de espinheiro que cresciam feito praga num canto, as trepadeiras que se enroscavam mortas no inverno subindo pelas pedras elegantes e claras, assim como viu os soldados no pátio abaixo. Eles levantaram os olhos e sorriram diante da plateia. Um braseiro ardia no centro do claustro, fazendo o ar tremeluzir acima, e nas brasas luminosas repousavam baionetas.

Havia uma mulher amarrada de costas no meio do pátio. Seus pulsos e tornozelos tinham sido atados a hastes de ferro cravadas entre as pedras rachadas. Estava nua da cintura para cima. O peito estava ensanguentado, com marcas pretas por baixo do sangue que escorria pelo tórax. Sharpe olhou para Dubreton, temendo que fosse sua esposa inglesa, mas o francês deu um leve meneio de cabeça.

— Olhe, Sharpezinho. — Hakeswill gargalhou atrás deles.

Um soldado foi até o braseiro e, protegendo a mão com um trapo, tirou uma baioneta das chamas. Verificou se a ponta estava incandescente e se virou com ela, então a mulher começou a se sacudir, a ofegar em pânico, e o soldado pôs a bota sobre a barriga dela, meio escondendo seu trabalho, e a mulher gritou. A lâmina incandescente baixou, o grito preencheu o claustro, então a mulher deve ter desmaiado. O soldado se afastou.

— Ela tentou fugir, Sharpezinho. — O bafo de Hakeswill fedia junto ao ombro de Sharpe. — Não gostava de ficar com a gente, não é? Dá para ver o que está escrito, capitão?

O cheiro de carne queimada chegou ao andar de cima. Sharpe queria livrar sua grande espada da bainha, dar liberdade ao gume sobre os desgraçados naquele convento, mas sabia que estava impotente. A hora deles viria, mas não era agora.

Hakeswill gargalhou.

— *Puta*. É o que diz. Ela é espanhola, veja bem, capitão. Por sorte não é inglesa, não é? Em inglês seria uma letra a mais. *Whore*.

A mulher estava marcada para o resto da vida, marcada pelo mal. Sharpe supôs que fosse uma das mulheres desse vilarejo, ou talvez uma visitante de outro vilarejo que tentou fugir descendo a longa estrada sinuosa que levava do Portal de Deus para o oeste. Seria tão difícil escapar de Adrados quanto se aproximar das fortificações do castelo sem ser visto.

Os soldados tiraram as hastes do chão e cortaram as amarras, e dois deles arrastaram a mulher pelas pedras para fora do campo de visão, sob os arcos do andar inferior.

Hakeswill tinha virado a esquina do claustro superior e agora olhava para os dois oficiais da lateral. Pousou as mãos na balaustrada de pedra e deu uma risada zombeteira.

— Queríamos que vocês vissem, para saberem o que vai acontecer com suas putas se tentarem vir aqui em cima. — O rosto se retorceu, a mão direita apontou para as manchas de sangue perto do braseiro. — Isso! — Duas baionetas ainda estavam no fogo. — Vejam bem, senhores, nós mudamos de ideia. Gostamos de ter as damas aqui, por isso vamos ficar com elas. Não queremos que vocês tenham todo o trabalho de levar o dinheiro de volta, por isso vamos ficar com ele também. — Ele gargalhou, observando o rosto dos dois. — Em vez disso, podem levar um recado de volta. Entendeu isso, francês?

A voz de Dubreton saiu cheia de escárnio.

— Entendi. Elas estão vivas?

Os olhos azuis se arregalaram, fingindo inocência.

— Se estão vivas, francês? É claro que estão. E ficarão vivas enquanto vocês permanecerem longe daqui. Vou mostrar uma delas dentro de um minuto, mas primeiro é melhor ouvirem, e ouvirem muito bem.

Ele sofreu outro espasmo, o rosto se sacudindo no pescoço comprido, e o plastrão preso com alfinete escorregou, mostrando a cicatriz do lado esquerdo do pescoço. Ele puxou o plastrão até escondê-la. Abriu um sorriso largo, mostrando os cotos pretos dos dentes.

— Elas não foram machucadas. Ainda não, mas vão ser. Primeiro vou queimar, marcar, e depois os rapazes poderão ficar com elas, e depois elas vão morrer! Entenderam? — Ele gritou a pergunta. — Sharpezinho! Entendeu?

— Sim.

— Francês?

— Sim.

— Espertos, hein? — Ele gargalhou, os olhos piscando, os cotos dos dentes rilhando na boca. O rosto sofreu um espasmo repentino, uma vez, então parou. — Bom, vocês trouxeram o dinheiro, por isso vou dizer o que fizeram. Vocês compraram a virtude delas! — Ele gargalhou de novo. — Vocês as mantiveram em segurança por mais um tempinho. É claro que talvez a gente queira mais dinheiro se decidirmos que a virtude delas é cara, entenderam? Mas agora temos mulheres, todas as que queremos, por isso não vamos usar as suas putas se vocês pagarem.

Em certas noites Sharpe sonhava em matar esse homem. Hakeswill era seu inimigo havia quase vinte anos, e Sharpe queria ser o homem a provar que Hakeswill podia ser morto. A fúria que sentiu naquele momento era impotente.

Hakeswill gargalhou, arrastou os pés de lado junto à balaustrada.

— Agora vou mostrar uma puta e vocês podem falar com ela. Mas! — Seu dedo apontou de novo para o braseiro. — Lembrem-se dos espetos. Vou gravar a porcaria de uma letra nela se vocês perguntarem onde nós a guardamos. Entenderam? Vocês não sabem em que porcaria de prédio elas estão trancadas, sabem? E gostariam de saber, não é? Por isso não perguntem, caso contrário eu marco uma das belezuras. Entenderam?

Ambos os oficiais assentiram. Hakeswill se virou e acenou para um homem que estava no pátio, perto do lugar para onde a primeira mulher foi arrastada. O homem se virou e gritou para alguém que estava atrás dele.

Sharpe sentiu Dubreton se enrijecer quando uma mulher foi trazida ao pátio. Estava com uma longa capa preta e passou delicadamente sobre os canais partidos. Dois homens a vigiavam, ambos com baionetas. Seu cabelo, dourado e esparso, estava preso frouxo.

Hakeswill observava os dois oficiais.

— Escolhi essa especialmente para vocês. Fala francês e inglês. Dá para acreditar que é inglesa e casou com um francês? — Ele gargalhou.

A mulher foi parada no meio do pátio e um dos soldados a cutucou, apontou para cima e ela olhou para o balcão. Não deu nenhum sinal de ter reconhecido o marido, e Sharpe soube que os dois eram pessoas orgulhosas que não dariam aos captores a satisfação de saber qualquer coisa sobre ela.

Hakeswill se virou de novo para os oficiais.

— Andem, então! Falem!

— Madame. — A voz de Dubreton era gentil.

— Monsieur. — Ela provavelmente era uma mulher linda, pensou Sharpe, mas seu rosto estava nas sombras, marcado pelo cansaço, e a tensão do cativeiro aprofundou as linhas nos cantos da boca. Era magra, como o marido, e sua voz, enquanto conversavam, era controlada e tinha dignidade. Um dos soldados que a vigiavam era francês e ouviu a conversa.

Hakeswill estava entediado.

— Em inglês! Em inglês!

Dubreton olhou para Sharpe e de volta para a esposa.

— Tenho a honra de apresentar o major Sharpe, madame. Ele é do Exército inglês.

Sharpe fez uma reverência e a viu inclinar a cabeça cumprimentando-o também, mas suas palavras foram abafadas por uma enorme gargalhada de Hakeswill.

— Major! Eles fizeram de você uma porcaria de major, Sharpezinho? Por Cristo na cruz! Devem estar desesperados! Major! — Sharpe não havia posto as estrelas de major nos ombros; Hakeswill só soube disso nesse minuto.

Madame Dubreton olhou para Sharpe.

— Lady Farthingdale ficará feliz em saber que o senhor esteve aqui, major.

— Por favor, repasse a ela as lembranças do marido, madame. Espero que ela, e que todas as senhoras, estejam bem.

Hakeswill escutava sorrindo. Sharpe buscou desesperadamente alguma forma de palavras, qualquer forma de palavras, que pudesse sugerir a essa mulher que ela deveria dar alguma indicação de onde as reféns eram mantidas. Estava decidido a vingar os insultos desse dia, a resgatar essa mulher e as outras, mas Hakeswill estava certo. Enquanto ele não soubesse em que prédio eram mantidas, estaria impotente. Mas não conseguia pensar em nada que pudesse dizer e não parecesse suspeito, que não provocasse Hakeswill a ordenar que a mulher de Dubreton fosse marcada a fogo.

Ela assentiu lentamente.

— Estamos bem, major, e não fomos feridas.

— Fico feliz em saber, senhora.

Hakeswill se inclinou sobre a balaustrada.

— Você está feliz aqui, não está, meu amor? — Ele gargalhou. — Feliz! Diga que está feliz!

Ela o olhou.

— Coronel, estou definhando na flor da vida, num solitário desalento estou perdida.

— Ah! — Ele riu. — Ela não fala bem? — Em seguida se virou para os oficiais. — Satisfeitos?

— Não. — A voz de Dubreton saiu grosseira.

— Bom, eu estou. — Ele acenou para os soldados. — Levem-na!

Eles a viraram e, pela primeira vez, a pose da mulher desmoronou. Ela empurrou os captores, virou-se, e sua voz implorava desesperada.

— Estou definhando na flor da vida!

— Levem-na!

Sharpe olhou para Dubreton, e seu rosto ainda era uma máscara que não demonstrava nenhuma reação ao sofrimento da esposa. O francês ficou observando-a até ela sumir, então se virou, sem dizer uma palavra, para o claustro superior.

Harper e Bigeard estavam juntos, e seus rostos expressaram alívio ao ver os oficiais retornarem para o claustro. A porta foi fechada atrás deles, os soldados se enfileiraram de novo contra a parede oeste, e Pot-au-Feu, ainda na cadeira, falou em francês com Dubreton. Quando terminou, serviu mais cozido da grande caçarola de barro.

Dubreton olhou para Sharpe.

— Ele está dizendo o que o seu homem disse. Que pagamos pela virtude delas, só isso. Devemos ir para casa de mãos vazias.

Pot-au-Feu abriu um sorriso enquanto o coronel terminava, engoliu um bocado de comida e depois acenou para que os soldados que barravam a entrada do convento abrissem caminho. Fez um gesto com a colher para os oficiais.

— Vão! Vão!

Dubreton olhou de relance para Sharpe, que não se mexeu, a não ser para tirar o fuzil do ombro e puxar a pederneira para trás com o polegar.

Havia uma coisa não dita, uma coisa que precisava ser dita, e, mesmo sabendo que não adiantava, tentaria. Levantou a voz, olhando para os homens fardados no claustro ao redor.

— Tenho uma mensagem para vocês. Todo homem aqui vai morrer, a não ser que se entregue! — Eles começaram a zombar, gritando para abafar sua voz, mas a voz de Sharpe foi treinada no campo de ordem-unida. — Vocês devem se apresentar aos seus postos antes do Ano-Novo. Lembrem-se disso! Antes do Ano-Novo! Caso contrário... — Ele puxou o gatilho.

O tiro foi um golpe de sorte, mas ele sabia que funcionaria porque tinha decidido que iria funcionar, porque não partiria sem uma pequena vingança contra a ralé daquele lugar. Foi um tiro disparado da altura do quadril, sem mira, mas o alvo era grande e estava perto, e a bala rodopiante despedaçou a panela, e Pot-au-Feu gritou de dor quando o caldo quente e a carne explodiram acima das suas coxas. O gordo se espremeu de lado, perdeu o equilíbrio e caiu nos ladrilhos. Os soldados ficaram em silêncio. Sharpe correu os olhos em volta.

— O Ano-Novo.

Bateu com a coronha do fuzil no chão, tateou a bolsa e pegou um cartucho, então, diante dos olhos deles, recarregou o fuzil com rápidos movimentos profissionais. Tirou a bala do cartucho de papel com uma mordida, escorvou a caçoleta, fechou-a e depois derramou o resto da pólvora no cano, acompanhando-a com a bucha, depois cuspiu a bala no pedaço de couro untuoso que se agarrava às ranhuras do cano e tornava o fuzil Baker a arma mais precisa no campo de batalha. Fez isso rápido, os olhos não no trabalho, e sim nos homens que o observavam. Socou a bala pelas sete ranhuras espiraladas, prendeu a vareta em seus tubos de latão e a arma estava carregada.

— Sargento!

— Senhor!

— O que você fará com esses desgraçados no Ano-Novo?

— Vou matá-los, senhor! — Harper parecia confiante, feliz.

Dubreton sorriu e, de olho em Pot-au-Feu, que estava tentando se levantar ajudado por duas jovens, falou baixinho:

— Isso foi perigoso, amigo. Eles podiam ter atirado em resposta.

— Eles estão com medo dos sargentos. — Qualquer um teria medo daqueles dois.

— Vamos, major?

Uma multidão havia se reunido do lado de fora do convento, homens, mulheres e crianças, e gritavam insultos para os dois oficiais, insultos que morreram quando os dois sargentos enormes apareceram com as armas a postos. Os dois grandalhões desceram os degraus e empurraram a turba para trás com a mera presença. Harper e Bigeard pareciam gostar um do outro, talvez os dois tivessem achado divertido conhecer outro homem tão forte. Sharpe esperava que eles jamais se encontrassem num campo de batalha.

— Major? — Dubreton estava parado no degrau de cima, calçando as finas luvas de couro.

— Senhor?

— O senhor está planejando resgatar as reféns? — Sua voz saiu baixa, ainda que nenhum inimigo estivesse perto o bastante para ouvi-lo.

— Se puder ser feito. E o senhor?

Dubreton deu de ombros.

— Este lugar está muito mais longe das nossas linhas que das suas. Vocês se movem pelo terreno com muito mais facilidade que nós. — Ele esboçou um sorriso. Estava se referindo aos guerrilheiros que emboscavam os franceses nos morros ao norte. — Precisamos de um regimento de cavalaria inteiro para nos trazer a três quilômetros deste lugar. — Ele repuxou as luvas, deixando-as confortáveis. — Se fizer isso, major, posso lhe fazer um pedido?

— É claro, senhor.

— Sei, é claro, que o senhor devolveria nossas reféns. Agradeceria se também pudesse devolver nossos desertores. — Ele levantou a mão elegante. — Não para lutar de novo, garanto. Eu gostaria que eles pagassem a pena. Presumo que os seus terão o mesmo destino. — Ele desceu os degraus e olhou de novo para Sharpe. — Por outro lado, major, as dificuldades do resgate podem ser grandes demais, não?

— Sim senhor.
— A não ser que o senhor saiba onde as mulheres são mantidas.
— Sim senhor.

Dubreton sorriu. Bigeard estava esperando com os cavalos. O coronel olhou para o céu como se verificasse o tempo.

— A dignidade de minha esposa é enorme, major, como pôde ver. Ela não deu a esses desgraçados a satisfação de saber que eu era seu marido. Por outro lado, ela pareceu um tanto histérica no fim, não?

Sharpe assentiu.

— Sim senhor.

Dubreton sorriu, animado.

— Estranho que ela tenha lamentado com uma rima, não é, major? A não ser que ela fosse poeta, é claro, mas o senhor consegue imaginar uma mulher poeta? — Ele pareceu satisfeito consigo mesmo. — Elas cozinham, fazem amor, tocam música, sabem conversar, mas não são poetas. Porém, minha esposa lê muita poesia. — Ele deu de ombros. — Definhando na flor da vida, num solitário desalento estou perdida? O senhor vai se lembrar das palavras?

— Sim senhor.

Dubreton tirou uma das luvas recém-calçadas e estendeu a mão.

— Foi um privilégio, major.

— Para mim também, senhor. Talvez nos encontremos de novo.

— Seria um prazer. Poderia dar minhas lembranças mais calorosas a Sir Arthur Wellesley? Ou lorde Wellington, como devemos chamá-lo agora.

O rosto de Sharpe deixou transparecer a surpresa, para deleite de Dubreton.

— O senhor o conhece?

— É claro. Estivemos juntos na Academia Real de Equitação, em Angers. É estranho, major, que o seu maior soldado tenha aprendido a lutar na França. — Dubreton ficou satisfeito com a observação.

Sharpe deu risada, ficou em posição de sentido e prestou continência para o coronel francês. Gostava do sujeito.

— Desejo uma viagem segura para casa, senhor.

— E para o senhor, major. — Dubreton ergueu a mão para Harper. — Sargento! Cuide-se!

Os franceses foram para o leste, dando a volta no vilarejo, e Sharpe e Harper foram para o oeste, descendo depois do alto do passo, trotando pela estrada sinuosa em direção a Portugal. De repente o ar parecia limpo, a loucura deixada para trás, mas Sharpe sabia que voltariam. Um sargento-ajudante escocês, soldado velho e sábio, certa vez conversou com Sharpe numa noite escura antes de uma batalha. Estava sem graça de falar de uma ideia a Sharpe, mas enfim disse, e agora Sharpe lembrava. Um soldado, falou o escocês, é um homem que luta por pessoas que não podem lutar por si mesmas. E atrás de Sharpe, no Portal de Deus, havia mulheres que não podiam lutar por si mesmas. Sharpe voltaria.

CAPÍTULO 6

— Então você não a viu?
— Não senhor.
Sharpe ficou parado, sem jeito. Sir Augustus Farthingdale não viu necessidade de convidá-lo a ocupar uma cadeira. Pela porta aberta
5. pela metade da sala de estar de Farthingdale, parte do seu alojamento caro na melhor área da cidade, Sharpe podia ver um jantar para convidados. A luz se refletia na prataria, incidia na porcelana, e havia dois empregados de pé, reverentes, ao lado de um aparador pesado.
— Então você não a viu. — Farthingdale resmungou. Conseguiu dar a
10. entender que Sharpe havia fracassado. Sir Augustus não estava fardado. Usava uma jaqueta de veludo vermelho-escuro, com acabamento de renda nos punhos, e suas pernas finas estavam apertadas num culote de pele de gamo acima das botas altas e lustrosas. Por cima do colete havia uma faixa diagonal, de seda azul-claro, decorada com uma estrela de ouro pesada.
15. Devia ser alguma ordem portuguesa.

Ele se sentou a uma escrivaninha iluminada por seis velas num candelabro de prata elegante e brincou com um abridor de cartas. Tinha um cabelo que só poderia ser descrito como prateado, uma cascata de prata que ia da testa alta até ser reunida na parte detrás da cabeça por uma fita
20. antiquada, preta contra o cabelo. O rosto era comprido e fino, com um toque de petulância na boca e uma expressão de irritação no olhar. Sharpe supôs que fosse um rosto bonito, o rosto de um homem sofisticado, de meia-idade, com dinheiro, inteligência e um desejo egoísta de usar ambos para seu próprio prazer. Ele se virou para a sala de jantar.

— Agostino!

— Senhor? — respondeu um serviçal, fora do campo de visão.

— Feche a porta!

A porta de madeira foi fechada, cortando o barulho de vozes masculinas. Os olhos de Sir Augustus, hostis, fitaram Sharpe de cima a baixo. O fuzileiro tinha acabado de chegar a Frenada e não esperou para ajeitar a farda ou lavar as manchas de viagem das mãos ou do rosto. A voz de Farthingdale era precisa e fria.

— O marquês de Wellington está profundamente preocupado, major Sharpe. Profundamente.

Farthingdale conseguia dar a entender que ele e Wellington eram íntimos, que estava revelando um segredo de Estado a Sharpe. O abridor de cartas batucou no tampo polido da mesa.

— Minha esposa, major, tem as conexões mais elevadas na corte portuguesa. Entendeu?

— Sim senhor.

— O marquês de Wellington não quer que nosso relacionamento com o governo português seja prejudicado.

— Não senhor. — Sharpe resistiu ao impulso de dizer a Sir Augustus Farthingdale que ele era um idiota pomposo. Era interessante Wellington ter escrito, a carta sem dúvida foi levada para o norte pelos jovens oficiais da cavalaria que, trocando de cavalos com frequência, podiam cobrir oitenta quilômetros por dia. Wellington devia estar em Lisboa então, porque a notícia não poderia ter chegado a Cádis a tempo de uma resposta ser recebida. E Farthingdale era pomposo porque até mesmo Sharpe sabia que Wellington não estaria preocupado com o governo português. Estaria preocupado com os espanhóis. A história de Adrados se espalhou feito fogo num campo seco, alimentando-se das sensibilidades do orgulho espanhol, e no Ano-Novo o exército britânico deveria marchar de volta para a Espanha. O exército compraria comida dos espanhóis; usaria trabalho espanhol para assar pães, conduzir mulas, encontrar forragem e dar abrigo, e Pot-au-Feu e Hakeswill colocaram em risco essa cooperação. O veneno de Adrados precisava ser lancetado como um pequeno passo na direção da vitória na guerra.

No entanto, Sharpe, que achava que conhecia Wellington havia mais tempo que Farthingdale, sabia que havia outra coisa em Pot-au-Feu que perturbava profundamente o general. Wellington acreditava que a anarquia estava a um encrenqueiro barulhento da ordem, e a ordem, acreditava ele, não era apenas uma virtude essencial, mas a virtude suprema. Pot-au-Feu havia desafiado essa virtude, e por isso teria de ser destruído.

O abridor de cartas foi deixado numa pilha de papéis, talvez o próximo livro de Farthingdale sobre instruções práticas para jovens oficiais, e ele estava de pernas cruzadas exibindo um joelho imaculado. Sir Augustus ajeitou a borla de uma das botas.

— Você diz que não fizeram mal a ela? — Havia uma sugestão de preocupação sob a voz educada.

— Foi o que madame Dubreton nos garantiu, senhor.

Um relógio no corredor bateu as nove horas. Sharpe imaginava que a maior parte dos móveis daquele alojamento tivesse sido transportada para o norte exclusivamente para a visita de Sir Augustus. Ele e Lady Farthingdale fizeram seu progresso extravagante pelos quartéis de inverno do Exército português e pararam em Frenada indo para o sul, de modo que Lady Farthingdale pudesse visitar o templo de Adrados e rezar por sua mãe, que estava morrendo. Farthingdale preferiu um dia de caçada, mas dois jovens capitães se ofereceram, solícitos, para escoltar sua esposa até as montanhas. Sharpe queria que Sir Augustus lhe mostrasse uma pintura de sua esposa, mas o coronel evidentemente não achou isso desejável.

— Tenho em mente, major, comandar o resgate de Lady Farthingdale? — Sir Augustus transformou a declaração numa pergunta, quase num desafio, mas Sharpe não disse nada. O coronel limpou o canto da boca com um dedo, depois inspecionou a ponta do dedo como se alguma coisa pudesse ter aderido a ela. — Diga-me se é possível realizar um resgate, major.

— Poderia ser feito, senhor.

— O marquês de Wellington — de novo o rodeio irritante para não dizer o título inteiro de Wellington — deseja que isso seja feito.

— Precisaríamos saber em que prédio ela está, senhor. Há um castelo, um convento e todo um vilarejo, senhor.

— Nós sabemos?

— Não senhor. — Sharpe não queria especular nesse sentido. Isso poderia esperar seu encontro com Nairn.

Os olhos fitaram Sharpe com hostilidade. A expressão de Sir Augustus sugeria que Sharpe havia fracassado por completo. Ele suspirou.

— Pois então. Eu perdi minha esposa, quinhentos guinéus, mas pelo menos fico feliz em ver que você ainda tem meu relógio.

— Sim senhor. Claro, senhor. — Sharpe soltou a corrente com relutância. Nunca teve um relógio; na verdade, zombava deles com frequência, dizendo que qualquer oficial que precisasse de uma máquina para dizer a hora do dia não merecia usar a farda. Mas agora tinha a impressão de que aquele relógio, ainda que emprestado, lhe garantiu certo ar de sucesso e adequação; algo digno de um major. — Aqui, senhor. — Entregou-o a Sir Augustus, que abriu a tampa e verificou se os dois ponteiros e o vidro continuavam no lugar, depois abriu uma gaveta na escrivaninha e guardou o relógio. Em seguida, os dedos longos e finos roçaram delicadamente um no outro. — Obrigado, major. Lamento que tenha sido uma experiência tão infrutífera. Sem dúvida vamos nos encontrar no quartel-general do general de divisão Nairn de manhã. — Ele se levantou, os movimentos precisos feito os de um gato. — Boa noite, major.

— Senhor.

As ordens para Sharpe comparecer ao quartel-general na manhã seguinte esperavam em seu alojamento. Ordens e uma garrafa de conhaque, doada por Nairn, com uma carta rabiscada dizendo que, se Sharpe voltasse a tempo, precisaria do conteúdo daquela garrafa. Sir Augustus sequer lhe ofereceu um copo de água, quanto mais um cálice de vinho, e Sharpe dividiu a garrafa com o tenente Harry Price e deu vazão aos sentimentos sobre civis de veludo que achavam ser coronéis. Price sorriu feliz.

— Essa é a minha ambição, senhor. Uma casaca de veludo, uma jovem esposa cheia de energia e todos os heróis como o senhor prestando continência a mim.

— Que isso aconteça para você, Harry.

— Que todos os sonhos se realizem, senhor. — Price estivera costurando um remendo em sua casaca vermelha. Como a maioria dos homens do

South Essex, usava casaca vermelha; apenas Sharpe e seus poucos fuzileiros que sobreviveram à Retirada de Corunha e depois se tornaram a Companhia Ligeira do South Essex mantiveram as orgulhosas jaquetas verdes. Jaquetas verdes! É claro! As porcarias das jaquetas verdes!

— O que foi, senhor? — Price estava segurando a garrafa de cabeça para baixo.

— Nada, Harry, nada. Só uma ideia.

— Então que Deus ajude alguém, senhor.

Sharpe manteve a ideia em mente, e com ela ocorreu um segundo pensamento, e de manhã levou ambos ao quartel-general. Nuvens cobriram o céu da noite, uma chuva leve e fria caiu durante a maior parte da manhã, e a mesa no corredor do lado de fora da sala onde Nairn esperava estava coberta por casacas, capas, bainhas de espadas e chapéus molhados. Sharpe acrescentou suas coisas à pilha e deixou o fuzil encostado na parede onde um ordenança prometeu vigiá-lo.

Nairn, Farthingdale, Sharpe e um tenente-coronel desconhecido compunham a reunião. Nairn, pela primeira vez, havia deixado de lado o robe e usava os enfeites verdes e a renda dourada de um dos Regimentos das Terras Altas. Sir Augustus resplandecia no vermelho, preto e dourado dos Dragões da Princesa Real, com as esporas de cavalaria rasgando o tapete. O tenente-coronel era um *fusilier*, a casaca vermelha com acabamentos em branco, e assentiu, caloroso, para Sharpe. Nairn fez as apresentações.

— Tenente-coronel Kinney. Major Sharpe.

— Seu servo, Sharpe, e é uma honra. — Kinney era grande, de rosto largo e sorriso fácil. Nairn olhou para ele e sorriu.

— Kinney é galês, Sharpe, por isso fique esperto se ele estiver a menos de dois braços de distância.

Kinney gargalhou.

— Ele anda assim desde que meus rapazes resgataram seu regimento em Barossa.

Sir Augustus tossiu educadamente em protesto contra os gracejos celtas, e Nairn olhou de relance para ele por baixo das sobrancelhas enormes.

— Claro, Sir Augustus, claro. Sharpe! Sua história, homem.

Sharpe contou tudo, e só foi interrompido uma vez. Nairn cravou os olhos nele, incrédulo.

— Tirou o corpete dela! Jogou-a para você?

— Sim senhor.

— E você o fechou de novo?

— Sim senhor.

— Extraordinário! Continue!

Quando Sharpe terminou, Nairn tinha uma folha cheia de anotações. Fogo crepitava na lareira. A chuva batia fraca na janela. Em algum lugar na cidade um sargento-ajudante gritava com seus homens para formar coluna de quatro nas fileiras centrais. O general de divisão se recostou.

— Esse francês, Sharpe, Dubreton. O que ele vai fazer?

— Ele gostaria de montar um resgate, senhor

— E ele fará isso?

— Eles têm o dobro de distância a percorrer, comparados conosco, senhor. — Os franceses e os ingleses estavam passando o inverno bem distantes uns dos outros.

Nairn resmungou:

— Devemos fazer isso primeiro. Um resgate, e depois desentocar aqueles vagabundos. — Ele bateu com um dedo numa folha. — É isso que o par deseja, e é o que vamos lhe dar. De que você precisaria para resgatar as mulheres, Sharpe?

— Senhor! — Sir Augustus se inclinou para a frente. — Eu esperava ser encarregado do resgate.

Nairn olhou para Sir Augustus e deixou o silêncio se estender até ficar doloroso. Então disse:

— Isso é nobre da sua parte, Sir Augustus, muito digno de crédito. Mesmo assim, Sharpe esteve lá, deixe que Sharpe nos dê suas ideias primeiro, certo?

Era hora da primeira das duas ideias, uma ideia fraca à luz da manhã, mas ele tentaria.

— Podemos resgatá-las, senhor, desde que saibamos onde estão. Se soubermos, senhor, só vejo um modo. Devemos viajar à noite para nos aproximarmos sem ser vistos, ficar escondidos o dia inteiro, o mais perto que pudermos, e atacar na noite seguinte. Isso teria de ser feito por fuzileiros, senhor.

— Fuzileiros! — Nairn se eriçou, Kinney sorriu. — Ora, você só pensa nos fuzileiros! Você acha que ninguém mais pode lutar neste exército?

— É porque eu vi muitas fardas por lá, senhor, mas nenhuma de fuzileiro. De noite, qualquer um que não estiver de verde será inimigo.

Nairn grunhiu.

— Mas você não viu todos os homens deles.

— Não senhor. — Sharpe se mostrou apaziguador, mas todos sabiam que menos homens desertavam dos fuzileiros que dos outros regimentos. Nairn olhou para o vermelho, preto e dourado de Sir Augustus. — Fuzileiros, então. O que mais?

Havia mais uma coisa, mas seria inútil a não ser que Sharpe soubesse em que prédio as reféns eram mantidas. Disse isso, e Nairn abriu um sorriso lentamente, malicioso.

— Mas nós sabemos.

— Sabemos? — Sharpe ficou surpreso, mas se lembrou de acrescentar: — Senhor?

— Sabemos, sabemos. — Nairn sorriu para eles.

Kinney esperou. Sir Augustus pareceu chateado.

— Talvez o senhor queira nos esclarecer, não?

— É meu dever e um prazer, Sir Augustus. — Nairn fechou os olhos, recostou-se ao máximo e ergueu a mão direita dramaticamente. Falava como se declamasse. — Linha após linha meus olhos transbordam / Levados por algo, algo espantoso: / Ora aquecidos no amor! — Ele havia levantado a voz até gritar, triunfante, a palavra "amor", e então a baixou num tom conspiratório, abrindo os olhos. — ... Ora definhando na flor da vida, / Num solitário convento estou perdida!

Nairn deu um sorriso travesso.

— Alexander Pope. De *Heloísa e Abelardo*. Uma história triste de um rapaz castrado no auge da juventude. É isso que dá amar demais. Portanto! Elas estão no convento. Uma garota inteligente essa esposa de francês.

Kinney se inclinou para a frente.

— Quantos fuzileiros?
— Duas companhias, senhor?
Kinney assentiu.
— Eles podem sustentar o convento durante a noite?
Sharpe assentiu também.
— Sim senhor.
— Então vocês precisariam de reforços de manhã, certo?
— Sim senhor.
Kinney olhou para Nairn.
— É como discutimos, senhor. Um pequeno grupo para entrar e proteger as damas, e um batalhão para chegar de manhã e castigar os homens. Mas uma coisa me preocupa.

Nairn arqueou uma sobrancelha.
— Prossiga.
— Eles podem ser desertores, mas creio que podemos presumir que não sejam idiotas. Se você entrar à noite. — Ele olhava para Sharpe, esquecendo ou ignorando por completo a requisição de Sir Augustus. — Se você entrar, major, não acha que eles estarão esperando algo do tipo? Haverá sentinelas, haverá uma linha de piquete. É um risco, Sharpe, e, ainda que eu não me incomode em correr riscos, você pode acabar descobrindo que eles terão tempo suficiente para se vingar das damas.

Sir Augustus assentiu, parecendo ter mudado de ideia quanto à conveniência de qualquer resgate.
— Concordo com Kinney.
Nairn olhou para Sharpe.
— E então, major?
— Eu pensei nisso, senhor. — Ele sorriu. Essa era a segunda ideia, a melhor. — Pensei em ir na *Sowan's Night*.
Nairn sorriu. Corrigiu Sharpe automaticamente.
— *Sowan's* Nicht! Gosto disso, homem! Gosto! *Sowan's Nicht*! Os desgraçados vão estar podres de bêbados.

Sowan's Nicht, o nome escocês para a noite de Natal, a noite em que qualquer soldado podia ter esperança de ficar completamente, desamparadamente bêbado. Na Inglaterra, era a noite do *frumenty*, uma bebida mortal feita de grãos de trigo descascado fervidos em leite e depois encharcados generosamente com rum e gemas de ovo para insensato de tão bébado. A noite de Natal.

Kinney assentiu, sorrindo.

— Nós fomos os primeiros a ser apanhados nesse truque, por isso podemos muito bem usá-lo. — Ele estava se referindo à noite de Natal de 1776, quando George Washington pegou a guarnição de Trenton desprevenida, os defensores acreditando que nenhuma guerra seria travada no Natal. Então Kinney balançou a cabeça.

— Mas...

— Mas...? — perguntou Nairn.

Kinney pareceu recuar, perdendo a esperança de repetir o truque de Washington.

— O Natal, senhor, quando o senhor quer que meus homens apoiem o major Sharpe. Faltam menos de cinco dias, senhor. — Ele balançou a cabeça. — Posso fazer isso! Posso chegar com os homens lá, mas não gosto muito de ir de mãos vazias. Eu pensaria numa cota de ração extra, senhor, e, se existir alguma possibilidade de os franceses aparecerem por lá, eu ficaria feliz com uma cota extra de cartuchos. — Sharpe sabia que ele podia estar falando de até quinhentos quilos de carne-seca e mais de quarenta mil cartuchos. O rosto de Kinney mostrou mais dúvida. — Todas as mulas se foram, senhor. Elas levariam uma semana para voltar das pastagens de inverno. — A maioria das mulas, como a cavalaria britânica, estava passando o inverno nas terras mais abundantes junto ao mar.

Nairn resmungou e fez marcas em seu papel.

— Você poderia chegar lá sem mulas?

— Claro, senhor. Mas e se os franceses aparecerem?

— Eles não estarão lá para lutar conosco, não é? Estarão para capturar o tal de Pot-au-Feu!

Kinney assentiu.

— E se tiverem a chance de matar um batalhão de primeira, como um prêmio extra?

— É, é, é. — Nairn estava inconformado. — Ouso dizer que você está certo. Na noite de Ano-Novo, Sharpe?

Sharpe sorriu.

— Prefiro a de Natal, senhor. — Ele olhou para Kinney. — Sete carroças puxadas a cavalo ajudariam? Além de uns bons cavalos de carga? Todos em condições, todos prontos para marchar?

— Se ajudariam? Santo Deus, homem, é claro que ajudariam! Seriam o suficiente! E como, afinal, você vai fazer esse milagre?

Sharpe olhou de novo para Nairn.

— A Tropa de Foguetes, senhor. Tenho certeza de que o príncipe regente adoraria se eles tivessem algum emprego na guerra.

— Pelos dentes de Deus, Sharpe! — Nairn sorriu para ele. — Há duas semanas promovi você de capitão, e agora está presumindo me dizer o que agradaria a Sua Alteza Real! — Ele olhou para Kinney. — A sugestão do plenipotenciário do príncipe de Gales lhe agrada, coronel?

— Agrada, senhor.

Nairn sorriu feliz para Sir Augustus Farthingdale.

— Parece que sua esposa estará segura em seus braços em menos de uma semana, Sir Augustus!

Sir Augustus se encolheu ligeiramente, mas baixou a cabeça.

— Parece mesmo, senhor, e fico agradecido. E ainda gostaria de acompanhar a força de resgate, senhor.

— Gostaria, é? — Nairn franziu a testa, sem entender o pedido. — Não quero ofender, Sir Augustus, de modo nenhum! Mas o senhor não acha que esses feitos deveriam ser deixados para cabeças mais quentes? Nós, os cérebros frios, devemos esperar com paciência, escrever nossos livros!

Sir Augustus deu um sorriso falso.

— Quer dizer cabeças mais velhas, senhor?

— Mais velhas! Mais sábias! Mais frias! E o senhor gostaria mesmo de escalar a porcaria de um morro no meio da noite, passar o dia inteiro deitado num frio congelante, e depois acompanhar sujeitos como Sharpe na noite seguinte? Admiro o sentimento, Sir Augustus, admiro mesmo, mas imploro que reconsidere o pedido.

O rosto fino, com sua bela juba, baixou os olhos para a mesa. Talvez, pensou Sharpe, estivesse pensando no frio que estaria na véspera do Natal. Sharpe não queria o sujeito lá, e ousou murmurar um comentário que poderia ajudar Sir Augustus a retirar um pedido que Nairn não poderia recusar.

— Não vamos levar cavalos, senhor, absolutamente nenhum.

A cabeça se levantou bruscamente.

— Posso marchar, major, se for necessário!

— Tenho certeza de que sim, senhor.

— Minha preocupação é com Lady Farthingdale. Ela é uma dama delicada, de boa família. Eu não gostaria de pensar que ela seria tratada... — Ele fez uma pausa. — Gostaria de oferecer minha proteção a ela, senhor.

— Santo Deus, Sir Augustus! — Nairn parou. As palavras de Farthingdale sugeriam que Lady Farthingdale, tendo sobrevivido à captura por Pot-au-Feu, estaria correndo perigo com os homens de Sharpe. Nairn balançou a cabeça. — Ela estará em segurança, Sir Augustus, ela estará em segurança! O senhor pode cavalgar de manhã com Kinney, não é, Kinney?

O coronel galês não pareceu muito animado com a ideia, mas assentiu.

— Sim senhor. É claro, senhor.

— E o senhor chegaria ao amanhecer, Sir Augustus!

Sir Augustus assentiu e se recostou.

— Muito bem. Cavalgarei com os *fusiliers*. — Em seguida, lançou um olhar pouco amistoso para Sharpe. — Posso ter a garantia de que Lady Farthingdale será tratada com todo o respeito?

As palavras insinuavam uma ofensa ultrajante, mas Sharpe supôs que também insinuavam um ciúme ultrajante que talvez um homem mais velho sentisse por uma esposa mais jovem. Optou por dar uma resposta educada,

— Claro, senhor. — Em seguida se virou para Nairn, com uma última pergunta. — Nós temos os fuzileiros, senhor?

Nairn sorriu, de novo malicioso, e em resposta empurrou uma carta para Sharpe.

— O terceiro parágrafo, major. Eles já estão a caminho.

Sharpe leu a carta e entendeu o sorriso de Nairn. A carta foi ditada por Wellington a seu secretário militar, e o general fazia sugestões específicas de como Pot-au-Feu deveria ser derrotado. O terceiro parágrafo começava assim: "Eu lhe indicaria o major Sharpe, na necessidade de utilização, acreditando que, com duas companhias de fuzileiros, ele poderia efetuar um resgate antes da chegada do batalhão punitivo. Com esse objetivo, e na crença de que essa medida será considerada adequada, dei ordens para que duas companhias do 60º sejam emprestadas ao quartel-general." Sharpe levantou os olhos e Nairn deu um sorriso largo.

— Foi interessante ver, major, que chegamos às mesmas conclusões.

— Chegamos mesmo, senhor.

— Console-se pensando que ele não pensou em usar a Tropa de Foguetes. Mas pediu a ajuda dos guerrilheiros. Alguma tropa de cavalaria irregular nos morros facilitará a vida. — Sharpe se perguntou se Teresa receberia essa mensagem. Será que iria vê-la no Natal? O pensamento o animou e agradou. Nairn pegou a carta de volta e virou a página. Estava sério agora. — Mas os guerrilheiros não deverão receber o crédito. A Espanha acredita que tropas britânicas estupraram esse povoado e violaram sua igreja. Um novo sermão deve ser pregado nas igrejas, senhores, dizendo que tropas britânicas vingaram o massacre e que qualquer pessoa na Espanha está a salvo sob a proteção de nossa bandeira. — Evidentemente estava parafraseando a carta, porque agora a largava e sorria para Sharpe. — Você disse aos desgraçados que eles tinham até o Ano-Novo?

— Sim senhor.

— Então falte à sua palavra, major. Vá matá-los no Natal.

— Sim senhor.

Nairn olhou pela janela. Havia parado de chover e se abria uma fenda enorme entre as nuvens, trazendo de volta o céu azul. O escocês sorriu.

— Boa caçada, senhores. Boa caçada.

CAPÍTULO 7

O capitão dos fuzileiros parecia vilanesco. Não tinha o olho esquerdo, e a órbita era coberta por um retalho preto que estava verde nas bordas. Faltava boa parte da orelha direita, e dois dentes da frente eram falsos e malfeitos. Todos os ferimentos foram recebidos em campos de batalha.

Ele ficou em posição de sentido diante de Sharpe, prestou continência, e a precisão militar foi diluída pela suspeita que havia na voz.

— Capitão Frederickson, senhor. — Frederickson parecia ágil feito um chicote, duro feito as peças de latão dos fuzis de seus homens.

O segundo capitão, mais corpulento e menos confiante, permitiu um sorriso no rosto enquanto prestava continência.

— Cross, senhor. Capitão Cross. — O capitão Cross queria que o major Sharpe gostasse dele, Frederickson não ligava a mínima para isso.

Ficou empolgado na promoção, mas agora Sharpe estava surpreso com o próprio nervosismo. Assim como Cross queria que Sharpe gostasse dele, Sharpe queria que os homens que se apresentaram sob seu comando também gostassem dele. Era tentado a crer que, se fosse amigável e acessível, razoável e gentil, os homens iriam segui-lo com mais boa vontade. Mas gentileza não era fonte de lealdade, e ele sabia que precisava resistir à tentação.

— Por que está sorrindo, capitão?

— Senhor? — O olhar de Cross saltou para Frederickson, mas o caolho olhava rigidamente para a frente. O sorriso sumiu.

Aqueles capitães, e suas companhias, eram os homens que Sharpe comandaria até o Portal de Deus para uma difícil incursão noturna, e aquele não seria lugar para um homem amigável, acessível, razoável e gentil. Eles poderiam acabar gostando dele, mas primeiro teriam de sentir aversão porque lhes impunha padrões, porque lealdade vinha do respeito.

— Qual é a condição de vocês?

Frederickson respondeu primeiro, como Sharpe imaginava que aconteceria.

— Setenta e nove homens, senhor. Quatro sargentos e dois tenentes.

— Munição?

— Oitenta tiros, senhor. — Foi uma resposta pronta, era mentira. A pólvora inglesa era a melhor do mundo, e a maioria dos soldados ganhava alguns centavos por fora vendendo cartuchos para aldeões. A resposta de Frederickson, porém, também implicava que a escassez não era da conta de Sharpe. Ele, Frederickson, iria se certificar de que seus homens fossem para a batalha com a bolsa cheia. Sharpe olhou para Cross.

— Capitão?

— Cinquenta e oito homens, senhor. Quatro sargentos e um tenente.

Sharpe olhou para as companhias formadas na praça de Frenada. Os homens estavam cansados, desgrenhados, esperando a dispensa. Tinham acabado de marchar desde o Coa e estavam ansiosos por um alojamento quente, bebida e uma refeição. Havia meia dúzia de cavalos, propriedade dos oficiais, à frente das fileiras de jaquetas-verdes. Sharpe olhou para o sol. Restavam três horas de luz do dia.

— Vamos levar munição extra. Já foi pedida. Direi aos seus sargentos onde pegar.

Cross assentiu.

— Senhor.

— E vamos andar dezesseis quilômetros essa noite. Todos os cavalos dos oficiais devem ficar aqui.

Ele virou as costas, e uma exclamação de surpresa do capitão Cross o fez se virar de volta.

— Capitão?

— Nada, senhor.

Frederickson estava sorrindo, apenas sorrindo.

Acamparam naquela noite, frios feito pele açoitada no inverno, fazendo abrigos com galhos e cozinhando a carne da ração nas pequenas chaleiras de acampamento. Fuzileiros não carregavam os caldeirões enormes de Flandres que o Exército dava e tinham de ser levados numa mula por causa do peso. Era preciso todo um tronco de árvore para esquentar um caldeirão daqueles, por isso as tropas ligeiras do Exército de Wellington simplesmente pegavam as pequenas panelas dos inimigos que eles matavam, assim como pegavam suas mochilas confortáveis, e Sharpe olhou satisfeito para as trinta fogueiras pequenas. Sua companhia estava com ele, uma companhia reduzida porque o verão de 1812 havia diminuído seu número. O tenente Price, três sargentos e somente vinte e oito homens eram os escaramuçadores do South Essex, e apenas nove homens, além de Harper, eram fuzileiros da antiga companhia de Sharpe, do 95º, que ele trouxe da retirada para Corunha, quatro anos antes. Price, que compartilhava uma fogueira com Sharpe, olhou para seu major e estremeceu.

— Não podemos entrar com o senhor?

— Você está de casaca vermelha, Harry.

Price xingou.

— Vamos ficar bem, senhor.

— Não vão, não. — Sharpe tirou uma castanha do fogo usando sua faca. — Haverá bastante coisa para fazer no Natal, Harry. Confie em mim.

A voz de Price soava ressentida.

— Sim senhor.

Depois, incapaz de ficar mal-humorado por muito tempo, riu e indicou com a cabeça as fogueiras.

— O senhor animou esses homens. Não sei o que deu neles.

Sharpe riu. Dois tenentes ficaram mancando depois de uma marcha de dezesseis quilômetros, desacostumados a andar fora da sela. Os fuzileiros estavam resignados. Sharpe era só mais um desgraçado a lhes negar uma cama quente, a chance de conseguir uma jovem quente, e os obrigar a dormir num campo aberto numa noite de dezembro. Price xingou quando uma castanha queimou seus dedos.

— Eles definitivamente estão intrigados, senhor.

— Intrigados?

— Nossos rapazes falaram com eles. Contaram uma ou duas coisas. — Ele riu enquanto, finalmente, a casca da castanha saía. — Contaram quanto tempo as pessoas geralmente vivem quando lutam pelo major Sharpe.

— Meu Deus, Harry! Não pegue pesado demais!

Price mastigou feliz.

— Eles são rapazes resistentes, senhor. Vão ficar bem.

E eram resistentes mesmo. O 60º, o Regimento Real Americano de Fuzileiros, foi criado nas Treze Colônias antes da rebelião. Os homens foram treinados como atiradores de elite, caçadores, matadores da floresta profunda, mas desde a perda dos Estados Unidos as fileiras do regimento foram preenchidas por ingleses e alemães exilados. Ao menos metade daqueles homens era alemã, e Sharpe havia descoberto que Frederickson era filho de mãe inglesa e pai alemão e fluente nas duas línguas. O sargento Harper descobriu o apelido irônico que a companhia de Frederickson deu ao seu capitão. O capitão William Frederickson, um dos oficiais mais rígidos do Exército, inevitavelmente se tornou o Doce William.

O Doce William chegou à fogueira de Sharpe.

— Posso lhe falar, senhor?

— Fale.

Frederickson se agachou, e seu olho único parecia ameaçador.

— Há uma senha para essa noite, senhor?

— Senha?

Frederickson deu de ombros.

— Eu queria sair com uma patrulha, senhor. — Ele não queria pedir permissão. Pedir permissão era ofensivo para os capitães do 60º. Esse regimento não lutava em batalhões, como os outros, era dividido em companhias emprestadas às divisões do Exército para reforçar a linha de escaramuça. As companhias do 60º eram as órfãs do Exército, fortes e independentes, orgulhosas de seu status solitário.

Sharpe sorriu. Não havia necessidade de patrulhar esse país; era Portugal, um lugar seguro e amigável.

— Você quer sair com uma patrulha, capitão.

— Sim senhor. Alguns dos meus homens se beneficiariam de um treinamento noturno.

— Quanto tempo?

O rosto magro com tapa-olho fitou as chamas, depois olhou de novo para Sharpe.

— Três horas, senhor.

Tempo suficiente para voltar ao vilarejo por onde passaram ao crepúsculo e entrar na grande fazenda no morro atrás da igreja. Sharpe também ouviu os sons, que o deixaram tão faminto quanto Frederickson. Então ele queria uma senha para voltar atravessando a linha de piquete?

— Costeleta de porco, capitão.

— Senhor?

— É a senha. E o meu preço.

Um sorriso levíssimo.

— Seus homens dizem que o senhor não aprova roubos.

— Jamais gostei de ver oficiais da polícia do Exército enforcando homens acusados de saque. — Sharpe tateou na bolsa e jogou uma moeda para Frederickson. — Deixe isso na porta.

Frederickson assentiu.

— Farei isso, senhor. — E se levantou.

— E, capitão...?

— Senhor?

— Eu gosto das costelas do meio. As que vêm com o rim.

O sorriso apareceu na escuridão.

— Sim senhor.

Comeram a carne de porco no dia seguinte, ao crepúsculo, escondidos num bosque de carvalhos, depois de um longo dia de marcha. Esta noite não haveria descanso, apenas uma difícil marcha atravessando o rio e subindo para os morros. Sharpe fez com que se formassem e tirassem todas as mochilas, os cantis, as bolsas, as sacolas, os sobretudos e as barretinas e ficou olhando os sargentos revistarem cada homem e seu equipamento à procura de bebida. Eram uma noite e um dia em que nenhum homem podia se arriscar a estar bêbado, e os fuzileiros ficaram observando carrancudos enquanto seu álcool era derramado no chão. Então Sharpe levantou um punhado de cantis.

— Conhaque. — Eles se animaram um pouco. — Vamos distribuir amanhã, para ajudar contra o frio. Assim que o serviço estiver feito, vocês poderão beber até cair.

Naquela noite, subiram por uma paisagem escura de rochas partidas e sombras lúgubres ouvindo o uivo dos lobos. Era raro lobos atacarem homens, mas Sharpe já tinha visto um deles saltar num cavalo amarrado, arrancar um pedaço da anca e desaparecer na escuridão perseguido por uma saraivada inútil de mosquetes. Subiram mais e mais, seguindo para o leste, e uma lua intermitente enganava Sharpe quanto aos marcos do terreno que ele havia memorizado na primeira visita ao convento. Estava indo para o norte do Portal de Deus, e, depois da meia-noite, fez os soldados virarem para o sul, e o caminho era mais fácil porque não tinha mais nenhuma subida. Temia o amanhecer. Deveriam estar escondidos antes que os homens de Pot-au-Feu na torre de vigia pudessem examinar a paisagem elevada em busca de invasores.

Levou-os perto demais, sem perceber, até que uma sentinela do outro lado do vale jogou um arbusto de espinheiro seco inteiro numa fogueira e as chamas subiram, iluminando as pedras da torre de vigia, e Sharpe sibilou ordenando silêncio. Meu Deus! Estavam perto. Rodeou a trilha para voltar e, pouco antes do alvorecer, encontrou uma ravina profunda.

A ravina, apesar de perto demais do convento para se sentirem confortáveis, era perfeita. Um major, dois capitães, quatro tenentes, onze sargentos e cento e sessenta e cinco soldados estavam escondidos nas profundezas de seus barrancos. Deviam passar o dia inteiro ocultos.

Era um jeito estranho de passar a véspera do Natal. Na Grã-Bretanha, estariam preparando comida para o banquete do dia. Gansos depenados estariam pendurados nas paredes das fazendas, perto de presuntos cheirosos saídos do fumeiro. Pudins de ameixa seriam colocados perto dos fogões onde o queijo-de-cabeça fervia enquanto, na casa dos ricos, os serviçais tiravam cabeças de porco dos barris de picles e as recheavam de carne. Tortas estariam sendo preparadas, de carne de veado e de boi, enquanto pães de fruta natalinos cresciam em fornos de tijolos, o cheiro rivalizando com o aroma intenso da cerveja recém-preparada. A luz da lareira brilharia em garrafas de vinho feito em casa e na grande tigela que esperava os temperos e o vinho quente do cálice do brinde. O Natal era uma ocasião em que um homem deveria estar numa casa quente, suando de cozinhar, e pensando em pouca coisa além da festa do meio do inverno.

Sharpe se perguntou se aqueles homens se ressentiriam de perder o Natal para a guerra, mas, conforme a véspera passava devagar e fria, detectou um orgulho por terem sido escolhidos para a tarefa. Eles passaram a odiar profundamente os desertores, e Sharpe suspeitava que esse ódio em parte era causado por inveja. Em certo momento, a maioria dos soldados pensava em deserção, mas poucos faziam isso, e todo soldado sonhava com um paraíso perfeito onde não houvesse disciplina e existisse muito vinho e mulheres suficientes. Pot-au-Feu e Hakeswill chegaram perto de realizar esse sonho, e os homens de Sharpe iriam castigá-los por ousarem fazer o que eles apenas sonhavam.

Frederickson achava que Sharpe estava fantasiando demais. Ele se sentou na lateral da ravina, perto de Sharpe e Harper, e assentiu indicando seus homens.

— É porque eles são românticos, senhor.

— Românticos? — Foi uma surpresa essa palavra vir do Doce William.

— Olhe os desgraçados. Metade deles cometeria um assassinato por dez xelins, menos até. São bêbados, roubariam o anel de casamento da mãe para comprar uma garrafa de rum. Meu Deus! São uns desgraçados! — Ele sorriu com carinho para os homens, depois levantou um canto esgarçado do tapa-olho e cutucou a ferida com um dedo. Parecia um cacoete. Limpou o dedo na jaqueta. — Deus sabe que não são santos, mas estão irritados por causa das mulheres no convento. Gostam da ideia de resgatar mulheres.

— Frederickson deu seu sorriso torto. — Todo mundo odeia a porcaria do Exército, até que alguém precise ser resgatado, então somos todos heróis e cavaleiros de armadura branca. — Ele gargalhou.

A maioria dos homens teve um sono intermitente durante a manhã enquanto os casacas-vermelhas de Price atuavam como sentinelas. Agora esses homens estavam agrupados no sono enquanto os piquetes do capitão Cross se alinhavam na borda da fenda, mal se vendo as cabeças acima da linha do horizonte. Sharpe viu figuras na torre de vigia e, logo depois do meio-dia, três homens a cavalo apareceram a leste. Sharpe presumiu que fosse uma patrulha, mas os homens desapareceram numa reentrância e só reapareceram depois de uma hora. Imaginou que tivessem levado garrafas, bebido e depois retornado ao vale com alguma ficção sobre uma patrulha sem novidades.

O frio era a maior preocupação de Sharpe. A noite tinha sido mais fria, mas os homens estavam em movimento, ao passo que agora se encontravam imóveis, incapazes de fazer fogo e congelados por um vento que soprava por todo o esconderijo, trazendo uma garoa intermitente. Depois que a patrulha se foi, Sharpe começou uma brincadeira infantil de pega-pega, com os limites restringidos por um contorno imaginário na metade da ravina, e a regra mais importante era o silêncio. Isso fez o calor entrar nos homens e nos oficiais, e o jogo prosseguiu por mais de duas horas. Sempre que um oficial estava no jogo, ele ficava mais espalhafatoso. O pique era passado jogando o outro jogador no chão, e duas vezes Sharpe foi derrubado com uma alegria capaz de esmagar os ossos, nas duas vezes repassando o pique para o mesmo homem. Agora, enquanto a luz começava a se desbotar, os homens estavam sentados com suas armas, concentrados nos preparativos para a noite.

Patrick Harper estava com a espada de Sharpe. Foi o próprio Harper quem a comprou, consertou e deu a Sharpe quando todos temiam que o então capitão estivesse morrendo no hospital do Exército em Salamanca. Era uma espada da cavalaria pesada, enorme e de lâmina reta, desajeitada por causa do peso, mas mortal se brandida com força. O homem que atirou nele, o francês Leroux que levou Sharpe para tão perto da morte, morreu sob essa espada. Harper afiava a lâmina com longos movimentos da pedra de amolar. Trabalhou a ponta até ficar afiada feito uma agulha, e agora estendia a arma para Sharpe.

— Pronto, senhor. Está como nova.

Ao lado de Harper estava sua arma de sete canos, muito admirada por Frederickson. Era a única arma carregada que iria para o convento com o primeiro grupo. Os homens desse grupo foram escolhidos a dedo, a nata das três companhias, e atacariam usando apenas espadas, facas e baionetas. Sharpe o comandaria. Harper iria ao seu lado, e o sinal para os outros fuzileiros avançarem era um tiro da arma do sargento irlandês. Harper pegou a arma, limpou o ouvido dela com um arame, soprou o interior e riu, animado.

— Torta de carneiro, senhor.

— Torta de carneiro?

— É o que a gente estaria comendo em casa, é mesmo. Torta de carneiro, batatas e mais torta de carneiro. Minha mãe sempre faz torta de carneiro no Natal.

— Ganso — disse Frederickson. — E uma vez tivemos um cisne assado. Vinho francês. — Ele sorriu enquanto enfiava uma bala na pistola. — Torta de carne picadinha. Isso, sim, é bom de encher a barriga. Boa carne picada.

— Nós costumávamos comer picadinho de tripa — disse Sharpe.

Frederickson pareceu incrédulo, mas Harper sorriu para o capitão caolho.

— Se o senhor perguntar com jeito, ele vai contar tudo sobre a vida no Lar de Enjeitados.

Frederickson olhou para Sharpe.

— É sério?

— É, sim. Por cinco anos. Fui para lá com 4.

— E comia tripa no Natal?

— Com sorte. Tripa picadinha e ovos cozidos, e chamavam de picadinho de carne. Nesse dia não se trabalhava.

— Qual era o trabalho?

Harper sorriu, porque tinha ouvido essas histórias antes. Sharpe apoiou a cabeça de volta na mochila e olhou para as nuvens baixas e escuras.

— Nós costumávamos desfazer cordas de navio velhas, as que estavam cobertas de alcatrão. Pegava-se um pedaço de corda de vinte centímetros, dura feito couro congelado, e se tivesse menos de 6 anos, tinha de desfazer um pedaço de dois metros e meio todo dia. — Ele riu. — Eles vendiam esse negócio para calafates e estofadores. Não era tão ruim quanto a sala dos ossos.

— O quê?

— Sala dos ossos. Algumas crianças socavam ossos até virar pó, e daquilo era feita uma espécie de pasta. Metade da porcaria de marfim que se compra é feita de pasta de osso. Por isso a gente gostava do Natal. Não tinha trabalho.

Frederickson parecia fascinado.

— E o que acontecia no Natal, senhor?

Sharpe parou para pensar. Tinha esquecido boa parte daquilo. Assim que fugiu do Lar e conseguiu se manter longe, tentou esquecer tudo. Agora as lembranças eram tão remotas que pareciam pertencer a outro homem, muito menos afortunado.

— Havia um culto na igreja de manhã, disso eu lembro. A gente ouvia um sermão enorme dizendo como tínhamos sorte. Depois vinha a refeição. Tripa. — Ele sorriu.

— E pudim de ameixa, senhor. O senhor disse que uma vez comeu pudim de ameixa. — Harper estava carregando a arma enorme.

— Uma vez. É. Foi presente de alguém. De tarde o pessoal da alta sociedade vinha visitar. Menininhos e menininhas trazidos pelas mães para ver como os órfãos viviam. Por Deus! Nós os odiávamos! Veja bem, era a única porcaria de dia no inverno em que aqueciam o lugar. Os filhos dos ricos não podiam pegar um resfriado quando visitavam os pobres. — Ele levantou a espada e encarou pensativo a lâmina. — Faz muito tempo, capitão, muito tempo.

— Você chegou a voltar alguma vez?

Sharpe sentou.

— Não. — Fez uma pausa. — Pensei nisso. Seria bom voltar, fardado, carregando isso. — Ele sopesou a espada de novo e sorriu. — Provavelmente tudo mudou. Os desgraçados que administravam o lugar devem ter morrido e as crianças devem dormir em camas e receber três refeições por dia sem saber a sorte que têm. — Sharpe se levantou para enfiar a espada na bainha.

Frederickson balançou a cabeça.

— Não creio que tenha mudado muito.

Sharpe deu de ombros.

— Isso não importa, capitão. Crianças são coisinhas resistentes. Basta soltá-las na vida que elas se viram sozinhas. — Ele fez isso parecer brutal porque tinha se virado sozinho, e se afastou de Frederickson e Harper porque a conversa o fez pensar em sua filha. Será que já teria idade para se empolgar com a noite de Natal? Não sabia. Pensou no rostinho redondo, no cabelo preto que se parecia tanto com o seu quando a viu pela última vez, e imaginou que tipo de vida ela teria. Uma vida sem pai, uma vida que era resultado da guerra, e sabia que não queria deixá-la sozinha.

Falou com os homens, conversando com facilidade, ouvindo suas piadas e conhecendo seus temores escondidos. Mandou os sargentos distribuírem mais meia dúzia de cantis de conhaque e ficou emocionado porque os homens lhe ofereciam goles do líquido precioso. Deixou seu próprio grupo avançado para o final, os quinze homens sentados num grupo separado, dando os últimos toques nas baionetas já afiadas. Oito eram alemães que falavam inglês suficientemente bem para entender ordens rápidas, e sinalizou para ficarem à vontade quando, com seu jeito formal, eles começaram a se levantar.

— Quente o bastante?

Acenos de cabeça e sorrisos.

— Sim senhor. — Eles pareciam estar congelando.

Um homem, magro feito uma vareta de arma, umedeceu os lábios enquanto passava um pedaço de couro com óleo na baioneta. Levantou a lâmina para a última luz do dia e pareceu satisfeito. Pousou a baioneta e, com cuidado meticuloso, dobrou o couro e pôs num pacote de oleado. Levantou os olhos, viu o interesse de Sharpe e, sem dizer nada, estendeu a arma para o major. Sharpe colocou o polegar no gume externo. Jesus! Parecia uma navalha.

— Como consegue que ela fique tão afiada?

— Labuta, senhor, labuta. Trabalho nela todo dia. — O homem pegou a baioneta de volta e a enfiou cuidadosamente na bainha.

Outro homem sorriu para Sharpe.

— Taylor gasta uma baioneta por ano, senhor. Amola demais. O senhor deveria ver o fuzil dele. — Taylor era sem dúvida a maior atração de sua companhia, acostumado com a atenção, e entregou a arma a Sharpe.

Como a baioneta, o fuzil também foi bem trabalhado. A madeira estava tão oleada que tinha um polimento profundo. A coronha foi remodelada com uma faca, dando um apoio mais estreito atrás do gatilho onde, acima da culatra, um pedaço de couro tinha sido preso com pregos de latão. Era uma peça para apoiar a bochecha. Sharpe puxou o cão, verificando primeiro se a arma estava descarregada, e a pederneira pareceu repousar inquieta na posição máxima. Sharpe tocou no gatilho e a pederneira saltou para a frente, quase sem nenhuma pressão do seu dedo, e o homem magro abriu um sorriso.

— Foi limado, senhor.

Sharpe devolveu o fuzil. A voz de Taylor o lembrou do major Leroy, do South Essex.

— Você é americano, Taylor?

— Sim senhor.

— Legalista?

— Não senhor. Fugitivo. — Taylor parecia um homem pouco sorridente, lacônico.

— De quê?

— De um navio mercante, senhor. Fugi em Lisboa.

— Ele matou o capitão, senhor — contou o outro homem com um sorriso de admiração.

Sharpe olhou para Taylor. O americano deu de ombros.

— De onde você é nos Estados Unidos, Taylor?

Os olhos frios observaram Sharpe como se a mente por trás deles estivesse pensando se deveria ou não responder. Então veio o dar de ombros de novo.

— Tennessee, senhor.

— Nunca ouvi falar. Deixa você preocupado estarmos em guerra contra os Estados Unidos?

— Não senhor. — A resposta de Taylor parecia sugerir que seu país iria se sair muito bem sem sua ajuda. — Ouvi dizer que o senhor tem um homem em sua companhia que acha que sabe atirar, senhor. É verdade?

Sharpe sabia que ele se referia a Daniel Hagman, o atirador de elite do South Essex.

— Isso mesmo.

— Diga a ele, senhor, que Thomas Taylor é melhor.

— Qual é o seu alcance?

Os olhos espiaram Sharpe sem nenhuma emoção. Mais uma vez ele pareceu pensar na resposta.

— Não erro a duzentos metros.

— Hagman também.

O sorriso de novo.

— Quero dizer que não erro uma bala no olho do alvo, senhor.

Estava contando vantagem de algo impossível, é claro, mas Sharpe gostou do seu estado de espírito. Imaginou que Taylor fosse um homem difícil de ser comandado, mas isso valia para muitos fuzileiros. Eles eram encorajados a ser independentes, a pensar por si mesmos num campo de batalha, e os regimentos de fuzileiros jogaram fora boa parte da antiquada disciplina cega e contavam mais com o moral como força motivadora. Um novo oficial do 95º ou do 60º deveria exercitar e treinar as fileiras, aprender os méritos dos homens que comandaria em batalha, e esse era um aprendizado difícil para alguns, porém forjava confiança e respeito dos dois lados. Sharpe tinha confiança naqueles homens. Eles lutariam, mas e quanto aos homens de Pot-au-Feu no convento? Todos eram soldados treinados, e sua única esperança, que parecia mais débil à medida que o dia frio se transformava em noite, era que logo os desertores estivessem impotentes devido à bebida.

Fim de tarde, véspera de Natal, e nuvens cobriam o céu de tal modo que não havia estrelas para guiar os homens. Os hinos natalinos eram cantados nas igrejas paroquiais da Inglaterra. "Alto cantemos as notas afinadas, junto com a multidão angélica." Sharpe se lembrava das palavras, da época do Lar de Enjeitados. "Mostrai boa vontade aos pecadores, e dai paz na terra." Não haveria boa vontade com os pecadores nesta noite. Da escuridão viriam espadas, baionetas e morte. A noite do Natal de 1812 no Portal de Deus seria de gritos de dor, sangue e raiva. Sharpe pensou nas mulheres inocentes no convento e deixou a raiva começar. Que a espera terminasse, rezou, que a noite chegasse, e queria ter em si a chama da batalha, queria Hakeswill morto, queria que a noite chegasse.

A véspera do Natal virou escuridão. Lobos rondavam os picos serrilhados, um vento trazia o frio do oeste, e os homens de jaqueta verde aguardavam, tremendo, e em seus corações havia vingança e morte.

CAPÍTULO 8

Uma noite tão escura que era como a véspera da Criação. Um negrume completo, uma escuridão que nem ao menos traía um horizonte, uma noite de nuvens sem lua. Noite de Natal.

Os homens emitiam ruídos baixos enquanto esperavam na ravina. Eram como animais agachados para se proteger de um frio cortante. A garoa fazia aumentar o sofrimento.

Sharpe iria primeiro com seu pequeno grupo; então Frederickson, como capitão mais antigo, levaria o grupo principal de fuzileiros. Harry Price esperaria fora do convento até que a luta terminasse, ou até que, o que era impensável, devesse cobrir uma retirada ensandecida na escuridão.

Era uma noite em que o fracasso insistia em ensaiar na cabeça de Sharpe. Ele havia espiado pela borda da ravina, durante o crepúsculo, e observado por um longo tempo a rota que deveria percorrer na escuridão, mas e se ficasse perdido? Ou se algum idiota desobedecesse às ordens e avançasse com um fuzil carregado, tropeçasse e quebrasse o silêncio da noite com um tiro acidental? E se não houvesse trilha descendo pelo lado norte do vale? Sharpe sabia que havia espinheiros nos flancos do vale e se imaginou levando as tropas para o meio dos espinhos, mas tentou afastar o pessimismo. Este insistia em voltar. E se tivessem mudado as reféns de lugar? E se ele não conseguisse encontrá-las no convento? Talvez estivessem mortas. Perguntou-se que tipo de mulher jovem e rica iria se casar com Sir Augustus Farthingdale. Ela provavelmente pensaria que Sharpe era algum tipo de selvagem horrendo.

O verso do hino de Natal continuava se repetindo em sua cabeça, outro visitante indesejado nos pensamentos. "Mostrai a boa vontade aos pecadores." Esta noite não.

Tinha pensado em ir à meia-noite, mas estava escuro demais para Frederickson ou qualquer um com relógio ver as horas, e fazia frio demais para esperarem na escuridão interminável. Os homens estavam dormentes de frio, sonolentos, fustigados pelo vento do oeste, e Sharpe decidiu ir mais cedo.

E havia luz. Um brilho enevoado no ar de fogueiras no vale. Não dava para ver da ravina, mas, quando Sharpe levou sua força para o sul, tropeçando no terreno irregular, o alto da borda norte do vale estava marcado pela luz das chamas. Dava para ver a ligeira queda no topo que ele havia marcado como alvo, e sentiu o caminho que levava à esquerda e à direita, e depois para as chamas do vale de Adrados.

Carregavam apenas as armas e munição. As mochilas, as sacolas, os cobertores e os cantis foram deixados na ravina. Esse equipamento poderia ser apanhado de manhã, mas nesta noite eles lutariam sem peso. Os fuzileiros descartariam os sobretudos antes do ataque, revelando as fardas verde-escuro que seriam sua marca distinta nesta noite. Boa vontade aos pecadores.

Sharpe parou, ouvindo barulho à frente, e por uma fração de segundo temeu que o inimigo tivesse uma linha de piquete na borda do vale. Prestou atenção e relaxou. Eram sons de festa, gritos de comemoração e risadas, o rugido de vozes masculinas. Noite de Natal.

Uma noite desgraçada para se nascer, pensou Sharpe. No meio do inverno, quando a comida era escassa e lobos rondavam os vilarejos nas montanhas. Talvez fosse mais quente na Palestina, e talvez os pastores que viram os anjos não tivessem de se preocupar com lobos, mas mesmo assim inverno era inverno em toda parte. Sharpe sempre pensou na Espanha como um país quente, e era assim no verão, quando o sol assava as planícies até virarem pó, mas no inverno podia ser gélido, e ele pensou em como seria nascer num estábulo onde o vento cortava feito faca entre as frestas da madeira. Guiou-os de novo na direção do Portal de Deus, uma linha escura de homens trazendo lâminas na noite.

Deitou-se na borda do vale. Os espinheiros eram escuros na encosta à frente, o vale estava iluminado pelas fogueiras no castelo, no convento, na torre de vigia e no vilarejo, e, glória a Deus, havia um caminho que descia na diagonal em direção aos espinheiros.

O som de risadas vinha do convento. Sharpe conseguia ver a silhueta de outros homens diante das fogueiras no grande pátio do castelo. Estava frio.

Virou a cabeça e sussurrou para os homens.

— Contando!

— Um. — Era Harper.

— Dois. — Um sargento alemão chamado Rossner.

— Três. — Thomas Taylor.

Frederickson deitou ao lado de Sharpe, mas ficou em silêncio enquanto os homens faziam a contagem na escuridão. Todos estavam presentes. Sharpe apontou para o pé da encosta onde o caminho escuro entre os espinheiros chegava a um pasto rústico marcado em vermelho e preto pela luz das fogueiras.

— Espere na linha das árvores.

— Sim senhor.

Os homens de Frederickson teriam de percorrer apenas cinquenta metros da borda dos arbustos até a porta do convento. Iriam quando ouvissem o estrondo da arma de sete canos, ou se ouvissem uma saraivada de mosquete, mas ignorariam um tiro único de mosquete. Numa noite como essa, uma noite de bebidas e comemoração, um tiro único não seria incomum. Se Frederickson não ouvisse nada enquanto contava quinze minutos, deveria ir de qualquer forma. Sharpe olhou para o capitão cujo tapa-olho preto dava uma aparência espectral no escuro. Estava começando a gostar dele.

— Seus homens estão bem?

— Antevendo o prazer, senhor.

Boa vontade aos pecadores.

Sharpe avançou com seu grupo. Olhou uma vez para a direita. Longe, em Portugal, uma luz fraca pulsava como uma estrela vermelha. Uma fogueira nos morros da fronteira.

O caminho era íngreme. A garoa o havia deixado escorregadio e traiçoeiro, fazendo com que um dos homens escorregasse e se chocasse com um emaranhado de galhos espinhosos. Todos pararam. Espinhos estalavam e se partiam enquanto o homem se soltava.

Sharpe conseguia ver a grande porta em arco do convento, uma única nesga de luz onde as folhas estavam ligeiramente entreabertas. Do prédio vinham gritos e risadas, e uma vez o som de vidro se espatifando e zombaria. Havia vozes de mulheres entre as dos homens. Seguiu devagar, testando cada passo, sentindo a empolgação porque estava perto demais de se vingar pelos insultos da visita anterior.

A porta se abriu. Ele parou, os homens atrás dele pararam sem precisar de ordens, e a silhueta de duas figuras apareceram no arco do convento. Um homem, com um mosquete no ombro, deu um tapa no ombro do outro e o empurrou para a estrada. Deu para ouvir com clareza acima do barulho da festa o segundo homem vomitando. O Natal estava fazendo sua magia no convento. O primeiro homem, provavelmente a sentinela, riu junto ao arco. Ele bateu os pés, soprou nas mãos, e Sharpe o ouviu gritar para o homem enjoado voltar para dentro. A porta se fechou atrás deles.

A encosta era mais suave agora. Sharpe se arriscou a olhar de relance para trás e ficou estarrecido ao notar como seus homens estavam visíveis. Com certeza seriam vistos! Mas ninguém havia gritado um alarme no vale, nenhum tiro havia rasgado a noite, e logo ele estava na borda dos arbustos e fez seus homens pararem.

— Taylor e Bell?
— Senhor?
— Boa sorte.

Os dois fuzileiros, com o sobretudo escondendo a farda, avançaram para o convento. Sharpe gostaria de fazer essa parte do trabalho, mas havia um risco de ele ou Harper serem reconhecidos pela sentinela. Tinha de esperar.

Havia escolhido os dois com cuidado, porque matar um homem em silêncio com uma lâmina não era trabalho de principiante. Bell havia aprendido sua habilidade nas ruas de Londres, Taylor do outro lado do mundo, mas ambos eram confiantes. Seu serviço era simplesmente matar quem quer que estivesse de sentinela na entrada.

Não tentaram esconder a aproximação de forma nenhuma. Seus pés se arrastavam na estrada, as vozes engroladas como se por causa da bebida, e Sharpe ouviu palavrões ditos por Bell quando o fuzileiro parou perto do vômito ao pé da escada. A porta se abriu e a sentinela olhou para fora. A porta se abriu mais ainda e um segundo homem estava ali, com o mosquete pendurado no ombro.

— Entrem! Está um frio desgraçado! — Um braseiro ardia atrás deles.

Taylor se sentou no primeiro degrau e começou a cantar. Segurava uma garrafa dada por Sharpe.

— Tenho um presente para vocês! — Ele cantou as palavras repetidamente, rindo ao mesmo tempo.

Bell fez uma reverência para eles.

— Um presente!

— Meu Deus! Venham!

Bell apontou para Taylor.

— Ele sequer consegue andar.

Taylor continuava segurando a garrafa no alto. Os dois homens de sentinela desceram os degraus, bem-humorados. Um deles estendeu a mão para a garrafa e não chegou a ver a mão direita puxar a lâmina escondida dentro do sobretudo e girar, e a mão direita da sentinela estava tocando a garrafa quando a lâmina de Taylor entrou sob a axila, viajando ligeiramente para cima, direto para o emaranhado de coração e artérias. Taylor ainda segurava a garrafa, mas agora também sustentava o peso morto do sujeito.

Bell sorriu para o segundo homem de sentinela quando a surpresa tocou seu rosto. O londrino ainda estava sorrindo quando sua lâmina cortou qualquer grito que fosse brotar da garganta do sujeito. Sharpe viu o corpo estremecer, viu quando Bell o segurou, viu os dois fuzileiros levando os cadáveres para as sombras.

— Venham!

Avançou com o restante dos seus homens. Agora Frederickson estava no pé da encosta, começando a lenta contagem dos quinze minutos ou até o som do disparo que sinalizaria a vingança para Adrados.

Os degraus do convento estavam sujos do sangue da vítima de Bell, e as botas de Sharpe deixaram pegadas escuras no túnel de entrada perto do braseiro. Ele entrou sozinho no claustro, andando nas sombras da passagem em arco, e o claustro parecia deserto. Os gritos e as risadas vinham do claustro inferior, mas, enquanto esperava, os olhos examinando o pátio, ouviu gemidos e vozes baixas vindos da escuridão. O túnel a sua frente, a passagem por onde ele e Dubreton foram escoltados para ver a mulher ser marcada com a palavra "puta", estava vazio, com a porta e a grade abertas. Estendeu a mão esquerda e estalou os dedos, então conduziu seus homens para a escuridão da passagem do claustro, indo devagar. As botas pareciam soar altas demais nas pedras. O braseiro lançava luz nos ladrilhos em volta da fonte elevada.

A porta da capela estava aberta, e, enquanto Sharpe passava, alguém esticou a mão e agarrou seu ombro esquerdo. Ele se virou para a mão, o punho direito já em movimento, e parou. Havia uma mulher ali, oscilando e piscando, e, atrás dela, do outro lado da porta aberta na grade, velas.

— Você vem, querido? — Ela sorriu para Sharpe, depois cambaleou de encontro à porta.

— Vá dormir.

Uma voz masculina, falando francês, gritou de dentro da capela. A mulher balançou a cabeça.

— Ele não está prestando para nada, querido. Conhaque, conhaque, conhaque. — Uma criança, com menos de 3 anos, veio para perto da mãe e espiou Sharpe solenemente, chupando o polegar. A mulher encarou Sharpe de olhos semicerrados. — Quem é você?

— Lorde Wellington. — A voz francesa gritou de novo e houve som de movimento. Sharpe empurrou a mulher para dentro. — Vá, querida. Ele está melhor agora.

— Seria bom ter chance de fazer alguma coisa. Volte, está bem?

— Vamos voltar.

Sharpe guiou seus homens, dando um sorriso largo, virou a esquina à frente e seguiu pelo corredor que levava ao claustro inferior. Passos ecoaram enquanto ele se aproximava, então uma criança saiu correndo do arco, perseguida por outra. Entraram correndo no claustro superior e berraram empolgadas, rindo. Uma voz saída de um depósito gritou com elas. Os bêbados pareciam estar dormindo nesse nível superior.

Sharpe sinalizou para seus homens esperarem na passagem e foi para o andar superior do claustro, de onde havia conversado com madame Dubreton. Ficou nas sombras espiando o olho do caos lá embaixo. Aquela era a anarquia temida por Wellington, a um passo da ordem, o abandono da esperança e da disciplina.

Chamas iluminavam o claustro profundo. Uma grande fogueira ardia nas pedras quebradas, acima dos destroços dos canais delicados, e a fogueira era alimentada por espinheiros e tábuas arrancadas das grandes janelas do salão na face norte do claustro. As janelas iam do térreo, passando pela passarela superior, até arcos delicados sob a galeria, e, agora que as tábuas protetoras foram arrancadas da cantaria, os espaços abertos davam livre passagem entre o pátio e o salão. Os vidros já não existiam mais. Homens e mulheres iam e vinham entre as duas áreas e Sharpe observava-os do alto.

Fugiu do Lar dos Enjeitados antes de completar 10 anos e foi para os becos escuros dos bairros miseráveis de Londres. Lá havia trabalho para uma criança esperta. Era um mundo de batedores de carteiras, ladrões de corpos, assassinos; de bêbados, aleijados e prostitutas que se vendiam até ficarem doentes e decrépitas. A esperança não significava nada para os habitantes de St. Giles. Para muitos, a viagem mais longa neste mundo era de dois quilômetros pela extensão da Oxford Street, para o leste, até a gaiola suspensa em Tyburn. O campo, apenas três quilômetros ao norte da Tottenham Court Road, era tão remoto quanto o paraíso. St. Giles era um lugar de doença, fome e um futuro tão sombrio que as pessoas o mediam em horas e buscavam seus prazeres de acordo. Era em lojas de gim, na sarjeta, no chão dos albergues que homens e mulheres dissolviam o desespero em bebida, cópula e enfim na morte que derrubava a maioria no esgoto a céu aberto, junto com a colheita noturna de bebês mortos. Sem esperança não havia nada além do desespero.

E essas pessoas estavam desesperadas. Deviam saber que a vingança viria, talvez na primavera, quando os exércitos se remexiam saindo do torpor, e, até que chegasse, elas se entorpeciam no desespero. Tinham bebido e continuavam bebendo. Havia comida nas pedras quebradas, homens se deitavam com mulheres, crianças abriam caminho entre os casais atrás de ossos com alguma carne que desse para comer ou odres de vinho cujos bicos sugariam desesperadamente. Perto da fogueira havia alguns corpos nus, dormindo, e mais longe se encolhiam sob cobertores e roupas. Alguns se mexiam. Um homem estava morto, com o sangue preto na barriga aberta. O barulho não vinha dali, e sim do salão, e Sharpe não conseguia ver o que o estava provocando. Pensou nos minutos passando, em Frederickson contando em meio aos espinheiros frios.

Virou-se para o corredor e manteve a voz baixa.

— Vamos dar a volta no claustro, rapazes. Andem devagar. Vão de dois em dois e três em três. Vocês vão gostar da vista.

Harper estava logo atrás de Sharpe, ambos grudados nas sombras junto à parede. O irlandês enorme viu os casais perto da fogueira e sua voz soou animada.

— Igualzinho ao refeitório dos oficiais numa noite de sexta, não é?

— Toda noite, Patrick, toda noite.

E o que, perguntou-se, impedia seus homens de se juntar aos do pátio? Receber bebida e mulheres em vez de trabalho e disciplina era o sonho de todo soldado, então por que não iam agora mesmo? Por que não o matavam e matavam Harper e conseguiam a liberdade? Não sabia a resposta. Só sabia que confiava neles. E, mais importante, onde as reféns eram mantidas? Empurrou as portas por onde passava, mas os cômodos estavam vazios ou habitados por gente adormecida. Nenhum era vigiado. Uma vez um homem resmungou em protesto no escuro e duas mulheres riram. Sharpe fechou a porta. As chamas da grande fogueira esquentavam o lado esquerdo do seu rosto.

Virou a esquina e agora conseguia ver o grande salão. O chão estava lotado com uma centena de homens e tantas mulheres quanto. Havia uma espécie de plataforma na outra ponta, um tablado, e uma escada ia do tablado até uma galeria acima, que acompanhava toda a largura do salão. Sharpe podia ver duas portas que saíam da galeria e iam para corredores ou cômodos atrás. Era fácil acessar a galeria pelas janelas altas e vazias. Dava para simplesmente pular do claustro para a galeria.

Os homens e as mulheres estavam gritando, e os gritos eram orquestrados de cima do tablado. Hakeswill estava lá sentado. Tinha uma cadeira de encosto alto, que passava da sua cabeça, feito um trono, uma cadeira com braços decorados. Trajava vestes elegantes de padre, a batina curta demais para ele, então dava para ver as botas quase até os joelhos. Ao lado, apoiada num dos braços da cadeira, havia uma garota pequena e magra. Usava roupas vermelhas brilhantes com uma echarpe branca na cintura e o cabelo preto comprido passando da echarpe.

Havia uma mulher de pé no tablado. Sorria. Vestia uma camisola e sobre ela um corpete e uma blusa. Tinha um vestido na mão direita e, diante dos urros da turba, lançou o vestido na direção de um homem na multidão, que o pegou e acenou. Hakeswill levantou a mão. O rosto sofreu um espasmo.

— A blusa! Andem, então! Quanto vale? Um xelim?

Era um leilão. Ela vendera o vestido, aparentemente, e Sharpe viu duas criancinhas rindo e pegando moedas no chão abaixo do tablado e levando-as até uma barretina virada. Os gritos vinham do salão: dois xelins, três, e Hakeswill os estimulava, e seus olhos espiavam dentro do chapéu para ver quanto havia.

A plateia aplaudiu e gritou quando a blusa foi tirada.

O corpete saiu por quatro xelins. As moedas tilintavam nas pedras. Sharpe se perguntou quantos minutos teriam passado.

O rosto amarelo sorria. A mão subia e descia pelas costelas da garota.

— A camisola! Tem de ser bom. Dez xelins? — Ninguém respondeu.

— Seus desgraçados! Acham que ela não é tão bonita quanto Sally? Meu Deus! Vocês pagaram duas libras para ela, agora andem!

Ele os estimulava, cada vez mais, e sob muitos aplausos e moedas lançadas ela se despiu em troca de uma libra e dezoito xelins. Ficou parada sorrindo, a mão no quadril. Hakeswill se levantou de pronto e foi até ela, com o manto dourado e branco parecendo ridículo à luz da fogueira, e os olhos azuis brilhantes observaram lascivos as pessoas no salão enquanto passava o braço direito pelos ombros da mulher.

— Agora. Quem quer ficar com ela? Vai ter de pagar! Metade para ela, metade para nós, então vamos!

Lances eram feitos, e para alguns a mulher punha a língua para fora, para outros ria, e Hakeswill continuava instigando. No fim um consórcio de franceses a comprou, o preço foi quatro libras. Eles foram pegá-la e a multidão aplaudiu mais alto quando um deles carregou a mulher sentada nos ombros em direção à fogueira do pátio.

Hakeswill os acalmou com os braços compridos.

— Quem é a próxima?

Nomes foram gritados, mulheres empurradas por seus homens. Hakeswill bebia numa garrafa, o rosto se retorcia no pescoço comprido, e a menina ainda se agarrava solenemente a ele. Um grupo de homens começou a entoar:

— Uma prisioneira! Uma prisioneira! — O canto ficou mais e depois menos intenso. — Prisioneira! Prisioneira! Prisioneira!

— Ora, rapazes, ora! Vocês sabem o que o marechal diz!

— Prisioneira! Prisioneira! Prisioneira! — As mulheres estavam gritando junto com os homens, cuspindo as palavras como se fosse bile. — Prisioneira! Prisioneira! Prisioneira!

Hakeswill deixou que cantassem, encarando-os com olhos sugestivos. Levantou uma das mãos.

— Vocês sabem o que o marechal diz! As prisioneiras são nossas coisinhas preciosas! Não podemos tocar nelas, ah, não! São as ordens do marechal. Agora! Se os desgraçados vierem... Aí vocês poderão ficar com elas, prometo. — A multidão berrou para ele em protesto, e ele deixou passar um tempo antes de levantar a mão de novo. A garota magra se agarrava a ele, com a mão direita apertando a veste bordada. — Mas! — A multidão silenciou devagar. — Mas, como é Natal, podemos dar uma olhada em uma delas. Não é? Só uma? Não para tocar! Não, não! Só para ver se tudo está lá? Sim.

Eles gritaram de aprovação, e o rosto amarelo com cabelo grisalho e escorrido sofreu um espasmo para eles enquanto a boca desdentada se abria numa gargalhada silenciosa. Pessoas vieram do pátio, atraídas pelo barulho. Sharpe se virou e viu o rosto pálido de seus homens no claustro, ansiosos, e se perguntou há quanto tempo estavam ali. Deviam ter passado quase quinze minutos.

A mão esquerda de Hakeswill estava entrelaçada no cabelo preto da garota. Ele a torceu e apontou para um homem.

— Vá dizer ao Johnny que pegue uma. — O homem seguiu para a escada que partia do tablado, mas Hakeswill o fez parar enquanto ele subia na plataforma. Virou-se para a plateia com um sorriso aberto. — Qual vocês querem?

A multidão explodiu de novo, mas Sharpe tinha visto o suficiente. As reféns estavam atrás de uma das duas portas que davam para a galeria. Virou-se para seus homens e sua voz soou urgente, abafada pela cacofonia no salão para todos, a não ser para eles.

— Vamos para a galeria. Andamos até onde tiver janelas. Larguem os sobretudos aqui. — Seu próprio sobretudo estava desabotoado. — Os números pares vão à porta da direita, os ímpares à esquerda. Sargento Rossner?

— Senhor?

— Pegue dois homens e mantenha os desgraçados fora das escadas. Quem encontrar as reféns primeiro, grite! Agora aproveitem, rapazes.

Sharpe seguiu pela face norte do claustro, com a certeza de que estava à vista porque as janelas que davam para o salão faziam com que a passarela parecesse ficar suspensa no ar. Pôs uma das mãos na manga da jaqueta de Harper.

— Dispare quando entrarmos, Patrick. Direto dentro da porcaria do salão.

— Senhor.

As botas soavam alto. As fardas, sem os sobretudos, eram verdes à luz da fogueira. As vozes gritavam e cantavam abaixo, abafando o som das botas dos fuzileiros. Nêmesis chegava a Adrados.

Uma janela, duas janelas, três janelas, e a voz de Hakeswill, soando perto, gritava acima da balbúrdia.

— Vocês não podem ter a portuguesa! Querem a cadela inglesa? A casada com o francês? Querem ela?

Eles gritaram confirmando, as vozes berrando empolgadas, e Sharpe viu dois homens armados saindo de junto da porta da direita e atravessando até a balaustrada da galeria. Um deles olhou de relance para os homens no claustro, não pensou nada sobre o que viu e se inclinou ao lado do companheiro, sorrindo para a confusão abaixo.

Sharpe tocou de novo o braço de Harper.

— Acerte os dois da galeria.

— Sim senhor.

Agora os fuzileiros estavam amontoados. Sharpe olhou para eles.

— Peguem as espadas. — Alguns lutariam com as espadas-baionetas caladas, outros preferiam usá-las como armas curtas. Assentiu para Harper. — Atire.

Harper preencheu o espaço da janela com a arma atarracada nas mãos, o rosto largo e duro. Encostou no gatilho, e a explosão dos sete canos ecoou no salão. Os dois homens armados voaram de lado, feridos e se retorcendo, enquanto Harper era lançado para trás pelo coice potente. Empunhava a espada de Sharpe e atravessou a fumaça na janela, e a lâmina comprida era aço vermelho à luz da fogueira.

Os fuzileiros o seguiram, gritando como se os demônios do inferno tivessem chegado a essa festa, como Sharpe havia ordenado que gritassem. Sharpe foi na frente, em direção à porta da direita, toda a espera terminada, todo o nervosismo descartado porque a luta estava acontecendo e agora não havia nada além de vencer. Esse era o Sharpe que salvou a vida de Wellington em Assaye, que rasgou as fileiras para pegar a Águia com Harper, que se lançou ensandecido na brecha em Badajoz. Esse era o Sharpe que o general de divisão Nairn só pôde imaginar ao observar o homem quieto, de cabelos pretos, do outro lado do tapete em Frenada.

Um homem apareceu à porta, espantado, o mosquete erguido com a baioneta calada. Era um mosquete francês, e o homem o levantou mais alto, desesperado, ao ver o oficial fuzileiro, mas não tinha esperança, e Sharpe gritou seu desafio enquanto o pé direito avançava, a lâmina seguia junto, torcia-se, aço correndo com luz refletida das velas no corredor à frente. A espada estava no plexo solar do francês, e Sharpe a torceu de novo, chutou a vítima, a lâmina estava livre, e ele pôde passar por cima do homem que agonizava gritando.

Meu Deus, como havia júbilo numa luta! Não era frequente numa batalha, mas acontecia numa luta em que a causa era justa. Sharpe estava no corredor, a ponta da espada escura, e conseguia ouvir os fuzileiros atrás dele. Então uma porta foi aberta derramando mais luz, e um homem nervoso foi tolo o bastante para espiar o lado de fora, porque

Sharpe estava em cima dele antes que entendesse que a vingança havia chegado. A grande espada da cavalaria deslizou por baixo do seu maxilar e ele engasgou, se jogou para trás, e Sharpe estava na porta e de novo a espada avançou. O homem agarrou a lâmina que estava em seu pescoço e Sharpe sentiu o fedor que uma espada arrancava de um homem, então sua arma estava livre e ele entrou no cômodo onde havia dois soldados que tentavam pegar mosquetes, balançando a cabeça com medo. Sharpe berrou com eles e pulou por cima do morto, e a espada era um mangual sobre a mesa que o separava dos inimigos. Sangue voou da ponta da espada girando, e então ela acertou. Sharpe viu um fuzileiro indo pelo outro lado da mesa, um sorriso de júbilo maníaco no rosto. O segundo inimigo recuou até encostar em outra porta, e o fuzileiro cravou o fuzil com a baioneta num golpe que teria furado pedra, de modo que a ponta da lâmina se enterrou com força na madeira. O inimigo se dobrou sobre ela, gorgolejando e chorando, e um segundo fuzileiro, um alemão, acabou com ele com muito menos força e mais eficiência.

O homem cujo rosto foi atingido pela espada de Sharpe gritou embaixo da mesa. Sharpe o ignorou. Virou-se para a sala cheia de fuzileiros.

— Carregar! Carregar!

Três homens numa sala, armados, vigiando uma porta. Tinha de ser uma sala de guarda. Estendeu a mão ao longo da figura presa na madeira, sangrando, e tentou puxar a maçaneta. Trancada. Ouvia atrás dele gritos, estrondos de mosquetes, mas ignorou. Apertou a trava do fuzil, torceu-o, e a arma se soltou da baioneta que ainda prendia o morto à porta, então teve espaço para dar um pisão nela. A porta estremeceu. Repetiu o movimento uma, duas vezes, então a porta foi escancarada com um estrondo, a madeira lascando na fechadura antiga; o cadáver continuou preso à madeira pelos sessenta centímetros da baioneta enquanto a porta se abria, e Sharpe entrou.

Gritos, gritos de medo. Sharpe parou junto à porta, a espada coberta de sangue, a bochecha suja do sangue do sujeito que ele havia matado perto da porta da sala de guarda, e viu as mulheres amontoadas na parede oposta. Baixou a espada. O sangue estava fresco em sua farda verde, brilhando à luz das velas, pingando no tapete que ornamentava essa cela de prisão. Uma mulher não escondia o rosto. Protegia outra cujo rosto estava enterrado em seu peito, sob o braço protetor, e o rosto era orgulhoso, magro, encimado pelo coque de cabelos louros. Sharpe fez meia reverência.

— Madame Dubreton?

Dois fuzileiros se apertaram atrás de Sharpe, curiosos, e ele se virou para eles.

— Saiam! Tem uma luta acontecendo! Juntem-se a ela!

Madame Dubreton franziu a testa.

— Major? Major Sharpe, é?

— Sim, senhora.

— Quer dizer...? — Ela ainda franzia a testa, incrédula.

— Sim, senhora. Isto é um resgate, senhora.

Ele queria deixá-las, voltar e ver como seus homens estavam se saindo, mas sabia que as mulheres deviam estar aterrorizadas. Uma delas soluçava histérica, encarando sua farda, e madame Dubreton falou rispidamente com ela em francês. Sharpe tentou dar um sorriso para diminuir o choque.

— A senhora será devolvida ao seu marido. Agradeceria se traduzisse isso para mim. E, se me der licença...

— Claro. — Madame Dubreton ainda parecia em choque.

— A senhora está em segurança agora. Todas estão.

A mulher que antes escondia o rosto no peito de madame Dubreton se soltou. Tinha cabelo preto, lustroso, que afastou do rosto ao se virar hesitante para Sharpe.

Madame Dubreton a ajudou a se empertigar.

— Major Sharpe? Essa é Lady Farthingdale.

Sujeito de sorte, foi pensamento de meio segundo, depois veio a completa incredulidade, e a jovem de cabelo preto viu Sharpe, seus olhos se arregalaram, então ela gritou. Não de medo, mas com uma espécie de júbilo, e saltou atravessando a sala, correndo para ele. Seus braços envolviam o pescoço dele, o rosto encostado na bochecha ensanguentada, e a voz em seu ouvido.

— Richard! Richard! Richard!

Os olhos de Sharpe encontraram os de madame Dubreton e ele deu um leve sorriso.

— Nós nos conhecemos, senhora.

— Percebi.

— Richard! Meu Deus, Richard! É você? Eu sabia que você viria! — Ela se afastou, mantendo os braços em seu pescoço, e a boca era tão irremediavelmente generosa quanto ele recordava, os olhos mais tentadores que qualquer homem poderia desejar, e nem mesmo esse suplício havia tirado o ar malicioso do rosto. — Richard?

— Preciso travar uma batalha. — O barulho estava alto lá fora, ordens e tiros, gritos e aço se chocando.

— Você está aqui?

Sharpe limpou o sangue do rosto dela.

— Estou. — E afastou os braços dela do pescoço. — Espere. Já volto.

Ela assentiu, olhos reluzentes, e ele sorriu.

— Já volto.

Deus do céu! Fazia dois anos que não a via, mas ali estava ela, linda como sempre, a prostituta de alta classe que enfim se tornara uma dama. Josefina.

CAPÍTULO 9

Ele deixou um homem protegendo as reféns. Outros dois ficaram a postos nos corredores, o restante protegia a escada e a entrada para a galeria através das janelas que davam para o claustro. A fumaça já se espalhava pela galeria, fuzileiros socavam as varetas nos canos depois de disparar, outros se agachavam esperando um alvo. Harper recarregava a arma de sete canos. Ergueu os olhos para Sharpe, sorriu rapidamente e levantou quatro dedos. Sharpe falou bem alto:

— Estamos com as mulheres, rapazes!

Eles comemoraram, e Sharpe fez uma contagem rápida. Todos os seus homens estavam ali, aparentemente nenhum ferido. Viu um fuzileiro levar a arma ao ombro e mirar rapidamente, então uma bala foi disparada no claustro. Houve um grito do outro lado, depois uma saraivada irregular de mosquetes, as balas passando altas. Uma acertou um aro de ferro suspenso como lustre, velho e enferrujado nas correntes, e as quatro velas amarelas tremularam quando a bala bateu. Sharpe foi para o alto da escada.

Havia três corpos nos degraus, lançados para trás por tiros de fuzil. O sargento alemão, Rossner, o rosto enegrecido pela pólvora da caçoleta do fuzil, olhou animado para Sharpe.

— Eles correram, senhor.

E correram mesmo. Os desertores e suas mulheres estavam gritando, empurrando-se de qualquer jeito, indo para o pátio do claustro. Sharpe procurou Hakeswill, mas o grandalhão com vestes de padre havia desaparecido na confusão. Rossner sinalizou com o fuzil escada abaixo.

— Vamos descer, senhor?
— Não. — Sharpe estava preocupado com os homens de Frederickson. Preferia que a força principal dos fuzileiros encontrasse o grupo avançado reunido para que ninguém acertasse um soldado do próprio lado na confusão e nas sombras. Voltou para as janelas, onde Harper aguardava esperançoso com a grande arma recarregada. — Frederickson?
— Ainda não, senhor.
Alguém estava gritando no pátio, berrando por ordem, alguém que talvez tivesse percebido que os atacantes estavam em pequeno número e que um contra-ataque organizado poderia derrotá-los. Sharpe olhou para o outro lado do claustro superior. Não conseguia ver nenhum homem lá à luz da fogueira, os fuzis haviam tornado o local insalubre, mas então aquele ponto foi subitamente preenchido por figuras correndo, gritando por socorro. Sharpe baixou um fuzil que se preparava para disparar.
— Espere!
Mulheres e crianças fugiam, o que significava que os homens de Frederickson deviam estar no claustro externo, e Sharpe gritou para os homens que guardavam as janelas.
— Cuidado com o capitão Frederickson!
Então surgiram figuras escuras na entrada do claustro superior, figuras que buscaram abrigo imediato ao emergir no espaço aberto do claustro. Sharpe gritou de novo:
— Fuzileiros! Fuzileiros! Fuzileiros! — Então pulou a janela e foi para o claustro onde a luz da fogueira iluminava sua farda. — Fuzileiros! Fuzileiros! — Um mosquete chamejou abaixo, a bala ricocheteando na balaustrada e voando na noite. — Fuzileiros! Fuzileiros!
— Estou vendo o senhor! — Um homem com um sabre curvo estava do outro lado do claustro. Fuzileiros iam para a esquerda e para a direita, liberando a galeria superior, e Frederickson veio com eles na direção de Sharpe.
O Doce William estava pavoroso. Tinha tirado o tapa-olho e os dentes falsos. Era um rosto saído de um pesadelo, um rosto que aterrorizaria qualquer criança, mas era um rosto que sorria ao se aproximar de Sharpe.

— Estamos com elas, senhor?

— Estamos!

O sabre de Frederickson estava ensanguentado. Ele o exibiu, querendo usá-lo de novo, e viu seus homens escancararem portas e gritar para homens e mulheres se renderem. Um homem saltitava pelo claustro, a perna direita enfiada na calça enquanto a esquerda só ia até o tornozelo, e se virou ridiculamente quando alguns fuzileiros bloquearam seu caminho, mas encontrou outros fuzileiros atrás. Rolou por cima da balaustrada, caiu no pátio e foi mancando na direção de um arco do lado oposto.

Um dos tenentes de Frederickson soprou longos toques em seu apito, depois gritou por cima do claustro.

— Tudo seguro, senhor!

Frederickson olhou para Sharpe.

— Qual o caminho para baixo?

— Aqui. — Sharpe apontou para a galeria. Devia existir outra descida, mas ele não tinha visto. — Um grupo para vigiar a galeria.

— Senhor. — Frederickson já estava em movimento, com o rosto mutilado ansioso por mais luta. Sharpe o seguiu e deu um tapa no ombro de Harper. — Venha!

Agora era uma farra, um tumulto, uma investida direta escada abaixo, uma perseguição com gritos ao inimigo que havia se apinhado na passagem em arco do outro lado do claustro, uma luta de sabres rasgando e espadas brandidas no arco propriamente dito, um estrondo quando a arma de sete canos espantou os poucos defensores da sala que havia ali, e os gritos das crianças e os berros das suas mães ecoavam no claustro, e os fuzileiros as cercaram e arrebanharam e arrastaram homens para fora de esconderijos.

Sharpe atravessou o arco e a sala, e parecia estar numa espécie de cripta escura, úmida e gélida, e gritou pedindo luz. Um fuzileiro trouxe uma das tochas de palha e resina que ardiam na antessala, e a luz mostrou uma caverna enorme, vazia, e outra entrada do lado oposto.

— Venham!

Uma corrente de ar soprava contra eles, fazendo diminuir a chama da tocha, e Sharpe soube que aquelas salas deviam levar ao buraco escondido pelo cobertor, voltado para a borda do passo. Se havia um canhão ali, e ele sabia que a guarnição espanhola possuía quatro canhões, haveria pólvora, e um defensor poderia estar acendendo um pavio que traria chamas e destruição para dentro da cripta.

— Andem! Andem! Andem! — Ele ia à frente, empunhando a espada, as botas ressoando nas pedras frias, e a luz da chama mostrou que havia chegado a um corredor estranho e que seus ombros roçavam em pedras branco-amareladas, estranhamente arredondadas, que iam do piso ao teto.

O canhão estava ali, abandonado pelos homens de Pot-au-Feu, apontando para o buraco enorme que fora aberto na parede grossa do convento. O soquete estava encostado no cano sujo, e perto dele um balde de pólvora e um estripador ou "cabeça de minhoca", o saca-rolhas gigante usado para puxar uma carga úmida. Sharpe viu balas maciças e metralha empilhadas contra as curiosas paredes brancas que se abriam no espaço onde o canhão tinha sido posto.

Havia um tubo de escorva no ouvido do canhão, o que sugeria que o canhão estava carregado, mas Sharpe o ignorou, foi até a abertura onde o cobertor havia sido rasgado para o lado e prestou atenção. Sons de botas correndo na terra e nas pedras lá fora, pessoas ofegantes e o choro de mulheres e crianças, gritos de homens. Quem conseguiu escapar do convento estava indo para o castelo. Tochas eram acesas nas ameias.

— Podemos disparå-lo? — Frederickson estava mexendo no tubo de escorva, uma pena cheia de pólvora fina que lançava o fogo para a carga em seu saco de lona.

— Não, tem crianças lá fora.

— Deus salve a Irlanda! — Harper havia apanhado uma das pedras esbranquiçadas e redondas que haviam caído atrás do canhão. Segurou-a como se aquilo fosse matá-lo, com o rosto retorcido de nojo. — Quer dar uma olhada nisso? Santo Deus!

Era um crânio. Todas as "pedras" eram crânios. O homem com a tocha se aproximou mais, até que Frederickson rosnou para ele recuar por causa dos barris de pólvora, mas à luz enfumaçada Sharpe viu que os crânios empilhados emparedavam uma grande pilha de outros ossos humanos.

Ossos de coxa, costelas, pélvis, braços, mãozinhas e longos ossos de pés, tudo empilhado naquele porão. Frederickson, com o rosto mais medonho que qualquer caveira, balançou a cabeça, espantado.

— É um ossuário.

— O quê?

— Um ossuário, senhor, uma casa de ossos. As freiras. Elas faziam os enterros aqui.

— Meu Deus!

— Primeiro elas tiram a carne, senhor. Deus sabe como. Já vi coisa assim antes.

Havia centenas de ossos, talvez milhares. Para abrir um espaço que permitisse o recuo do canhão, os homens de Pot-au-Feu invadiram a pilha bem-feita e os esqueletos caíram no chão, e os ossos foram empurrados para o lado com pás. Sharpe pôde ver um pó fino e branco, cheio de lascas, onde os desertores haviam pisoteado os restos humanos.

— Por que elas fazem isso?

Frederickson deu de ombros.

— Para estarem todas juntas na ressurreição, acho.

De repente ocorreu a Sharpe uma imagem das sepulturas em massa de Talavera e Salamanca se mexendo no dia final, os soldados mortos voltando à vida, as órbitas dos olhos podres como a de Frederickson, a terra liberando as fileiras mortas que saíam da cova.

— Santo Deus! — Havia um balde de água suja debaixo do canhão, pronto para a esponja, e um trapo ao lado. Ele se curvou e limpou a espada antes de enfiá-la na bainha. — Vamos precisar de seis homens aqui. Ninguém deve disparar o canhão sem minha ordem.

— Sim senhor. — Frederickson estava limpando seu sabre, puxando a lâmina curva lentamente pelo trapo molhado.

Sharpe voltou pelo caminho de caveiras, seguindo as costas largas de Harper. Lembrou-se de quando passou pelo campo de batalha de Salamanca no outono, antes da retirada para Portugal, e tinha havido tantos mortos que nem todos foram enterrados. Podia se lembrar do som oco quando os cascos de um cavalo partiram um crânio que havia rolado feito uma bola de futebol torta. Isso foi em novembro, nem mesmo quatro meses depois da batalha, mas o inimigo morto já estava descarnado e branco.

Entrou no claustro, um lugar para os vivos, e a fogueira mostrava prisioneiros desconsolados, contidos por baionetas. Uma criança chorava pedindo a mãe, um fuzileiro carregava um bebê minúsculo abandonado pelos pais, e as mulheres gritaram para Sharpe quando ele apareceu. Queriam ir embora, aquilo não era da conta delas, não eram soldados, mas ele berrou para ficarem quietas. Olhou para Frederickson.

— Como é o seu espanhol?

— Dá para o gasto.

— Descubra que mulheres foram capturadas aqui em cima. Dê alojamentos decentes para elas.

— Sim senhor.

— As reféns podem ficar onde estão. Estão bastante confortáveis, mas garanta meia dúzia de homens confiáveis para protegê-las.

— Sim senhor. — Eles estavam atravessando o pátio, passando por cima dos pequenos canais. — E essa corja, senhor?

Frederickson parou ao lado dos desertores capturados. Nada de Hakeswill ali, apenas trinta e seis homens carrancudos e apavorados. Sharpe olhou para eles. Dois terços usavam fardas inglesas. Levantou a voz para que todos os fuzileiros no pátio e na galeria superior pudessem ouvir.

— Esses malditos são uma desgraça para as fardas que usam. Todos eles. Tirem as roupas deles!

Um sargento fuzileiro sorriu para Sharpe.

— É para ficarem nus, senhor?

— Nus.

Sharpe se virou e pôs as mãos em concha.

— Capitão Cross! Capitão Cross! — Cross havia sido destacado para capturar o claustro externo, a capela e os depósitos.

— Ele está vindo, senhor! — respondeu um grito de cima.

— Senhor? — Cross se curvou sobre a balaustrada.

— Algum ferido? Morto?

— Nenhum, senhor!

— Dê o sinal para o tenente Price vir! Certifique-se de que seus piquetes saibam.

— Sim senhor. — O sinal era um toque dado pelo corneteiro de Cross.

— E quero homens no telhado! Turnos de duas horas apenas.

— Sim senhor.

— É só, e obrigado, capitão!

O rosto de Cross sorriu com o elogio inesperado.

— Obrigado, senhor!

Sharpe se virou para Frederickson.

— Preciso de seus homens no telhado. Digamos, vinte?

Frederickson assentiu. Não havia janelas no convento, portanto qualquer defesa teria de ser feita por cima do parapeito do telhado.

— Devemos fazer buracos nas paredes, senhor?

— Elas são grossas demais. Tente, se quiser.

Um tenente apareceu com um sorriso largo e entregou um papel a Frederickson. O fuzileiro o virou para a luz da fogueira e depois olhou para o tenente.

— Muito mal?

— Nem um pouco. Vão viver.

— Onde estão? — O espaço entre os dentes que faltavam fazia a voz de Frederickson ficar sibilante.

— No depósito lá em cima, senhor.

— Garanta que estejam aquecidos. — Frederickson sorriu para o Sharpe. — A conta do açougueiro, senhor. Tremendamente pequena. Três feridos, nenhum morto. — O sorriso se alargou. — Parabéns, senhor! Por Deus, eu não sabia se seríamos capazes!

— Parabéns a você. Eu sempre soube que seríamos. — Sharpe riu da mentira, depois fez a pergunta que queria fazer desde que Frederickson apareceu no convento. — Cadê o seu tapa-olho?

— Aqui. — Frederickson abriu sua bolsa de couro e pegou os dentes e o tapa-olho. Colocou-os no lugar, parecendo humano de novo, e riu para Sharpe. — Eu sempre tiro para lutar, senhor. Deixa o outro lado morrendo de medo. Meus rapazes acham que meu rosto vale uma dúzia de fuzileiros.

— O Doce William na guerra, hein?

Frederickson riu do uso do seu apelido.

— Fazemos o melhor que podemos, senhor.

— O melhor que você pode é tremendamente bom. — O elogio pareceu forçado e desajeitado, mas fez Frederickson dar um sorriso radiante, ele precisava do elogio de Sharpe, e Sharpe ficou feliz por tê-lo dado. Sharpe se virou para olhar os prisioneiros, que eram despidos à força. Alguns já estavam nus. Seria difícil escapar sem roupas numa noite daquelas. — Encontre um lugar para eles, capitão.

— Sim senhor. E elas? — Frederickson indicou com um aceno de cabeça as mulheres.

— Coloque na capela. — Prostitutas e soldados eram uma mistura explosiva. Sharpe sorriu. — Encontre algumas voluntárias e cada uma delas pode ficar com um depósito. É a recompensa dos rapazes.

— Sim senhor. — Frederickson garantiria que algumas mulheres se oferecessem. — Só isso, senhor?

Meu Deus, não! Ele havia esquecido o mais importante!

— Seus quatro melhores homens, capitão. Encontrem o depósito de bebidas deles. Qualquer homem que ficar bêbado esta noite vai se ver comigo amanhã.

— Sim senhor.

Frederickson partiu e Sharpe ficou perto do fogo, desfrutando do calor, e se perguntou o que mais tinha de ser feito. O convento poderia ser defendido do telhado, a porta estava bem guardada e a situação dos prisioneiros tinha sido resolvida. Uma dúzia de desertores estava ferida, três jamais se recuperariam, e ele deveria arranjar um lugar para estes. A situação das mulheres estava resolvida, a das crianças também, e o claustro superior seria uma espécie de bordel durante toda a noite, mas isso era justo para seus homens. Um presente de Natal do major Sharpe. O álcool seria trancado. Precisava encontrar comida para seus homens.

As reféns. Precisava tranquilizá-las, certificar-se de que estavam confortáveis. Olhou para a galeria do salão e gargalhou. Josefina! Santo Deus vivo! Lady Farthingdale.

Na última vez em que viu Josefina, ela morava no conforto em Lisboa, a casa com terraço acima do Tejo, iluminada pelo sol que se refletia no rio e emoldurada por laranjeiras. Josefina Lacosta! Rompeu com Sharpe depois de Talavera e fugiu com um capitão da cavalaria, Hardie, mas ele morreu. Josefina fugiu por causa do dinheiro de Hardie, abandonando a pobreza de Sharpe, e ela sempre quis ser rica. Teve sucesso, também, em comprar a casa com terraço e laranjeiras no rico bairro de Buenos Ayres, em Lisboa. Sharpe balançou a cabeça, lembrando-se de dois invernos atrás, quando a casa dela era um local langoroso onde oficiais abastados se reuniam e os mais ricos disputavam Josefina. Ele a viu numa festa, com uma pequena orquestra tocando violinos num canto, Josefina graciosa feito uma rainha em meio às fardas ofuscantes que a bajulavam, desejavam e pagariam o preço mais caro por uma noite com La Lacosta. Ela ganhou peso desde Talavera, o que só a deixou mais bonita, embora menos para Sharpe, e ela era exigente; disso ele se lembrava. Josefina recusou um coronel da guarda que lhe ofereceu quinhentos guinéus por uma única noite, e esfregou sal nessa ferida aceitando um jovem aspirante que só ofereceu vinte. Sharpe riu de novo, atraindo o olhar curioso de um fuzileiro que arrebanhava os desertores para sua prisão nua e fria. Quinhentos guinéus! O preço que Farthingdale pagou por seu resgate! A prostituta mais cara da Espanha ou de Portugal. E casada com Sir Augustus Farthingdale? Que disse que ela era delicada! Deus do céu! Delicada! E com as conexões mais importantes? Isso era verdade, porém não do modo como Farthingdale deu a entender, mas talvez ele estivesse certo. Josefina foi casada, e seu marido, Duarte, foi para a América do Sul no início da guerra. Ele era de boa família, Sharpe sabia, e tinha alguma sinecura com a família real portuguesa; era Terceiro Cavaleiro do Urinol, ou qualquer absurdo desse. E como Josefina fisgou Sir Augustus? Será que ele sabia do seu passado? Devia saber. Sharpe riu de novo, alto, e se virou para a escada que eles descobriram no canto sudoeste do claustro. Prestaria seus respeitos a La Lacosta.

— Senhor? — Era Frederickson, saindo por uma porta. Ele ergueu uma das mãos, indicando que Sharpe esperasse, e na outra segurava o relógio à luz de uma tocha.

— Capitão?

Frederickson não disse nada, apenas manteve a mão erguida, olhou para o relógio e, um instante depois, fechou a tampa e sorriu para Sharpe.

— Feliz Natal, senhor.

— É meia-noite?

— Exatamente.

— Feliz Natal, capitão. E feliz Natal para os seus homens. Uma rodada de conhaque para todos.

Meia-noite. Graças a Deus ele veio cedo, caso contrário madame Dubreton teria sofrido o jogo cruel de Hakeswill. Hakeswill. Ele escapou para o castelo, e Sharpe se perguntou se os desertores ainda estariam lá de manhã. Ou, sabendo que o jogo estava terminado, teriam fugido ao alvorecer? Ou, quem sabe, tentariam retomar o convento enquanto os homens de Sharpe ainda estivessem pouco familiarizados com o campo de batalha.

Era Natal. Sharpe encarou a escuridão total para além das fagulhas que redemoinhavam ao subir da fogueira. Natal. A comemoração de uma virgem dando à luz; no entanto, era mais que isso, muito mais. Muito antes de Jesus nascer, antes de existir uma igreja militante na terra, havia uma festa no meio do inverno. Comemorava o solstício de inverno, 21 de dezembro, e era o ponto mais baixo do ano, quando a natureza parecia morta, por isso a humanidade, com gloriosa perversidade, comemorava a vida. A festa prometia a primavera, e com a primavera viriam novas colheitas, nova vida, novos nascimentos, e a festa guardava a esperança de sobreviver à esterilidade do inverno. Essa era a época do ano em que a chama da vida ardia mais fraca, quando as noites escuras eram mais longas, e nessa noite Sharpe poderia ser atacado pelos homens desatinados de Pot-au-Feu. Nessa época do solstício de inverno o alvorecer poderia demorar muito, muito tempo para chegar.

Viu um fuzileiro subir ao telhado e, enquanto se inclinava para pegar sua arma com um colega, o sujeito gargalhou de alguma piada. Sharpe sorriu. Eles persistiriam.

CAPÍTULO 10

Manhã de Natal. Na Inglaterra, as pessoas estariam andando pelas ruas brilhantes de geada para ir à igreja. Durante a noite, Sharpe ouviu uma sentinela cantando baixinho "Hark the Herald Angels Sing". Era o hino metodista de Wesley, mas a Igreja da Inglaterra o imprimiu em seu Livro de Orações. A música fez Sharpe pensar na Inglaterra.

O alvorecer prometia um belo dia. A luz ardeu ao leste, penetrou no vale e exibiu uma paisagem misteriosa com névoa junto ao chão. O castelo e o convento pareciam torres na entrada de um porto contendo uma água branca, suave, fluindo gentilmente pela borda do passo e se derramando devagar no grande vale enevoado a oeste. O Portal de Deus estava branco, estranho e silencioso.

Não aconteceu nenhum ataque da parte de Pot-au-Feu. Por duas vezes os piquetes dispararam à noite, mas ambas foram alarmes falsos, e não houve pés correndo na escuridão, nem escadas improvisadas sendo postas nas paredes do convento. Frederickson, entediado com a inércia do inimigo, implorou para levar uma patrulha até o outro lado do vale, e Sharpe deixou. Os fuzileiros dispararam alguns tiros contra o castelo e a torre de vigia, provocando raiva e pânico nos defensores, e Frederickson voltou feliz.

Depois do retorno da patrulha, Sharpe dormiu durante duas horas, mas agora toda a guarnição estava de pé e armada enquanto o alvorecer mudava de um perigo cinzento para a luz de verdade. A respiração de Sharpe virava névoa diante do seu rosto. Estava frio, mas a noite havia terminado, as reféns estavam resgatadas, e os fuzileiros deviam estar subindo o longo passo. O sucesso era uma coisa doce. Conseguia ver as sentinelas de Pot-au-Feu nas fortificações do castelo, ainda nos postos, e se perguntou por que não teriam fugido da fúria que sabiam que devia estar a caminho. O sol tocou o horizonte, dourado, vermelho e glorioso, manchando de rosa a névoa branca, luz do dia em Adrados.

— Abaixem-se! Abaixem-se!

Os sargentos repetiram o grito no telhado. Sharpe se virou para a rampa que Cross havia construído e pensou num desjejum e em fazer a barba.

— Senhor! — Um fuzileiro gritou para ele a vinte passos. — Senhor! — Estava apontando para o leste, direto para o brilho do novo sol. — Cavaleiros, senhor!

Desgraça, mas era impossível enxergar direito por causa do sol. Sharpe abriu uma fenda entre os dedos para espiar por ela e pensou ter visto as formas cavalgando na lateral do vale, mas não tinha como ter certeza.

— Quantos?

Um dos sargentos de Cross sugeriu três, outro homem, quatro, mas, quando Sharpe olhou de novo, as formas haviam sumido. Estiveram lá, mas agora não estavam. Seriam homens de Pot-au-Feu? Atuando como batedores para uma retirada em direção ao leste? Era uma possibilidade. Alguns prisioneiros falaram de guerrilheiros que buscavam vingança por Adrados, e isso também era uma possibilidade.

Sharpe ficou no telhado por causa dos cavaleiros, mas o amanhecer não mostrou mais movimento no leste. Atrás dele houve gritos de aviso enquanto homens carregavam tigelas de água quente das cozinhas improvisadas. Os homens que não estavam de guarda começaram a se barbear, desejando feliz Natal uns aos outros, provocando as mulheres que tinham se oferecido para se juntar aos conquistadores e que agora se misturavam aos fuzileiros como se sempre tivessem feito parte do grupo. Era uma bela manhã para um soldado. Apenas os que foram destacados para subir o morro e pegar as mochilas na fenda estavam resmungando por ter de trabalhar.

Sharpe se virou para vê-los sair e ficou intrigado com uma visão estranha no pátio do claustro superior. Um grupo de fuzileiros estava amarrando tiras de pano branco na bétula seca que havia crescido entre os ladrilhos. Estavam animados, rindo e brincalhões, e um homem foi erguido nos ombros dos colegas para colocar uma fita especialmente grande no galho mais alto. Metal reluzia nos galhos nus, talvez botões, tirados de fardas capturadas, e Sharpe não entendeu. Desceu a rampa estreita e chamou Cross.

— O que eles estão fazendo?

— São alemães, senhor. — Cross ofereceu essa explicação como se isso respondesse a toda a perplexidade de Sharpe.

— E daí? O que eles estão fazendo?

Cross não era nenhum Frederickson. Era mais lento, menos inteligente e muito mais temeroso da responsabilidade. No entanto, protegia ferozmente seus homens, e agora pareceu achar que Sharpe reprovava a árvore enfeitada daquele jeito estranho.

— É um costume alemão, senhor. É inofensivo.

— Tenho certeza de que é inofensivo! Mas que diabo eles estão fazendo?

Cross franziu a testa.

— Bom, é Natal, senhor! Eles sempre fazem isso no Natal.

— Amarram fitas brancas em árvores em todo Natal?

— Não só isso, senhor. Qualquer coisa. Geralmente gostam de uma árvore sempre-verde, e eles a colocam no alojamento e enfeitam. Com presentinhos, anjos esculpidos, todo tipo de coisa.

— Por quê? — Sharpe continuava olhando, assim como homens de sua companhia, que nunca tinham visto nada igual.

Cross parecia jamais ter pensado em perguntar o motivo, mas Frederickson havia chegado ao claustro superior e ouviu a pergunta de Sharpe.

— É um costume pagão, senhor. É porque os velhos deuses germânicos eram todos da floresta. Isso faz parte do solstício de inverno.

— Quer dizer que eles estão adorando os deuses antigos?

Frederickson assentiu.

— Nunca se sabe quem está no comando lá em cima, não é mesmo? — Ele sorriu. — Os padres dizem que a árvore representa aquela em que Jesus será crucificado, mas isso é uma bobajada. É só uma oferenda antiquada aos deuses antigos. Eles fazem isso desde antes dos romanos.

Sharpe olhou para a árvore.

— Gosto disso. Parece bom. O que acontece depois? Sacrificamos uma virgem?

Ele falou alto o bastante para os homens ouvirem, para rirem, e eles ficaram ridiculamente satisfeitos pelo major Sharpe ter gostado de sua árvore e feito piada. Frederickson ficou observando Sharpe entrar no claustro inferior, e o capitão caolho sabia o que Sharpe não sabia; ele sabia por que esses homens lutaram na noite anterior, em vez de desertar para se juntar ao inimigo confortável e lascivo. Eles sentiam orgulho de lutar por Sharpe. Era bom para os homens se comparar com padrões elevados, e, quando esses padrões levavam à vitória e à aprovação, os homens sempre seguiriam. Que Deus ajudasse o Exército britânico, pensou Frederickson, se os oficiais desprezassem os homens.

Sharpe estava cansado, com frio e não tinha feito a barba. Andou lentamente pelo claustro superior, desceu a escada e encontrou a sala grande e fria onde Frederickson havia posto os prisioneiros nus. Três fuzileiros os vigiavam, e Sharpe assentiu para um cabo.

— Algum problema?

— Não senhor. — O cabo cuspiu sumo de tabaco pelo portal. Não tinha porta, e três fuzileiros vigiavam uma barreira rústica feita de madeira chamuscada. — Um deles ficou todo chateado mais ou menos uma hora atrás, senhor.

— Chateado?

— Sim senhor. Ficou berran'o, gritan'o, senhor, causan'o encrenca. Disse que queria roupas. Disse que eles não era animal e esse tipo de bobagem, senhor.

— O que aconteceu?

— O capitão Frederickson deu um tiro nele, senhor.

Sharpe olhou para o cabo com curiosidade.

— Simples assim?

— Foi, senhor. — O homem sorriu, animado. — O capitão não engole baboseira, senhor.

Sharpe sorriu também.

— E você não deveria também. Se mais alguém causar problema, faça a mesma coisa.

— Sim senhor.

Frederickson estivera ocupado, e evidentemente ainda estava, porque veio um grito de comemoração de sua companhia, que vigiava o telhado acima do claustro inferior. Sharpe subiu a escada de novo, depois a rampa que partia da galeria superior. Lá viu por que os homens aplaudiram.

Uma bandeira tinha sido hasteada. Era um mastro improvisado, preso com pregos, e, como não soprava vento nenhum naquela manhã fria de Natal, Frederickson ordenou que martelassem uma cruzeta no pau onde a bandeira foi hasteada. Era o sinal que dizia aos *fusiliers* que o resgate havia sido bem-sucedido e que eles podiam subir o passo. Sharpe achava que ele simplesmente penduraria a bandeira na borda do prédio. O mastro era uma ideia muito melhor.

Frederickson subiu até o telhado, se aproximou e olhou para a bandeira.

— Não parece a mesma coisa, senhor.

— A mesma coisa?

— A parte irlandesa.

Quando a Lei da União foi aprovada, juntando indissoluvelmente a Irlanda à Inglaterra como nação única, uma cruz vermelha diagonal foi acrescentada à bandeira da União. Para algumas pessoas, mesmo depois de onze anos, isso ainda parecia estranho. Para outras, como Patrick Harper, ainda era ofensivo. Sharpe olhou para o capitão.

— Ouvi dizer que você atirou num prisioneiro.

— Foi errado?

— Não. Só economizou uma ordem da corte marcial para fazer a mesma coisa.

— Isso pareceu apaziguá-los, senhor. — Frederickson disse isso num tom afável, dando a entender que fez um serviço aos prisioneiros.

— Você dormiu?

— Não senhor.

— Durma um pouco. É uma ordem. Talvez precisemos de você mais tarde.

Sharpe se perguntou por que teria dito isso. Se tudo corresse de acordo com os planos, os *fusiliers* viriam rendê-los em algumas horas e o serviço dos fuzileiros estaria terminado. Mas tinha um pressentimento. Talvez fossem aqueles cavaleiros estranhos no amanhecer, ou talvez não fosse nada mais que a responsabilidade nova de comandar quase duzentos homens. Bocejou, coçou a barba por fazer no queixo e se encolheu mais dentro do sobretudo.

Um gato andou pelas telhas pouco inclinadas do telhado, desdenhando dos fuzileiros que se agachavam sob o parapeito baixo de pedra. Foi até a beira das telhas, sentou-se e começou a limpar o focinho com a pata. Sua sombra era comprida nas telhas rosadas.

Do outro lado do vale, a sombra da torre de vigia se esticava na direção do castelo. Os dois prédios eram separados por quinhentos metros, a torre de vigia ficando uns bons cinquenta metros acima, e entre as duas havia um pequeno vale íngreme coberto de espinheiros. A névoa se dissipava no valezinho, deixando à mostra os espinhos nus tocados de geada, revelando um riacho reluzente. Homens ainda guardavam o castelo e a torre, e isso era estranho. Será que Pot-au-Feu pensava que, assim que as reféns fossem resgatadas, os inimigos simplesmente marchariam indo embora?

A oeste os morros de Portugal eram tocados pela chama dourada do sol, com vales pretos e cinzentos, riscados de névoa branca, enquanto o horizonte continuava turvo pela noite. A paisagem parecia amarrotada, como se precisasse se espreguiçar e acordar. Nos vales mais distantes ainda seria noite.

Sharpe andou pelo telhado até chegar ao parapeito norte, pouco vigiado, e se sentou nos ladrilhos olhando para o passo. Não havia sinal dos *fusiliers*, mas ainda era cedo.

— Senhor? — Uma voz alemã atrás dele. — Senhor?

Ele se virou. O homem estava lhe oferecendo uma caneca de chá. Os alemães pegaram o hábito dos ingleses e, como eles, levavam folhas soltas nos bolsos. Uma boa chuvarada podia arruinar o suprimento de uma semana.

— É seu?

— Tenho mais, senhor.

— Obrigado.

Sharpe segurou a caneca, aninhou-a nas mãos enluvadas e viu o alemão voltar na direção da bandeira. O pano estava enfeitado com contas de umidade. O sol brilhava através do tecido fino. Era algo pelo que lutar.

A névoa ainda fluía suave descendo o passo, derramando-se feito água, e Sharpe tomou o chá quente, agradecido por estar sozinho. Queria observar a grande beleza do amanhecer desdobrando-se, a luz espalhando-se através de Portugal sob um céu vasto e riscado de nuvens remanescentes da noite. Outras nuvens ameaçavam ao norte, nuvens escuras, mas este dia seria bom.

Ouviu passos no telhado e não se virou, porque não queria ser perturbado. Olhou para a direita, explicitamente para longe dos passos, e viu o grupo de trabalho descendo pelo caminho íngreme entre os espinheiros com as mochilas amarradas aos fuzis.

— Richard?

Ele se virou, levantando-se rapidamente.

— Josefina.

Ela sorriu, um pouco nervosa, com o rosto envolto na pele prateada de sua capa com capuz verde-escura.

— Posso me juntar a você?

— Pode. Não está com frio?

— Um pouco. — Ela sorriu. — Feliz Natal, Richard.

— Feliz Natal. — Ele sabia que os fuzileiros no telhado enorme e largo estariam olhando-os. — Por que não senta?

Sentaram-se a meio metro um do outro, e Josefina apertou a capa grossa, forrada de pele, no corpo.

— Isso é chá?

— É.

— Posso tomar um gole?

— E viver, quer dizer?

— Vou viver. — Ela estendeu uma das mãos para fora da capa e pegou a caneca de lata. Tomou um gole e fez cara de nojo. — Achei que você voltaria ontem à noite.

Ele riu.

— Estava ocupado. — Tinha ido ver as reféns e encontrou três tenentes fazendo a corte. Não ficou muito tempo, apenas o suficiente para descobrir se não tinham sido machucadas e para garantir que seriam devolvidas aos maridos. Todas, curiosamente, se ficaram preocupadas com o destino dos homens que as aprisionaram, e Sharpe fez uma lista de nomes dos que tinham sido gentis com as mulheres. Prometeu que tentaria salvá-los da execução. Agora ria para Josefina e pegou de volta a caneca de chá. — Eu seria bem-vindo?

— Richard! — Ela riu, tranquilizada porque a voz de Sharpe parecia aprová-la. — Você se lembra de quando nos conhecemos?

— Seu cavalo tinha perdido uma ferradura.

— E você estava todo carrancudo e desagradável. — Ela estendeu a mão para o chá. — Você era muito sério, Richard.

— Tenho certeza de que ainda sou.

Ela fez cara feia para ele, soprou o chá e tomou um gole.

— Eu me lembro de ter dito que você iria virar coronel e seria horrendo para seus homens. Está virando realidade.

— Eu sou horrendo para eles?

— Os tenentes têm medo de você. A não ser o Sr. Price, mas ele o conhece.

— E sem dúvida queria conhecer você?

Ela deu um sorriso alegre.

— Tentou. Ele parece um cachorrinho. Quem é o capitão apavorante, de um olho só?

— É um lorde inglês, terrivelmente rico, e é muito, muito generoso.

— É mesmo? — Ela olhou para Sharpe, o interesse surgindo rapidamente na voz, então notou que ele a estava provocando. Gargalhou.

— E você é Lady Farthingdale.

Ela deu de ombros embaixo da capa, como se indicasse como esse mundo era estranho. Tomou um gole de chá, depois o ofereceu a Sharpe.

— Ele estava preocupado comigo?

— Muito.

— Sério?

— Sério.

Ela o encarou com interesse.

— Ele estava muito preocupado mesmo?

— Estava muito preocupado mesmo.

Ela deu um sorriso feliz.

— Que bom.

— Ele achou que você estava sendo estuprada diariamente.

— Nem uma vez! Aquele esquisito do "coronel" Hakeswill garantiu isso.

— Foi?

Ela confirmou com a cabeça.

— Eu lhe disse que tinha vindo rezar pela minha mãe, o que era em parte verdade. — Ela gargalhou. — Não era verdade, mas deu certo para Hakeswill. Ninguém podia tocar em mim. Ele costumava vir falar comigo da mãe dele. Conversas intermináveis! Por isso eu dizia que mães eram a coisa mais maravilhosa do mundo, e que era uma sorte a mãe dele ter um filho daqueles, e ele não se cansava de ouvir!

Sharpe sorriu. Sabia da devoção de Hakeswill à mãe, e sabia que Josefina não poderia ter encontrado proteção melhor que apelar a essa devoção.

— Por que você veio aqui?

— Bom, minha mãe está doente.

— Achei que você não gostava dela.

— Não gosto. Ela não aprova a vida que eu levo, mas está doente. — Josefina pegou o chá da mão de Sharpe, terminou de bebê-lo e pôs a caneca no parapeito. Olhou para o fuzileiro e riu. — A verdade é que eu queria passar um dia longe de tudo.

— Sozinha?

— Não. — A resposta saiu num tom de reprovação, sugerindo que sabia que não deveria fazer isso. — Com um capitão delicioso. Mas Augustus insistiu para que outro acompanhasse, o que dificultaria tudo.

Sharpe sorriu. Os cílios dela eram inacreditavelmente longos, a boca indecentemente farta. Era um rosto que prometia todos os confortos.

— Consigo entender por que ele se preocupa com você.

Ela gargalhou, depois deu de ombros.

— Ele está apaixonado por mim. — Ela fez a palavra "apaixonado" soar irônica.

— E você por ele?

— Richard! — Mais uma reprovação. — Ele é muito bom, e muito, muito rico.

— Muito, muito, muito rico.

— Mais rico ainda. — Ela sorriu. — Tudo que eu quiser! Tudo! Ele tenta ser rígido comigo, mas eu não deixo. Tranquei a porta na cara dele por duas noite, e desde então não tenho mais problemas.

Sharpe se virou e se sentiu grato por ninguém parecer necessitar de sua presença. As sentinelas estavam agachadas ou andavam de um lado para o outro no telhado, o som de facas e cantis vinha dos desjejuns nos claustros, e ainda não havia sinal dos *fusiliers*. Olhou de volta para ela, e Josefina sorriu.

— Estou mesmo feliz em vê-lo, Richard.

— Você ficaria feliz com qualquer um que a resgatasse.

— Não. Estou feliz em ver você. Você sempre me faz dizer a verdade.

Ele sorriu.

— Você não precisa de mim para isso.

— Você precisa de amigos. — Ela deu um sorriso breve. — Você me conhece mesmo, não é, e não desaprova a vida que eu levo.

— Deveria?

— Em geral as pessoas desaprovam. — Ela encarava a encosta do morro. — Todos dizem que não e fazem discursos maravilhosos, mas sei o que pensam. Sou popular, Richard, enquanto mantiver isso. — Ela apontou para o próprio rosto.

— E o resto.

— É. — Ela sorriu. — Ainda funciona.

Ele sorriu também.

— Foi por isso que você se casou com Sir Augustus?

— Não. — Ela balançou a cabeça. — Foi ideia dele. Ele queria que eu fosse sua esposa, para poder acompanhá-lo a todo lugar. — Ela riu, como se Sir Augustus tivesse sido idiota. — Ele queria que eu fosse para o norte, até Bragança, e nós navegamos para Cádis, e ele não poderia me levar aos jantares como sua prostituta, não é?

— Por quê? Muitos homens fazem isso.

— Não para aqueles jantares, Richard. Eram muito pomposos. — Ela fez cara feia.

— Então você se casou com ele para poder ir a jantares pomposos?

— Casei com ele! — Ela olhou para Sharpe como se ele fosse louco. — Não sou casada com ele, Richard! Você acha que eu me casaria com ele?

— Você não é...?

Josefina gargalhou, e sua voz atraiu a atenção das sentinelas. Ela baixou o tom da risada.

— Ele só quer que eu diga que sou casada com ele. Sabe quanto ele me paga por isso? — Sharpe balançou a cabeça, e ela riu de novo. — Muito, Richard. Muito.

— Quanto?

Ela foi contando nos dedos.

— Tenho uma propriedade perto de Caldas da Rainha; cento e vinte hectares e uma mansão. Uma carruagem com quatro cavalos. Um colar que compraria metade da Espanha e quatro mil dólares num banco em Londres. — Ela deu de ombros. — Você não diria sim a uma oferta dessas?

— Não creio que alguém fosse me oferecer algo assim. — Ele a olhou, incrédulo. — Você não é Lady Farthingdale?

— É claro que não! — Ela sorriu. — Richard! Você me conhece! De qualquer modo, Duarte ainda está vivo, não posso me casar com mais ninguém enquanto estiver casada com ele.

— Então ele sugeriu que você dissesse que era esposa dele? É isso?

Ela deu de ombros.

— Mais ou menos. Ele não estava falando muito sério, mas eu perguntei quanto pagaria por isso, e, quando ele disse, concordei. — Ela sorriu consigo mesma. — Quer dizer, ele já estava me pagando para que mais ninguém além dele montasse na sela, então por que não fingir que era casada? É tão bom quanto um casamento, não é?

— Tenho certeza de que o seu padre concordaria — observou Sharpe ironicamente.

— Quem quer que ele seja.

— E ninguém suspeita?

— Ninguém diz nada, pelo menos para Augustus. Ele contou para todo mundo que tinha se casado comigo, por que não iriam acreditar?

— E ele não acha que alguém suspeita?

— Richard, eu já disse. — Ela parecia quase exasperada. — Ele está apaixonado por mim, está mesmo. Não se cansa de mim. Ele acha que fui criada pela deusa lua, pelo menos foi o que disse uma noite. — Sharpe gargalhou, e ela sorriu. — Acha mesmo. Ele acha que eu sou perfeita. Vive dizendo isso. E quer ser meu dono, de cada parte de mim, a cada hora, de tudo. — Ela deu de ombros. — Ele paga.

— E não sabe de mais ninguém?

— Do passado, você quer dizer? Ele ouviu falar. Eu expliquei que tudo não passava de boatos, que eu havia recebido oficiais, mas por que não deveria? Uma mulher casada e respeitável em Lisboa, talvez viúva, tinha o direito de tomar chá com um ou dois oficiais.

— Ele acredita nisso?

— Mas é claro! Ele quer acreditar nisso.

— Quanto tempo vai durar?

— Não sei. — Ela virou o rosto para a encosta com uma expressão séria. — Ele é bom. Parece um gato. É muito limpo, muito delicado e muito ciumento. Eu sinto falta... Bom, você sabe.

Sharpe riu.

— Josefina! — Era uma história incrível, mas não mais que outras dezenas que ele ouviu a respeito dos expedientes usados por homens e mulheres a serviço de Cupido. Ela ficou observando-o rir.

— Estou feliz, Richard.

— E rica.

— Muito. — Ela sorriu. — E você não vai contar a ele que eu lhe disse tudo isso, entendeu? Você não vai contar!

— Não vou dizer que você me contou.

— É melhor não dizer. Mais dois meses e eu terei o suficiente para comprar uma propriedade em Lisboa. Portanto, eu não lhe contei nada.

Ele levou os dedos à testa.

— Sim senhora.

— Lady Farthingdale.

— Sim, Milady.

Ela gargalhou.

— Estou começando a gostar de ser chamada assim. — Ela apertou mais a capa em volta do pescoço. — Então me fale de você.

Ele sorriu, balançou a cabeça e estava tentando pensar em algo sem importância para dizer quando ouviu um grito do outro lado do telhado.

— Senhor! Major Sharpe!

Ele se virou, levantando-se.

— O que foi?

— Aqueles cavaleiros, senhor. Vi de novo. Foram embora agora.

— Tem certeza?

— Tenho, senhor.

— Quem eram eles?

— Não sei, senhor, mas...

— Mas o quê? — gritou Sharpe.

— Não dá para ter certeza, senhor, mas achei que pudessem ser uns malditos franceses. Eram só três, mas pareciam franceses.

Sharpe entendeu a incerteza do sujeito. Era raro a cavalaria francesa se movimentar que não em grandes formações, por isso era estranho ver apenas três cavalarianos inimigos nesse vale alto.

— Senhor? — gritou o homem de novo.

— Sim?

— Poderiam ser desertores, senhor. Têm fardas francesas.

— Continue olhando!

O homem devia estar certo. Três cavalarianos franceses do bando de Pot-au-Feu meramente atuando como batedores no vale a sudeste. Pot-au-Feu certamente ia embora. Sharpe se virou para Josefina.

— Hora de ir. Tenho trabalho a fazer. — Ele estendeu a mão e a ajudou a se levantar. Ela olhou para ele com uma leve preocupação.

— Richard?

— Sim? — Sharpe presumiu que ela estivesse preocupada com a possibilidade de haver tropas francesas no vale.

— Está feliz em me ver?

— Josefina. — Ele sorriu. — Estou, é claro.

Foram juntos pelo espaço plano entre o parapeito e as telhas, os fuzileiros abrindo caminho e lançando olhares de admiração para Josefina. Sharpe parou sob a bandeira desfraldada e olhou para o oeste, para as sombras do passo, onde a névoa se esgarçava. Houve um levíssimo movimento no meio das rochas cinzentas lá embaixo, um movimento quase imperceptível, mas suficiente para provocar um grito de outra sentinela.

— Senhor!

— Já vi, obrigado!

Os *fusiliers* estavam à vista. Sharpe olhou para eles, ergueu a cabeça para a bandeira frágil e cheia de contas de orvalho e se perguntou por que tinha o pressentimento de que ainda teria de lutar por ela. Afastou o pensamento, levou Josefina ao topo da rampa e ergueu a voz para que os fuzileiros o ouvissem.

— Seu marido estará aqui em menos de uma hora, Milady.

— Obrigada, major Sharpe. — Ela fez uma leve reverência para ele, depois, num gesto majestático, acenou para todo o convento, um gesto abarcando todos os fuzileiros que observavam. — E obrigada a todos os senhores. Obrigada!

Todos pareceram satisfeitos, acanhados e satisfeitos. Sharpe cutucou um sargento ao seu lado.

— Três vivas para a dama! Hip, hip!

— Urra! — Eles berraram mais duas vezes, espantando o gato no telhado, e Josefina recebeu o cumprimento com graça. Assentiu para todos, terminando com Sharpe, e ele podia jurar que ela lhe dirigiu uma piscadela enquanto inclinava a cabeça.

Sharpe voltou à bandeira com um sorriso largo. Era uma manhã de surpresas. Uma árvore de Natal para um dia de Natal, Josefina para Sir Augustus Farthingdale, e no leste três cavaleiros para perturbar a manhã natalina. As sombras no passo se definiram numa linha de escaramuça que subia em direção ao Portal de Deus, com as companhias em coluna atrás. Sharpe olhou para a bandeira, e seu instinto continuava lhe dizendo que havia problema naquele ar parado, e que esse Natal ainda guardava outras surpresas.

CAPÍTULO 11

O tenente-coronel Kinney mandou seus *fusiliers* em ordem aberta nos últimos metros da árdua subida. Ainda havia uma possibilidade de Pot-au-Feu abrir fogo com seus canhões espanhóis capturados, mas os homens aprisionados à noite juraram que dois dos
5. canhões estavam na torre de vigia, e o terceiro que restava nas mãos dos desertores tinha sido montado na muralha leste do castelo, incapaz de mirar no passo. Mesmo assim, Kinney não correu riscos.

Sharpe sentiu um pesar súbito por não ser mais o oficial superior no Portal de Deus. Agora Kinney estava acima dele, assim como Sir Augustus
10. Farthingdale, e Sharpe presumiu que o major dos *fusiliers* também fosse seu superior. Kinney apeou junto ao portão do convento e estendeu a mão para Sharpe, ignorando a saudação formal.

— Parabéns, major, parabéns!

Kinney foi generoso em seu elogio, de um jeito um tanto embaraçoso,
15. efusivo com relação às dificuldades de uma marcha noturna, uma abordagem silenciosa e um ataque contra um prédio sem incorrer em perdas sérias entre os atacantes. Sharpe apresentou Frederickson, Cross e Price, e Kinney generosamente estendeu os elogios a todos. Sir Augustus Farthingdale foi menos aberto. Apeou com rigidez, auxiliado pelo serviçal, e
20. ajeitou a echarpe de seda que estava receptivo no colarinho alto da capa de cavalaria. Sob a capa ele bateu nas botas com um chicote de montaria.

— Sharpe!

— Senhor.

— Então você foi bem-sucedido!

— Felizmente sim, senhor.

Farthingdale resmungou, parecendo longe de se estar feliz. Seu nariz aquilino estava vermelho de frio, a boca mais presunçosa que o normal. O chicote bateu de novo no couro.

— Muito bem, Sharpe. Muito bem. — Ele conseguiu fazer o elogio soar ressentido. — Lady Farthingdale está bem?

— Perfeitamente, senhor. Tenho certeza de que ficará aliviada ao vê-lo.

— Sim. — Farthingdale se remexeu, os olhos espiando desinteressados o castelo e o vilarejo. — E o que está esperando, Sharpe? Leve-me até ela.

— Claro, senhor. Desculpe, senhor. Tenente Price? — Sharpe nomeou Price como guia de Sir Augustus até sua "esposa". Sir Augustus se virou perto dos degraus do convento, tirou o chapéu bicorne do cabelo liso e prateado e assentiu para Kinney. — Vamos, Kinney.

— Esse sujeito acha que estou planejando dormir? — O comentário foi suficientemente alto para Sharpe escutar. Estava óbvio que Kinney teve um tempo difícil com Sir Augustus durante a longa marcha noturna, e agora o galês chutava uma pedra, acertando a parede do convento. — Desgraça, Sharpe, ela deve ser uma mulher notável para trazer Sir Augustus até aqui, não?

Sharpe sorriu.

— É uma beldade, senhor.

Kinney olhou para o leste, onde seu batalhão estava se formando fora do alcance dos projéteis de metralha que poderiam ser disparados do castelo ou da torre de vigia.

— O que faremos agora, hein? — A pergunta não era para Sharpe. — Vamos varrer os mendigos do vilarejo e depois olhar o castelo.

— E a torre de vigia, senhor?

Kinney se virou para ela. Os dois canhões na torre de vigia, se existiam mesmo, poderiam disparar contra o flanco de qualquer ataque direcionado à muralha caída do castelo. Se fosse acontecer uma luta no castelo, a torre de vigia teria de ser tomada primeiro. Kinney coçou o queixo.

— Você acha que os canalhas vão lutar?

— Eles não fugiram, senhor.

Pot-au-Feu devia saber que era o fim das suas aventuras. Ele perdeu suas reféns, o convento foi tomado, e agora um batalhão de infantaria britânico estava em seu vale. O mais sensato para os desertores, pensou Sharpe, seria fugir de novo, para o leste ou para o norte, mas eles ficaram. Dava para ver as tropas de Pot-au-Feu nas ameias do castelo e na fortificação de terra ao pé da torre de vigia. Kinney balançou a cabeça.

— Por que eles ficaram, Sharpe?

— Ele deve achar que pode nos derrotar, senhor.

— Então deve ser um sujeito abusado. — Kinney se demorou na última palavra apegado a ela. — Não gostaria que nenhum dos meus homens morresse hoje, major. Seria uma tragédia terrível no Natal. — Ele fungou. — Vou limpar o vilarejo com baionetas, depois vou bater um papo com nosso homem no castelo para ver se ele quer se render. Se ele quiser do jeito difícil... — Kinney olhou para a torre. — Eu agradeceria, nesse caso, o empréstimo de uma companhia de fuzileiros, major.

Era gentileza de Kinney embrulhar a ordem em tamanha educação.

— Claro, senhor.

— Vamos torcer para que isso não seja necessário. Até lá o jovem Gilliland deve ter chegado. — A Tropa de Foguetes estava uma hora atrás do 113º, atrasada por um aro de roda solto. Kinney sorriu. — Dois daqueles fogos de artifício no traseiro deles podem convencê-los a se entregar à nossa gentil misericórdia. — Kinney pediu seu cavalo, grunhiu ao erguer o peso considerável para a sela, depois sorriu para Sharpe. — Eles não devem ter fugido porque estão todos cegos de tanto beber, Sharpe. Está bem! Ao trabalho! — Ele puxou as rédeas, depois parou, olhando por cima da cabeça de Sharpe. — Nossa! Nossa!

Josefina estava à porta do convento, sendo trazida por um Sir Augustus Farthingdale que parecia muito diferente. A rabugice havia sumido, substituída por uma atenção tímida e afetada com a mulher estupenda que deixou Kinney ofuscado com seu sorriso. Havia um orgulho enorme na voz de Farthingdale, o orgulho da posse.

— Coronel Kinney? Tenha a honra de conhecer minha esposa. Minha cara, este é o coronel Kinney.

Kinney tirou o chapéu.

— Milady. Teríamos marchado por meio mundo para resgatá-la.

Josefina o recompensou com lábios entreabertos, cílios abaixados e um belo discurso elogiando Kinney e suas tropas. Sir Augustus observava aquilo com prazer, desfrutando da admiração nos olhos de Kinney, aprovando enquanto sua "esposa" dava pequenos passos para acariciar o cavalo de Kinney. Quando ela estava longe, ele puxou a manga da jaqueta de Sharpe.

— Quero trocar uma palavrinha com você.

Será que ela tinha dito ao marido que Sharpe a conhecia? Era improvável, mas Sharpe não conseguia pensar em outra explicação para Sir Augustus puxá-lo de lado, longe dos ouvidos de Josefina. O rosto do coronel estava furioso.

— Há homens nus aqui, Sharpe!

Sharpe quase sorriu.

— São prisioneiros, senhor. — Ele havia ordenado que um grupo de trabalho composto de desertores continuasse o serviço árduo de abrir buracos nas paredes grossas.

— Por que diabos eles estão nus?

— Eles trouxeram desgraça para as fardas, senhor.

— Santo Deus, Sharpe! Você deixou que minha esposa visse isso?

Sharpe engoliu uma resposta para evitar dizer que Josefina devia ter visto mais homens nus do que Sir Augustus, e no lugar disse algo mais ameno.

— Farei com que sejam cobertos, senhor.

— Faça isso, Sharpe. Mais uma coisa.

— Senhor?

— Você não se barbeou. Não está em condições de falar de desgraça a fardas! — Farthingdale se virou de repente e passou a exibir um sorriso indulgente enquanto Josefina se aproximava. — Minha cara. Quer mesmo ficar aqui fora, neste frio?

— É claro, Augustus. Quero ver os homens do coronel Kinney castigarem meus opressores. — Sharpe quase sorriu com a última palavra, mas ela a havia escolhido especialmente para Sir Augustus. Ele se empertigou, parecendo feroz, e assentiu.

— É claro, minha cara, é claro. — Em seguida, olhou para Sharpe. — Uma cadeira para a dama, algo para comer e beber, Sharpe.

— Sim senhor.

— Não que vá haver muita luta. — Sir Augustus estava falando de novo com Josefina. — Eles não terão coragem de lutar.

Uma hora depois parecia que Sir Augustus estava certo. Os desertores que permaneceram no vilarejo fugiram com suas mulheres e seus filhos enquanto a companhia ligeira de Kinney entrava pelo norte. Fugiram, sem ser fustigados, pelo vale e atravessaram os arbustos de espinheiro em direção à torre de vigia. Vinte e quatro estavam a cavalo, com mosquetes pendurados nos ombros e sabres visíveis à cintura. Madame Dubreton e as outras duas reféns do Exército francês foram para fora por um tempo e tomaram chá com Josefina, mas o frio as fez voltar para o convento que tinha sido sua prisão. Antes disso, Sharpe chegou a perguntar a madame Dubreton o que ela pensou quando viu o marido na galeria superior do claustro inferior.

— Pensei que nunca mais iria vê-lo.

— A senhora não demonstrou de forma alguma reconhecê-lo. Deve ter sido difícil.

— Para ele também, major, mas eu não daria essa satisfação a eles.

Sharpe falou com ela, enquanto Price tentava jogar seu charme para Josefina, das dificuldades de viver como uma inglesa na França, mas ela deu de ombros para as dificuldades.

— Sou casada com um francês, major, portanto minha lealdade é óbvia. Não que ele exija que eu sinta inimizade por meu país. — Ela sorriu. — Na verdade, major, a guerra pouco nos afeta. Imagino que deve ser como morar em Hampshire. As vacas são ordenhadas, nós vamos a bailes, e uma vez por ano ouvimos falar de uma vitória e nos lembramos de que existe uma guerra. — Ela encarou o colo, depois ergueu o olhar de novo. — É difícil, com meu marido longe, mas a guerra vai acabar, major.

A guerra de Pot-au-Feu estava acabando agora. Com o vilarejo livre de inimigos, Kinney enfileirou seu batalhão à intensa luz do sol de inverno e avançou ladeado por dois oficiais, mantendo os cavalos a passo lento, em direção ao castelo. Sharpe foi andando pelo vale até ver a muralha caída na face leste, e Frederickson o acompanhou. O capitão indicou com um aceno de cabeça os três cavaleiros.

— Vão pedir a rendição?

— Vão.

— Não consigo imaginar por que os desgraçados não fugiram. Devem saber o que os espera.

Sharpe não disse nada. Esse pensamento também o preocupava, mas talvez Kinney estivesse certo. Talvez eles estivessem bêbados demais para saber o que estava acontecendo, ou talvez os sobreviventes do bando de Pot-au-Feu preferissem se lançar à mercê do exército britânico a enfrentar o inverno gelado naqueles morros que estariam infestados de guerrilheiros vingativos. Ou talvez Pot-au-Feu simplesmente não quisesse ir embora. Os prisioneiros, interrogados à noite, disseram que o francês gordo havia estabelecido uma paródia de Estado no castelo, dominando-o como um barão medieval, distribuindo justiça e recompensa aos seguidores. Talvez a fantasia do marechal Pot-au-Feu fosse suficientemente forte para convencê--lo, e aos seus seguidores, de que o castelo podia resistir a um ataque. Qualquer que fosse o motivo, ele tinha ficado, assim como seus homens, e agora Kinney, com seus dois oficiais, puxaram as rédeas a oitenta metros da muralha caída na face leste, cujo entulho formava uma barreira da altura do peito, guardando o grande pátio.

Kinney estava de pé nos estribos, as mãos em concha na boca. Havia um grupo de homens de pé no entulho, e Sharpe viu um deles sinalizar para os cavaleiros chegarem mais perto.

— Eles não conseguem ouvir.

— Meu Deus! — Frederickson estava frustrado. Não aprovava essa conversa toda com um inimigo sem honra. Futucou a borda puída do tapa-olho e obviamente queria levar seus fuzileiros contra o inimigo que continuava sinalizando para Kinney chegar mais perto.

Exasperado, Kinney esporeou o cavalo, que trotou adiante. Parou a cinquenta metros do inimigo, ao alcance dos mosquetes, e gritou de novo. Então pareceu puxar as rédeas e se inclinar à direita para ajudar o cavalo a se virar, porque tinha visto movimentação à esquerda, descobrindo o canhão protegido no canto da parte caída da muralha leste, mas era tarde demais.

Sharpe primeiro viu a fumaça, que aumentava a partir do pedaço de muro, e então chegou o estrondo, um som seco, ecoando pelo vale feito um trovão agonizante, e o som tinha o estalo característico de uma lata de metralha se partindo na chama da boca do canhão, espalhando suas balas de mosquete num cone que se alargava em cujo centro estava o tenente--coronel Kinney. Cavalo e homem caíram, derrubados de lado, e, enquanto o animal se sacudia em vão e tentava se levantar, o homem ficou imóvel no meio do próprio sangue espirrado. Sharpe se virou para Frederickson.

— Leve sua companhia à companhia ligeira dos *fusiliers*! Vocês vão atacar a torre de vigia!

— Senhor!

Sharpe olhou para seus homens que estavam à toa perto da parede do convento.

— Sargento!

Farthingdale tinha se levantado de sua cadeira e pedia seu cavalo, depois chamou Sharpe.

— Major!

— Senhor?

— Quero seus homens diante do castelo! Ordem de escaramuça!

Frederickson, já correndo, ouviu Farthingdale e parou, olhando de novo para Sharpe. Sharpe olhou para o coronel que estava montando na sela.

— Não para a torre de vigia, senhor?

— Você me ouviu, major! Agora vá! — Sir Augustus esporeou seu cavalo e partiu em direção ao batalhão silencioso e pasmo, enfileirado pela estrada que partia do vilarejo. Sharpe apontou para o castelo.

— Ordem de escaramuça! Minha companhia à esquerda da linha, o capitão Cross no centro, o capitão Frederickson à direita! Mexam-se!

Mas por que, em nome de tudo que era sagrado, Pot-au-Feu havia provocado essa luta? Será que achava mesmo que poderia vencer? Enquanto Sharpe corria pela pastagem dura do vilarejo, viu os dois oficiais que cavalgaram junto com Kinney levantar o coronel do chão. Um deles sacrificou o cavalo do coronel com um tiro de pistola. O inimigo ignorou os dois oficiais, talvez satisfeito com a morte de um coronel, mas por que teriam feito isso? Deviam achar que seriam capazes de derrotar um batalhão numa luta direta, mas então Sharpe se esqueceu dos motivos de Pot-au-Feu porque as primeiras balas de mosquete estavam acertando o capim e o chão perto dos seus pés. A fumaça pairava em pequenas nuvens acima dos arbustos de espinheiro que cresciam entre o castelo e a torre de vigia. Sharpe gritou pelo tenente Price.

— Mantenha aqueles malditos ocupados, Harry. Use os mosquetes e quatro fuzis.

— Sim senhor. — Price abriu os braços. — Espalhem-se! Espalhem-se! — Em seguida pegou o pequeno apito no cinto cruzado no peito e tocou o sinal.

Frederickson e Cross usavam cornetas para passar ordens no campo de batalha. Seus corneteiros, nenhum com mais de 15 anos, tocavam enquanto corriam, as notas irregulares e entrecortadas, mas os toques eram inconfundíveis ordenando que as companhias formassem a corrente de escaramuça. Sharpe as ancorou a cem metros da muralha caída, fora do alcance efetivo dos mosquetes, e ordenou que a corneta de Cros tocasse a nota única, o longo sol, que mandava os fuzileiros se deitarem.

— Agora o "abrir fogo", rapaz.

— Sim senhor. — Ele respirou fundo, depois tocou a sequência gloriosa de três notas subindo uma oitava inteira, repetida até que os fuzileiros estivessem atirando ao longo da linha e as balas forçando os defensores de Pot-au-Feu a se protegerem às pressas.

Sharpe olhou para a esquerda. Price estava mantendo ocupado o inimigo que se espalhou nos espinheiros. O tenente andava de um lado para o outro, atrás de seus homens, procurando alvos. À frente de Sharpe, o castelo pareceu subitamente desprovido de defensores, expulsos para trás das ameias ou do entulho pela precisão dos fuzis. Atrás dele podia ouvir ordens sendo gritadas aos *fusiliers*. Inferno, Farthingdale estava propondo um assalto imediato. O canhão, escondido no pequeno trecho de muralha de pé na face leste, só estaria vulnerável a tiros a partir da direita da linha de Sharpe, e ele chamou o corneteiro de Cross de novo.

— Mande meus cumprimentos ao Sr. Frederickson e peça a ele que fique de olho no canhão. — "Ficar de olho" era um jeito infeliz de colocar a questão, mas não importava, nem importava que, sem dúvida, Frederickson não precisasse ser lembrado disso.

Os tiros de fuzil diminuíram até se tornarem saraivadas ocasionais quando algum defensor mostrava a cabeça, e Sharpe ouvia os tenentes gritando para seus homens avisarem quem eram seus alvos e não desperdiçar balas. Atrás deles, lá no vilarejo, Sir Augustus formava os *fusiliers* em duas colunas de quatro filas de largura, apontadas feito aríetes humanos para a muralha quebrada. O sargento Harper, exercendo o privilégio do seu posto, levantou-se e se juntou a Sharpe. Do morro, vinham apenas tiros esporádicos de mosquete, e a distância era grande demais para preocupar qualquer um dos dois. O grande irlandês sorriu sem graça para Sharpe.

— Senhor?

— Sargento?

— Se o senhor não se incomodar com a pergunta, aquela no convento era a Srta. Josefina?

— Você a reconheceu?

— É difícil esquecer, senhor. Ela está se tornando uma mulher de beleza rara. — Harper gostava de mulheres mais gorduchas do que Sharpe. — Ela é a tal Lady Farthingdale?

Sharpe se sentiu tentado a contar a verdade, mas resistiu.

— Ela está se saindo bem.

— É mesmo. Vou dizer olá a ela.

— Eu não faria isso enquanto Sir Augustus estivesse por perto.

O rosto grande sorriu.

— É assim, é? Ela iria se importar?

— Nem um pouco.

Sharpe olhou para o convento. Via alguns fuzileiros no telhado, servindo de guarda para as mulheres e os prisioneiros, e podia ver a capa verde-escura de Josefina a alguns metros da porta. Seria ela o motivo para esse ataque precipitado? Será que Sir Augustus estava tão ansioso para mostrar a virilidade à sua jovem "esposa" a ponto de lançar os *fusiliers* contra o castelo antes que os canhões da torre de vigia fossem silenciados? Talvez estivesse certo. Não houve nenhum tiro de nenhum canhão no morro.

As bandeiras dos *fusiliers* foram tiradas das bolsas de couro, desdobradas e carregadas entre as alabardas polidas dos sargentos cujo trabalho era protegê-las. As alabardas eram machados gigantes, o aço brilhando feito prata de tão polido, e a visão dos estandartes no meio das lâminas reluzentes comoveria qualquer soldado. Era a panóplia da guerra. Diante das bandeiras, Sir Augustus tirou e balançou o chapéu, e as duas colunas de meio batalhão partiram em marcha rápida.

Sharpe juntou as mãos em concha.

— Fogo! Fogo!

Não importava que houvesse poucos alvos. O importante agora era mandar as balas dos fuzis cantando nos ouvidos dos defensores, desencorajando-os, deixando-os temerosos mesmo antes que as duas colunas passassem sobre o entulho da muralha despedaçada. O corneteiro de Cross chegou tropeçando e ofegando de sua tarefa, e Sharpe o fez dar o toque de avanço, levando a linha vinte metros adiante antes do toque mandando parar.

— Fogo! Façam com que eles saibam que estamos aqui.

O entulho da muralha leste atraía as duas colunas. Poderia ser ultrapassado com facilidade, as pedras que chegavam à altura do peito caídas formavam uma rampa suave onde Sharpe podia ver as balas dos fuzis de seus homens levantando tufos de poeira esbranquiçada. Imaginou as duas colunas de *fusiliers* atravessando a muralha e entrando no pátio com a raiva incendiada pela morte de Kinney. Então por que, em nome de Deus, Pot-au-Feu convidou esse ataque?

Os fuzis foram abafados por uma explosão dupla vinda do morro da torre de vigia, e Sharpe se virou e viu a fumaça expelida que marcava a posição dos dois canhões na fortificação de terra ao lado da torre. A bala sólida ressoou, acertou o chão antes de alcançar as duas colunas e ricocheteou passando por cima da cabeça dos homens. Os *fusiliers* zombaram e seus oficiais gritaram ordenando silêncio. As baionetas brilhavam nas fileiras.

Sargentos gritavam para os homens, ordenavam a marcha, e algumas casacas vermelhas com detalhes em branco estavam limpas e com as cores fortes, mostrando que novos recrutas lutavam naquela manhã de Natal. Os canhões dispararam de novo.

Os canos estavam mais quentes, ou então os parafusos de elevação foram um tantinho ajustados, e desta vez o primeiro ricochete das balas acertou a coluna mais próxima, e Sharpe viu as fileiras sendo varridas para o lado, sangue espirrando para trás, e um homem tombou para a frente, largando o mosquete, e depois se arrastou para longe da coluna e desmoronou.

— Fechar! Fechar!

— Mais rápido! — Farthingdale balançava o chapéu.

Talvez ele ainda estivesse certo, pensou Sharpe. Os canhões podiam causar pouco dano no tempo que as colunas levariam para chegar ao castelo. Podiam matar uns dez homens, ferir um número equivalente, mas isso não impediria o ataque. Olhou para o castelo. Vinha fumaça de mosquete de quase todas as ameias agora que seus fuzileiros tinham alvos, e nenhuma bala acertava a encosta da muralha caída. Ele ordenou que a linha de escaramuça avançasse mais dez passos.

Nenhuma bala acertava o entulho. Olhou de novo. Também não havia fogo de mosquete acima da muralha. Seus homens tinham mudado a posição de fogo para os homens que atiravam contra o ataque, e ninguém disparava da muralha, o que significava que ela estava sem defesa. Sem defesa! Não havia nenhum homem ali. Então Sharpe xingou e começou uma corrida trôpega pelo terreno irregular em direção às colunas mais próximas da linha de escaramuça.

Um canhão disparou da torre de vigia, desta vez mais alto, o que fez a bala acertar entre as colunas e ricochetear alta. Os sargentos gritavam o ritmo da marcha, com as montarias enormes, e os oficiais cavalgavam ou andavam ao lado das companhias com as espadas desembainhadas. O segundo canhão disparou, acertando de novo a coluna mais próxima, arrancando homens das filas de modo que os de trás passavam sobre a carnificina e cerravam fileiras, e os *fusiliers* continuavam avançando. O eco do canhão morreu no vale. Os fuzis estalavam à frente, mosquetes disparavam das ameias, e os homens da frente das colunas estavam na fumaça que permanecia desde a primeira posição das linhas de escaramuça.

Sharpe abriu caminho sem cerimônia em meio às fileiras da primeira coluna. Acenou para Sir Augustus que estava todo orgulhoso em seu cavalo nervoso.

— Senhor! Senhor!

O sabre de Farthingdale estava desembainhado. Sua capa puxada para trás revelava o vermelho, preto e dourado da farda. Ele comprou o posto de coronel, sem jamais ter lutado, sempre foi o soldado político nos palácios e nos parlamentos do poder.

— Senhor!

— Major Sharpe! — Ele parecia animado. Estava comandando um ataque diante dos olhos da amante.

— A muralha está minada, senhor!

A irritação voltou ao rosto. Ele olhou incomodado para Sharpe, pensando, contendo seu cavalo inquieto.

— Como você sabe?

— Não há ninguém defendendo-a.

— Eles são desertores, Sharpe, não a porcaria de um exército!

Sharpe estava andando ao lado do cavalo que saracoteava.

— Pelo amor de Deus, senhor! Ela está minada!

— Deus do céu, Sharpe! Saia do meu caminho! — Farthingdale liberou as rédeas do cavalo que saltou adiante, e Sharpe ficou parado, impotente, enquanto as duas colunas passavam marchando impassíveis. Duzentos e setenta homens em cada coluna, baionetas reluzindo junto aos rostos, marchando para a muralha de aparência fácil, que Sharpe sabia que tinha sido deixada ali para atrair um ataque exatamente como esse. Inferno! Olhou para trás. O capim tinha sido pisoteado e empalidecido pelas duas colunas, marcado pelos pequenos montes de homens sangrando e mortos onde o fogo dos canhões havia acertado. Os canhões dispararam de novo. Sharpe abriu caminho pela coluna e voltou aos seus homens. Rezava a Deus para estar errado.

Cross tinha colocado sua companhia de lado para que as colunas passassem. Sharpe conseguia ver as bandeiras erguidas e sabia que os porta-estandartes, ainda crianças, estariam orgulhosos daquele momento. Kinney não trouxe os instrumentos da banda, caso contrário os músicos estariam tocando para instigar o ataque até que os combatentes os fizessem realizar seu trabalho secundário de cuidar dos feridos. Farthingdale acenava para prosseguirem, incentivava com gritos, e por fim os *fusiliers* tiveram permissão de gritar comemorando também, quando começaram a correr nos últimos metros.

O canhão na muralha leste estava exposto e disparou, e a frente da coluna mais à frente foi despedaçada pela metralha. Um homem se arrastou no capim, as calças brancas encharcadas de vermelho, a cabeça tremendo porque não sabia o que tinha acontecido.

— Avante! Avante! Avante! — Sir Augustus Farthingdale havia parado seu cavalo e deixado as bandeiras passarem por ele, e agora instigava as colunas para a muralha leste. A fumaça do canhão pairava sobre o entulho.

Que eu esteja errado, rezava Sharpe. Que eu esteja errado.

Os primeiros homens a chegar ao entulho romperam fileiras. Espalharam-se à medida que cada um escolhia um caminho sobre as pedras irregulares. Seus mosquetes estavam prontos para o golpe mortal com a baioneta.

— Avante! Avante! — Farthingdale estava de pé nos estribos, brandindo o sabre no ar, e Sharpe o xingou porque sabia que estava se exibindo assim por Josefina. Balas de mosquete acertavam as colunas, causando uma ondulação feito uma pedra largada numa corrente de água, os homens se fechando de novo sobre o caminho perturbado. — Avante! Avante!

Correram para o entulho, deixando-o mais compacto, espalhando-o, comemorando ao chegar ao alto e ver o pátio à frente, e mais uma vez Sharpe rezou para estar errado, e então viu que os primeiros homens passaram pelas pedras e sentiu uma onda de alívio porque eles não morreriam no horror flamejante de uma mina explodindo na manhã de Natal.

A fumaça pareceu saltar da base das pedras na direção de Farthingdale e seu cavalo, avançando feito uma cobra dando o bote, e o cavalo empinou, jogando Farthingdale para trás. Então começou a sair fumaça de cada fenda nas pedras, e Sharpe gritou um alerta impotente.

A muralha derrubada pulsou e se transformou em chamas e uma fumaça escura borbulhante. Foi como uma noite prematura em que os *fusiliers* eram jogados para cima e para trás pela pólvora acumulada sob as pedras. A explosão ressoou, depois estalou num trovão de desafio que ecoou entre os morros cobertos de espinheiros, a parede arfou para cima, para fora, e os homens que não tinham chegado à barreira partida pararam com medo.

O canhão na muralha disparou de novo, e então vieram gritos de comemoração do castelo e do morro perto da torre de vigia, e Pot-au-Feu disparou cada mosquete contra as colunas imóveis. Havia chamas no meio da barreira despedaçada sob a fumaça. Clarões de mosquetes mostravam onde o inimigo estava caçando os sobreviventes que chegaram primeiro ao pátio.

— Recuar! Recuar! — gritou alguém, e todos aceitaram, e as duas colunas recuaram da fumaça, do barulho dos mosquetes, então Price gritou para Sharpe:

— Senhor!

Homens vinham por entre os arbustos de espinheiros para investir contra o flanco do batalhão atacado.

— Formar junto à coluna! — berrou Sharpe. A corneta de Cross tocou as três notas que significavam "formar" e Sharpe empurrou homens para as fileiras de casacas vermelhas.

Um capitão *fusilier*, de olhos arregalados e confuso, gritava para seus homens recuarem. Sharpe gritou para que ficasse onde estava. Pelo menos seis companhias não tinham sido afetadas pela mina, e ainda havia uma chance de lançá-las ao pátio, mas os *fusiliers* obedeciam à voz de seus próprios oficiais.

— Recuar!

Os homens que saíam dos espinheiros formavam uma linha de escaramuça para atacar o batalhão em retirada, e havia certa satisfação, não muita, em ver os fuzileiros os impelindo de volta com tiros bem apontados. Então Sharpe ouviu o estrondo de aço do outro lado da fumaça, o som de mais tiros, e soube que havia *fusiliers* presos no pátio do castelo. Aqueles homens não deviam morrer ou, pior ainda, virar prisioneiros das crueldades de Hakeswill. Sharpe jogou para Hagman seu fuzil não disparado, desembainhou a espada e se virou para a fumaça escura que ainda se agarrava às pedras sujas de sangue. Tiraria aqueles homens de lá e eles tomariam esse castelo do jeito certo, profissional. Virou-se ao ouvir passos ao seu lado no capim.

— O que você está fazendo?

— Vou com o senhor. — A voz de Harper não admitia discussão.

Era Natal, e eles iam para a guerra.

CAPÍTULO 12

Atravessar a cortina de fumaça pungente, entre as chamas que consumiam os restos dos barris de pólvora, era como passar para outro mundo. O ar limpo e o capim frio do vale haviam sumido; em vez disso era um mundo de pedras partidas, escorregadias de sangue, cheias de pedaços de carne queimada e irreconhecível; um pátio onde os sobreviventes da mina eram caçados através do calçamento de pedras.

Sharpe viu Harper se abaixar e parou, com medo pelo sargento, depois viu o irlandês enorme arrancando o cabo de uma alabarda de um corpo. A lâmina foi brandida para cima na fumaça, um enorme machado de luz prateada, e Harper soltou o grito de guerra em seu gaélico nativo. Sharpe já viu um momento como esse, o instante em que o sargento normalmente plácido fervilhava com a raiva dos heróis irlandeses, indiferente à própria segurança, pensando apenas em lutar de uma forma que pudesse ser cultuado nas lamentosas canções irlandesas que mantinham vivo o heroísmo da nação.

No pátio, havia um muro novo, baixo, fácil de ser pulado. Era a linha de defesa de Pot-au-Feu dentro do castelo. Homens corriam para o muro, rindo, mosquetes prontos para disparar contra os *fusiliers* atordoados na fumaça. Alguns homens de Pot-au-Feu tinham pulado o muro e caçavam os sobreviventes com baionetas. Alguns poucos *fusiliers* se agruparam sob o comando de um sargento, mantendo as baionetas viradas para fora e morrendo conforme as balas de mosquete flamejavam atravessando o muro insignificante.

Então Harper saiu da fumaça.

Para os defensores no pátio devia parecer que uma criatura mitológica tinha saído da escuridão da explosão, um homem enorme, embriagado com a batalha, brandindo uma lâmina de machado, e ele correu para o muro, pulou, e a lâmina de aço partiu a fumaça e acertou com um som molhado os defensores.

— *Fusiliers! Fusiliers!* — gritou Sharpe. Então escorregou, o calcanhar direito lubrificado por uma mancha de sangue, e a queda o salvou da baioneta de um francês que veio da esquerda. Sharpe rolou no chão, brandiu a espada enorme e viu uma lasca de madeira ser cortada do mosquete acima. Golpeou com o pé direito, acertou o homem no joelho. Em seguida, com o homem cambaleando e Sharpe de pé, a espada acabou com o francês.

— *Fusiliers!* A mim!

Puxou a lâmina da espada, chutou o corpo, e a arma se soltou com relutância.

— *Fusiliers!*

Meu Deus, aquele lugar era péssimo! A presença de alguns inimigos ao redor dos sobreviventes era a única coisa que impedia os mosquetes de Pot-au-Feu de limpar o pátio por completo. Quatro homens estavam caídos aos pés de Harper, outros tinham recuado da fúria do gigante, da lâmina enorme que girava em seus braços fortes, e Sharpe viu um homem mirar cuidadosamente com o mosquete.

— Patrick!

A alabarda foi arremessada, a ponta de lança na cabeça do machado se enterrando na testa do sujeito, e Harper pulou o muro de volta tirando do ombro sua arma de sete canos.

— Guarde, Patrick! A mim! A mim!

O sargento estava empurrando seus homens na direção de Sharpe. Três feridos estavam recebendo ajudada, outro homem tinha as duas bandeiras dos *fusiliers* emboladas embaixo do braço. Os mastros tinham sido partidos.

— Por aqui! — Sharpe deu meia-volta e manteve o movimento desferindo um golpe de espada para trás que derrubou um sujeito de farda portuguesa que estava atacando vindo do entulho. O sujeito parecia ensandecido, alucinado com a luta, e Sharpe viu outras figuras na parede quebrada, onde a fumaça se mantinha densa com cheiro de carne assada. Sharpe se concentrou naquele único homem, deixando toda a sua raiva fluir no golpe da espada, e viu a farda marrom se dobrar sobre a grande lâmina e a soltou antes mesmo de saber que estavam cercados.

Uma bala de mosquete atingiu as pedras junto ao seu pé esquerdo, outra furou a aba da sua jaqueta, e uma terceira fez um *fusilier* girar, morrendo antes de bater no chão. Sharpe viu um monte de homens nas pedras, vindo atabalhoadamente na direção deles, e soube que jamais conseguiria atravessar a barreira com os feridos. Deu meia-volta de novo. Não morreria ali, nas mãos daquela escória, naquele dia!

À direita ficava a torre do portão, enorme e com torres menores em cima. Tinha de haver uma passagem lá, e Sharpe se pôs em movimento, gritando. Os *fusiliers* mudaram de direção, e Sharpe os comandou com sua espada. Os desertores recuaram porque não esperavam por isso, e a espada era brandida contra eles. Sharpe passou por cima de um cadáver de casaca vermelha, a boca aberta e rubra, e então a espada acertou um homem nas costas. Harper segurou o mosquete que caía, puxou o gatilho, e Sharpe estava sobre o muro baixo, pulando-o, gritando como se o inimigo estivesse dentro dele, começando a gostar daquela carga enlouquecida para o coração das defesas inimigas. E ali estava a passagem, pequena e escura, à direita.

— Ali! Vão! Vão! Vão!

O sargento os comandava, arrastando um homem ferido apesar dos gritos de dor. Sharpe segurou Harper pelo cotovelo e o virou para que os dois formassem a retaguarda enquanto os *fusiliers* partiam para a passagem desesperadamente pequena. Um ataque para trás para derrubar um mosquete com baioneta, recuo, estoque, e um grito de triunfo porque outro desgraçado havia caído, e então o grito do outro lado do pátio.

— Peguem-nos!

A voz de Hakeswill. As balas de mosquete se achatavam na torre do portão, lascavam as pedras do piso, e Sharpe recuou.

— Entrem! — Graças a Deus pela fumaça no pátio, a fumaça que escondia, mas então havia uma linha irregular visível vindo para eles, bocas abertas, baionetas à frente. Harper se apoiou no joelho e a arma enorme estava em seu ombro.

— Volte, senhor!

O coice da arma de sete canos quase fez Harper atravessar a passagem. O tiro arrancou o centro da linha de ataque, o estrondo ecoou pelo castelo. Sharpe agarrou o colarinho de Harper e o puxou para trás. O sargento rolou para dentro da passagem e balançou a cabeça.

— Deus salve a Irlanda.

— Escada, senhor! — O sargento *fusilier* apontou para uma escada em caracol.

— A porta!

Harper bateu a porta. Parecia podre e frágil, com a cabeça dos pregos meio caindo das tábuas outrora rígidas. Havia uma barra para a porta, e Sharpe a colocou no suporte enquanto uma bala de mosquete abria um buraco perto do seu pulso direito.

O sargento *fusilier* estava hesitando na base da escada curva.

— Os desgraçados estão lá em cima, senhor.

Sharpe lhe disse o que achava dos defensores lá em cima, depois foi na frente, com a espada estendida. Enquanto subia a apertada escada espiral, Sharpe entendeu a inteligência dos construtores do velho castelo, porque, nesta direção, os degraus viravam em sentido horário. O braço com que Sharpe empunhava a espada, como a maioria dos homens, era o direito, e ele era bloqueado e atrapalhado pela coluna central de pedra que sustentava a parte interna de cada degrau. Um defensor, subindo a escada de costas, teria muito mais liberdade para o braço direito. Até agora ninguém desafiava sua subida.

Avançava devagar, com cuidado, temendo cada degrau. Conseguia ouvir abaixo as coronhadas dos mosquetes na porta. Ela não ia suportar. Então um dos seus feridos deu um berro terrível, então Sharpe se lembrou do vislumbre de um fêmur despedaçado se projetando limpo da carne rasgada e soube que o sujeito estava sendo arrastado degraus acima. Pobre coitado, era o Natal de 1812, e ficou com tanta raiva ao pensar nisso que abandonou a cautela e subiu a escada correndo, gritando, e saiu bruscamente numa sala espaçosa onde homens, muito mais apavorados que ele, esperavam para ver o que saía pela porta. Não sabiam se seria amigo ou inimigo, e hesitaram por tempo suficiente para que a espada acabasse com um, e os outros dois correram para uma porta aberta que dava para o topo da muralha norte. Sharpe fechou a porta, colocou a barra e depois se virou para observar o refúgio.

Era uma câmara grande, retangular, iluminada por duas seteiras voltadas para o vale. Havia dois sarilhos enormes, apodrecidos havia muito, e uma polia enferrujada no teto mostrava onde um dia uma grade levadiça era baixada e erguida por guardas nesta sala. Outra escada circular levava para cima, partindo de um portal, e Sharpe soube que devia levar à pequena torre de onde os homens de Pot-au-Feu dispararam durante o ataque.

Harper estava carregando sua arma de sete canos, um processo demorado, enquanto os *fusiliers* arrastavam o ferido para a câmara. Sharpe agarrou a túnica do sargento.

— Dois homens para cada porta, mosquetes carregados. — Olhou para os sarilhos. Os enormes tambores ainda estavam ali, com a madeira apodrecida e empoeirada. — Tente bloquear a escada com um deles.

Um tiro ecoou pela escada, depois outro, então um estrondo agudo quando a porta foi derrubada. Sharpe sorriu para o sargento.

— Não se preocupe. Eles vão ser cautelosos para subir aqui.

Dois *fusiliers* puxaram o sarilho mais próximo, partindo pedaços de madeira da estrutura decrépita, sem sucesso. Harper entregou a um deles sua arma de sete canos e um punhado dos cartuchos de pistola com os quais a alimentava.

— Carregue isso, filho. É igual a uma porcaria de mosquete. Agora para trás.

Ele envolveu o grande tambor de madeira com seus braços enormes, testou a força, hesitando, contra a tensão das âncoras que mantinham o eixo fixo à trave enorme embaixo, e então os braços se retesaram, as pernas empurraram, o rosto ficou retorcido pelo esforço, e mesmo assim o tambor não se mexia. Um dos homens que vigiavam os degraus escorvou seu mosquete, apontou-o apressadamente e disparou pela escada em caracol. Um grito vindo de baixo. Isso iria retardá-los.

Harper puxou o tambor, xingou-o e o sacudiu num ritmo constante, então seus músculos partiram os suportes antigos. Puxou de novo, os tendões parecendo as cordas que um dia levantaram a grade através da fenda no piso, e Sharpe viu uma cantoneira de ferro enferrujada se partir, ouviu a madeira seca lascar, e as pernas de Harper se endireitaram enquanto o tambor era içado livremente com todo o seu peso, espalhando poeira antiga. O irlandês o carregou, o passo desajeitado como o de um urso dançarino, o fardo parecendo um barril de cerveja. Ele grunhiu para os dois guardas saírem do caminho. Soltou-o na escada. O tambor caiu, batendo e quicando, e depois entalou na curva. Harper limpou as mãos e sorriu.

— Um presente dos irlandeses. Eles terão de queimar o desgraçado para tirá-lo dali. — Voltou à sua arma de sete canos, terminou de carregá-la e sorriu para Sharpe. — Próximo andar, senhor?

— Eu já disse que você é um homem útil de se ter por perto?

— Diga à minha mãe, senhor. Ela quis me empurrar de volta, de tão pequeno que eu era. — Um dos *fusiliers* deu uma risada quase histérica. Sua jaqueta era nova com cores fortes, e Harper sorriu para ele. — Não se preocupe, garoto, eles estão com muito mais medo de você que você deles. — O garoto estava vigiando a porta que dava para a muralha norte, uma muralha livre de inimigos porque nenhum ataque ameaçava vir desse lado.

Sharpe foi até a porta que dava para o alto da torre menor e espiou com cautela. Uma escada vazia subindo. Uma voz xingou na outra escada, uma baioneta raspou a madeira do bloqueio, mas agora Sharpe não tinha medo de um ataque vindo de baixo. Tinha medo desta escada, entretanto. A esta altura, os homens lá em cima saberiam da existência de um inimigo embaixo. Sentiu-se tentado a deixá-los quietos, mas sabia que seria mais fácil defender o topo da torre do portão do que esta sala.

— Eu vou na frente.

— Com todo o respeito, senhor, essa arma é mais prática. — Harper sopesou os sete canos. Era verdade, mas Sharpe não podia deixar outra pessoa ir à frente.

— Você vem atrás.

A escada era como a primeira, curvando-se inconvenientemente para a direita, e Sharpe tentou não perder tempo pensando que os capitães do passado deviam mandar seus espadachins canhotos subirem primeiro uma escada assim. Estava apavorado. Cada passo fazia aumentar o medo, cada passo revelava outro trecho de parede escura e vazia. Um único homem com um mosquete não teria dificuldade para matá-lo. Parou, prestando atenção, desejando poder tirar as botas para que a subida fosse mais silenciosa.

Abaixo ouviu mosquetes, um grito, e em seguida a voz calma do sargento *fusilier*. Seria fácil para o sujeito defender a câmara por alguns minutos, mas Sharpe em parte achava que seu grupo passaria horas preso no castelo. Precisava conquistar o topo da torre menor e pensou nos defensores esperando no alto da escada e desejou sinceramente não ter de subi-la. Conseguia ouvir Harper se remexendo e resmungando atrás e o silenciou, irritado.

O irlandês empurrou uma coisa para ele.

— Aqui, senhor.

Era sua jaqueta verde. Sharpe entendeu. Deveria pendurar a jaqueta na ponta da espada porque os defensores, também nervosos, só estavam esperando que algo aparecesse na escuridão da escada. Harper sorriu e sinalizou com sua arma, indicando a Sharpe que ficasse perto da coluna da escada para que pudesse atirar para além dele e confiar no ricochete das sete balas. Sharpe enfiou a ponta ensanguentada da espada na gola da jaqueta e, à meia-luz, pôde ver o emblema da coroa de louro costurado na manga. Sharpe também usava um, o cobiçado emblema que dizia que um fuzileiro havia entrado primeiro numa brecha defendida, mas agora Badajoz parecia muito distante no passado, o medo absoluto daquele momento parecendo apenas uma lembrança desbotada, ao passo que o medo deste momento era enorme e paralisante. A morte era totalmente canalizada e direcionada por essa escada; no entanto, Sharpe havia aprendido que os degraus que o homem mais temia eram os que precisavam ser subidos. Subiu.

A jaqueta ia à frente, uma forma escura na escuridão, e ele tentou se lembrar de qual era a altura da torre do portão e quantos degraus seriam necessários para chegar ao topo, mas estava confuso. A curva da escada havia acabado com seu senso de direção, o medo fazia com que ficasse alarmado cada vez que a sola das suas botas raspava na pedra fria, imaginando a bala vindo de cima.

A lâmina da espada raspava na coluna central. A jaqueta se sacudia a cada passo. Era um ardil patético, não se parecia nem um pouco com um homem, mas ele disse a si mesmo que os defensores também estariam nervosos. Estariam ensaiando mentalmente que tipo de ataque viria pela escada, estariam pensando na morte nesse Natal.

A saraivada, quando veio, foi terrivelmente próxima, e as balas acertaram a jaqueta, enfunaram-na, rasgaram-na, e Sharpe se encolheu involuntariamente porque a escada parecia cheia de metal ecoando e acertando a pedra, e então a arma de sete canos explodiu perto de sua orelha, ensurdecendo-o. Sharpe gritou um desafio que não pôde ouvir, soltou a jaqueta da ponta da espada e partiu escada acima.

A jaqueta salvou sua vida. Havia pensado em simplesmente descartá-la e liberar a lâmina, mas seu pé direito pisou nela, e ele caiu para a frente, derrubando Harper atrás. O irlandês esmagou Sharpe, que perdeu o fôlego quando suas costelas foram pressionadas nos degraus, e, enquanto os dois caíam, a segunda saraivada, guardada para este momento, chamejou acima de suas cabeças. Harper sentiu o bafo quente das armas, soube que os tiros haviam errado o alvo e abriu caminho de quatro por cima de Sharpe, usando a arma enorme como um porrete no portal da torre menor que levava a escada até o topo da torre.

Sharpe foi atrás, a cabeça retinindo com a explosão da arma de sete canos, e no espaço confinado do telhado sua espada era a melhor arma. Agora teria como escoar o medo, feito um animal com garras solto de uma jaula fétida, e ele matou com a espada. Não conseguia ouvir nada, só ver o inimigo que recuava à frente, e soube que aqueles homens fizeram seus nervos se retesarem feito aço, o fizeram sentir medo num lugar apertado, e ele matou com a habilidade da mão que empunhava a espada.

Seis homens se encolhiam num canto da torreta, armas descartadas, mãos erguidas em súplica. Esses foram ignorados pelos fuzileiros. Três ainda lutavam, e esses três morreram. Dois com a espada, o terceiro Harper pegou e jogou no pátio. Seu grito agonizante foi o primeiro som que penetrou nos ouvidos atordoados de Sharpe.

Ele baixou a espada, o olhar sério fixo nos homens aterrorizados, comprimidos contra as ameias. Respirou fundo e balançou a cabeça.

— Meu Deus.

Harper pegou os dois corpos que estavam no alto da escada, um de cada vez, e os jogou atrás do outro homem. Olhou para seu oficial.

— Escadas liberadas e castelos tomados. Deveríamos entrar para esse ramo de negócios, senhor.

— Não gostei disso.

— Eles também não, senhor.

Sharpe gargalhou. Tinham conseguido, tomaram o topo da torreta, e ele se perguntou quem teria subido pela última vez aquela escada numa luta, e quantos anos antes isso teria acontecido. Seria antes da existência da pólvora? Será que o último homem a sair à luz do sol nesta fortificação estaria usando uma armadura desconfortável, balançando uma maça curta que esmagaria os inimigos na ratoeira confinada da escada em caracol? Sorriu para Harper e deu um tapa no braço dele.

— Muito bem.

Quem quer que tivesse subido aquela escada pela última vez, lutando, fez exatamente como Sharpe agora. Gritou para baixo no fosso da escada, gritou alto, e esperou que o homem trouxesse o que ele queria. Balas passaram acima da cabeça dos dois, vindas da torre de menagem do castelo, mas Sharpe as ignorou. Gritou de novo, impaciente, e ali estavam elas, com o mastro quebrado, mas isso não importava.

Nas velhas ameias, voltadas para o leste, para as companhias de *fusiliers* e fuzileiros, Sharpe pendurou as bandeiras. Estavam descoloridas por causa da fumaça, rasgadas por explosões e balas, mas eram as bandeiras. Estandartes pendurados numa muralha de castelo, um guerreiro se vangloriando, estandartes pendurados por Sharpe e Harper. A torre do portão estava tomada.

CAPÍTULO 13

Foi pura fanfarrice pendurar as bandeiras na torre do portão, cada uma delas foi fixada cravando-se uma baioneta inimiga no pano e na argamassa esfarelada das muralhas. Ocorreu a Sharpe que ele e Harper salvaram as bandeiras da impetuosidade e da estupidez de Sir Augustus, e Sharpe olhou para baixo, para o lugar onde Farthingdale caiu. Lá ainda subia fumaça, e então Sharpe xingou e se abaixou quando uma bala vinda do vale tirou uma lasca de pedra perto das bandeiras. Alguém lá embaixo achava que as bandeiras tinham sido capturadas, que o inimigo as estava exibindo.

— Senhor? — Harper apontou para o convento.

A Tropa de Foguetes havia chegado. A luta na muralha leste significava que a travessia deles pelo passo, perto da parede norte do castelo, não tinha sido perturbada. Agora as carroças estavam paradas na estrada que ia até o convento, as tropas olhando com curiosidade a confusão do ataque fracassado.

Quem estaria no comando lá embaixo? Sir Augustus estaria vivo? Sharpe presumia que Kinney estivesse morto, certamente o galês tinha levado muitos tiros, portanto quem estaria dando ordens para as companhias que haviam escapado da explosão? Balas tornavam mortal o ar acima da torre do portão. Sharpe se sentou e observou Harper carregando a arma de sete canos.

— Vamos esperar.

Não havia nada que Sharpe pudesse fazer de cima da torreta alta. Tinha arrancado alguns *fusiliers* do caos, salvado as bandeiras e agora teriam de ficar sentados até as defesas do castelo caírem. Desejou ter comido alguma coisa no desjejum.

Sharpe havia pendurado as bandeiras por pura fanfarrice, mas para os *fusiliers* eram uma provocação ao seu fracasso. Eles não viam que eram fuzileiros na muralha alta, só viam seu orgulho, suas bandeiras, presas numa fortaleza inimiga. Homens não lutavam tanto pelo rei e pelo país quanto lutavam por aqueles quadrados de seda franjada, e os *fusiliers*, recuperando a ordem, viam as bandeiras, e nada no mundo iria impedi-los de tentar recuperá-las. Seis companhias passaram ilesas pela explosão, duas outras foram pouco afetadas, e agora elas se viraram e atacaram, e Frederickson lançou seus fuzileiros à frente delas.

Ninguém notou que os canhões na torre de vigia tinham parado de disparar. A batalha não era mais conduzida, agora era uma expressão de raiva.

As balas tinham parado de zunir junto à torre do portão e Sharpe se arriscou a olhar, viu os homens em disparada vindos do vale e se virou para trás.

— Mosquetes! — Apontou para as armas que pertenceram à meia dúzia de prisioneiros ainda encolhidos contra as pedras.

Harper vasculhou os mosquetes diante deles, escolheu quatro ainda carregados e arqueou as sobrancelhas para Sharpe.

— O canhão.

O canhão na muralha leste, perto da torre de menagem, era a única arma que poderia atrapalhar o ataque. Era um disparo distante para um mosquete, mas balas voando perto dos ouvidos dos artilheiros iriam pelo menos desencorajá-los. Sharpe apontou um mosquete francês, pouco familiar, por cima da muralha. Parecia desajeitado. Dava para ver os artilheiros atrás de sua barreira de proteção, um deles segurando o bota-fogo que incendiaria o tubo de escorva lançando metralha cano afora. Mirou um pouco acima da cabeça do sujeito e apertou o gatilho. A arma deu um coice em seu ombro, a fumaça bloqueou sua visão, e então o mosquete de Harper soou na ameia ao lado. Sharpe pegou o segundo mosquete, engatilhou-o e esperou até que a fumaça do primeiro tiro houvesse se dissipado um pouco. Desgraça de ar parado!

Os artilheiros tinham se abaixado, olhavam ensandecidamente ao redor, procurando a fonte dos tiros. Sharpe sorriu, mirando mais baixo, e de novo uma pederneira soltou fagulha no aço, a escorva explodiu na sua cara, a pólvora ardente queimando a bochecha, e de novo a fumaça obscureceu sua visão. Então vieram gritos de comemoração da área do entulho, gritos de aviso no pátio. Sharpe e Harper se levantaram e observaram do alto a cena.

Pot-au-Feu não tinha defesa contra esse segundo ataque. Havia colocado todas as esperanças no poder destrutivo da mina, acrescentado ao desatino de seus homens, e agora sua defesa desmoronava. Sharpe viu, com satisfação, os artilheiros deixando o canhão sem dispará-lo, correndo para a segurança da torre de menagem, e seu exemplo foi seguido pela ralé no pátio. Fardas vermelhas em disparada por cima do entulho, com uma fila de fuzileiros verdes à frente, e os *fusiliers* não estavam com clima para misericórdia. Levavam as finas baionetas de quarenta e cinco centímetros ao inimigo, cravavam, e as lâminas voltavam rubras enquanto os homens de Pot-au-Feu clamavam e lutavam para chegar à segurança da única porta em arco que dava para a torre de menagem.

Uma corneta estava tocando, uma nota dupla no centro de cada chamado, impelindo os homens à carga, e os fuzileiros de Frederickson, com suas baionetas mais longas, mandavam mais fugitivos na direção do estábulo abaixo da muralha oeste. Eles pulavam o muro baixo, gritavam seu desafio e o inimigo fugia.

As baionetas não eram usadas com frequência no campo de batalha, pelo menos não para matar. A força da arma estava no pavor que provocava, e Sharpe tinha testemunhado dezenas de cargas de baionetas em que as lâminas jamais chegavam ao inimigo. Os homens se viravam e fugiam em vez de enfrentar o aço afiado. Mas ali, no confinamento do pátio, fuzileiros e *fusiliers* acuaram um inimigo que não tinha espaço para fugir. Matavam como foram treinados, e demorou um tempo até soldados perceberem que alguns desertores estavam se rendendo, e então os atacantes começaram a defender os prisioneiros desarmados da fúria de outros homens que ainda caçavam com lâminas pingando sangue. Sharpe viu Frederickson, sem o tapa-olho e os dentes, mandando tropas para a escada ao lado do estábulo que levava para a parede oeste. As defesas do castelo estavam caindo.

— Vamos descer.

Outros dois *fusiliers* chegaram ao topo da escada, e Sharpe os deixou vigiando os prisioneiros. Ele e Harper desceram a escada ruidosamente, mundana agora que não era um lugar de medo sufocante, e chegaram à sala grande onde o ferido gemia, então o sargento *fusilier* virou o rosto preocupado para Sharpe.

— São os nossos rapazes, senhor?

— São. Fique gritando escada abaixo. Eles sabem o seu nome, não é?

— Sim senhor.

Sharpe abriu a porta que dava para a muralha norte. Estava vazia. Na outra ponta o caminho penetrava num túnel na torreta noroeste antes de virar à esquerda para a muralha oeste. Enquanto olhava, viu uma figura aparecer na torreta, abaixar-se num joelho e apontar um fuzil. Sharpe saiu à luz do sol.

— Não atire!

Thomas Taylor, o americano, apontou o fuzil bruscamente para o alto. Sorriu, sabendo que tinha assustado Sharpe, depois gritou para trás. Frederickson apareceu empunhando o sabre, e seu rosto mostrou perplexidade e depois prazer. Correu pelo passadiço.

— Era o senhor lá em cima?

— Era.

— Meu Deus! Nós achamos que era o inimigo. Meu Deus! Achei que o senhor estava morto!

Sharpe olhou para o pátio onde os homens de Pot-au-Feu faziam uma defesa desesperada na passagem para a torre de menagem. Afora isso era o caos enquanto *fusiliers* faziam prisioneiros, revistavam-nos e gritavam em triunfo acima do botim.

— Quem está no comando?

— Não faço a mínima ideia, senhor.

— E Farthingdale?

— Não vi.

Sharpe conseguia imaginar o que aconteceria se os *fusiliers* chegassem à bebida que Pot-au-Feu sem dúvida guardava no castelo. Deu algumas ordens a Frederickson, gritou outras para o capitão Cross, cujos fuzileiros agora se enfileiravam na muralha leste, e se virou para Harper.

— Vamos ver se encontramos aquela porcaria de ouro que nós entregamos.

— Meu Deus! Eu tinha esquecido! — O sargento sorriu. — O senhor na frente.

Não houve resistência na porta que ia do topo da muralha para a torre de menagem. Os fuzileiros já haviam passado, espalhando-se nos andares construídos ao redor do pátio central da torre de menagem. Prisioneiros eram arrastados para fora de esconderijos, chutados pelas escadas em caracol, e Sharpe ouvia gritos de mulheres e choro de crianças apavoradas. Então, olhando por uma seteira meio desmoronada e alargada na face sul da torre de menagem, xingou.

— Senhor?

— Olhe.

Era culpa sua. Uma patrulha de fuzileiros de manhã cedo teria descoberto que havia um ponto de fuga para os morros, partindo direto da torre de menagem. Sharpe não conseguia vê-lo, mas supôs que as pedras tivessem caído de parte da parede de baixo, e via os restos do bando de Pot-au-Feu atravessando com dificuldade os espinheiros em direção ao terreno mais limpo no alto do morro. Era uma grande quantidade de homens, mulheres e crianças, todos escapando. Xingou de novo. Era culpa sua. Deveria ter mandado batedores para o sul.

Harper xingou também, depois apontou pela seteira.

— Tem mais vidas que um punhado de gatos malditos.

Era Hakeswill, montado a cavalo, com o pescoço comprido facilmente visível enquanto esporeava o animal subindo o morro. Harper desceu da ameia.

— Não vão chegar longe, senhor.

A maioria não chegaria longe. O inverno e os guerrilheiros garantiriam isso, mas Hakeswill tinha ido embora, escorregando para o mundo, onde planejaria mais maldades. Harper ainda tentou desconsiderar o fracasso.

— Devemos ter pegado metade deles, senhor. Ou mais!

— É. — Era um sucesso, quanto a isso não havia dúvida. Adrados seria considerada vingada, as reféns foram resgatadas, as mulheres capturadas no Dia do Milagre foram salvas, os sacerdotes que pregaram a calúnia da Inglaterra em seus púlpitos teriam de engolir a humildade. Era um sucesso. No entanto, Sharpe via seu inimigo no alto do morro, um inimigo que parou, virou-se na sela e depois cavalgou para o outro lado. — Eles devem ter levado a porcaria do ouro.

— Provavelmente.

Gritos, tiros de mosquete e o som de caçadores e caçados ainda vinham das salas do castelo. Casacas-vermelhas corriam pelos andares, procurando saque ou mulheres, e Sharpe e Harper os afastavam a cotoveladas enquanto desciam para o pátio. Um grito os atraiu e eles viram Frederickson, ainda empunhando o sabre, ameaçando *fusiliers*. Ele viu Sharpe e abriu um sorriso.

— A bebida está ali, senhor. — Frederickson indicou com o rosto medonho a porta atrás dele. — O bastante para embebedar Londres.

Prisioneiros eram arrebanhados para os cantos do pátio, uma repetição da cena da noite anterior no convento, e Sharpe ficou observando os oficiais dos *fusiliers* assumirem o controle de seus homens. Estava acabado, tudo acabado, o trabalho de Natal. Olhou para Frederickson, que marcava o fim da luta colocando o tapa-olho.

— Mais alguma coisa interessante?

— O senhor deveria olhar os porões. É uma coisa feia, no escuro.

A escuridão foi afastada por tochas de palha levadas por homens curiosos para dentro das masmorras do castelo. Era um lugar desolador. Uma sala vasta, com pé-direito baixo e teto abobadado, úmida e gélida. Sharpe abriu caminho pela multidão de *fusiliers* e parou à beira do horror. Viu um sargento.

— Não fique aí parado! Pegue um grupo de prisioneiros. Livre-se disso!

— Sim senhor.

— Hakeswill? — perguntou Harper.

— Quem sabe? Podemos descobrir se algum desses desgraçados contar a verdade.

Alguém andou ocupado. O bando de desertores no Portal de Deus não foi muito fraternal. Houve castigo ali também, e era pior do que qualquer exército. Fazia o porão feder. Homens foram mutilados, e Sharpe, olhando as sombras medonhas, viu que mulheres também tinham sido levadas àquele lugar de castigo. Os corpos pareciam ter levado machadadas de um louco, depois foram deixados como comida para os ratos, e apenas um corpo, nu e rígido, estava inteiro. Parecia intocado. Curioso, Sharpe se aproximou para ver a cabeça do homem.

— Hakeswill fez isso.

— Como o senhor sabe?

Sharpe bateu com uma unha no crânio. O som foi metálico.

— Ele foi morto com um prego de cabeça chata.

— O quê? Martelado?

— Não exatamente. Eu o vi fazer isso antes. Na Índia. — Sharpe contou a Harper a história e os *fusiliers* ouviram. Contou como foi capturado pelas tropas do sultão Tipu e levado às celas em Seringapatam onde viu, pelas janelas em forma de meia-lua que davam paro nível térreo, a tortura dos prisioneiros ingleses. Talvez tortura fosse uma palavra forte demais, porque os homens morriam bem depressa. O sultão Tipu, para seu próprio prazer e de suas mulheres, empregava homens fortes profissionais, e Sharpe viu homens do 33º serem arrastados pela areia até onde os sujeitos musculosos esperavam. Os calcanhares dos prisioneiros deixavam marcas no chão, lembrou-se. Naquele dia eles mataram de dois modos. O primeiro era apertar os antebraços maciços dos dois lados da cabeça da vítima e, a um sinal de Tipu, os carrascos respiravam fundo e giravam a cabeça em meio círculo. Outro homem forte segurava o corpo imóvel e, independentemente da resistência dos prisioneiros, os pescoços eram partidos rápido como se fossem galinhas.

O outro método era encostar a ponta de um prego de quinze centímetros e cabeça chata no crânio da vítima e, com uma pancada forte da palma da mão, cravá-lo no crânio. Isso também matava rápido, se o serviço não fosse malfeito, e Sharpe se lembrou de ter contado o que tinha visto ao sargento Hakeswill, que ouviu com os outros homens ao redor da fogueira de acampamento. Hakeswill tentou fazer isso com prisioneiros indianos, treinando até conseguir. O desgraçado do Hakeswill. Sharpe havia amaldiçoado o sultão Tipu também, e o matou mais tarde quando as tropas britânicas atacaram a cidadela de Seringapatam. Ainda se lembrava da expressão do homenzinho gordo quando um dos seus prisioneiros saiu pelo lado errado do Túnel de Água, onde o sultão estava disparando suas armas cravejadas de joias, feitas para a caça, contra os ingleses. Essa era uma boa lembrança, estragada somente pelo rubi que Sharpe havia arrancado de um dos dedos gorduchos e mortos. Ele deu o rubi a uma mulher em Dover, uma mulher que ele pensava amar mais que a própria vida, e então ela fugiu com um professor de óculos. Supôs que ela havia sido sensata. Quem precisa de um soldado como marido?

Tomou um susto com gritos de comemoração repentinos, vindos do alto da escada das masmorras, gritos e zombaria, risadas e provocações, e ele deixou os corpos em seu horror incrustado e subiu para ver o que causava aquela comoção.

Fusiliers e fuzileiros tinham formado um corredor pelo qual empurravam um prisioneiro com a coronha de mosquetes e fuzis. O prisioneiro fazia pequenos gestos apaziguantes inúteis com as mãos gordas e sorriu para a esquerda e para a direita, fez reverências, então deu um gritinho quando outra coronha de mosquete o cutucou nas amplas nádegas. Pot-au--Feu. Ainda usava sua farda ridícula de marechal, faltando apenas a cruz de ouro esmaltada que estivera pendurada no pescoço. Viu Sharpe e se ajoelhou, implorando misericórdia com sua voz grave enquanto o inimigo ria ao redor. Um *fusilier* atrás dele levantou um mosquete e apontou para o pescoço abaixo do grande chapéu emplumado.

— Abaixe isso! Você o encontrou?

— Sim senhor. — O homem baixou o mosquete. — Estava no estábulo, senhor, escondido embaixo de uma lona. Acho que era gordo demais para fugir.

Sharpe olhou o rosto que balbuciava para ele.

— Cala a boca!

A massa de gordura fardada e trêmula ficou em silêncio. Sharpe deu a volta nele, tirando o chapéu estupendo de cima dos cachos de querubim.

— Este, rapazes, é o seu inimigo. Este é o marechal Pot-au-Feu. — Os *fusiliers* gargalharam. Alguns prestaram continência para o gordo cujos olhos espiavam Sharpe circulando. Sempre que Sharpe ficava às costas dele, a cabeça se virava bruscamente no leito de papadas para captar Sharpe voltando pelo outro lado. — Não é todo dia que capturamos um marechal francês, não é? — Sharpe jogou o chapéu para o homem que havia encontrado Pot-au-Feu. — Quero que ele seja vigiado, rapazes. Não o machuquem. Sejam muito gentis com ele porque ele vai ser muito gentil com vocês. — A cabeça se virou bruscamente de novo, os olhos preocupados. — Na verdade, esse aí é um sargento francês e era cozinheiro. Um cozinheiro muito, muito bom. Tão bom que agora vai para a cozinha preparar uma ceia de Natal para vocês!

Os homens comemoraram e observaram Sharpe colocar Pot-au-Feu de pé. Sharpe espanou a palha da jaqueta azul e dourada.

— Seja bom agora, sargento! Não ponha na sopa nada que não deva estar nela! — Era difícil ligar aquele rosto gordo, de aparência feliz, ao horror da masmorra.

Entendendo que não seria morto no ato, Pot-au-Feu assentia ansioso para Sharpe.

— Cuidem dele. Levem-no.

Capturar o líder daquele bando miserável tornou a vitória mais doce, aliviou o fardo de não ter bloqueado a rota de fuga do castelo. Sharpe se levantou e viu os grupos de prisioneiros sendo empurrados juntos e ouviu os gritos das mulheres que puxavam os braços dos captores e berravam por maridos e amantes. Ainda era o caos no pátio.

Um tenente fuzileiro o encontrou e prestou continência.

— O capitão Frederickson manda seus cumprimentos, senhor, e diz que eles abandonaram a torre de vigia.

— Onde está o capitão Frederickson?

— No telhado, senhor. — O tenente virou a cabeça para a torre de menagem.

— Deixe três homens de guarda com a bebida e peça ao capitão que leve a companhia para a torre. — Sharpe não queria colocar mais um fardo sobre Frederickson, mas não poderia ordenar que uma companhia de *fusiliers* fosse à torre, ao menos enquanto era um oficial de posto inferior a quem quer que estivesse no comando. Isso era algo a se pensar. Quem estaria no comando? Sharpe perguntou aos *fusiliers* se eles tinham visto Farthingdale, mas eles balançaram a cabeça, e não tinham notícias de Kinney. O próximo na linha de comando dos *fusiliers* seria um tal de major Ford, mas Ford também estava sumido. — Procurem-no!

— Sim senhor. — Um sargento dos *fusiliers* recuou para longe da raiva de Sharpe.

Sharpe olhou para Harper.

— Seria bom almoçar alguma coisa.

— Vou receber isso como uma ordem, senhor.

— Não! Eu só estava comentando.

Mesmo assim Harper seguiu Pot-au-Feu em direção à cozinha do castelo. Sharpe foi até o entulho da muralha leste e sentiu cheiro de carne queimada. Uma batalha miserável contra um inimigo miserável, e pior, uma batalha que não precisaria ser travada. Se a torre de vigia fosse tomada, os corpos que ainda cobriam a brecha ampla não precisariam estar ali. Esse pensamento o deixou com raiva e ele se virou para um capitão dos *fusiliers* que estava passando por cima das pedras escurecidas.

— Ninguém pensou em enterrar esses homens?

— Senhor? Ah, vou cuidar disso, senhor. Major Sharpe?

— Sim.

O capitão prestou continência.

— Capitão Brooker, senhor. Companhia de granadeiros. — Brooker estava nervoso.

— Sim?

— O coronel Kinney está morto, senhor.

— Ah, sinto muito. — Sharpe sentia mesmo. Apesar de ter conhecido Kinney há pouco tempo, gostava dele, e se lembrou do galês dizendo como seria uma tragédia para qualquer homem morrer no Natal. — Sinto muito, capitão.

— Ele era um bom homem, senhor. O major Ford também morreu.

— Meu Deus!

Brooker deu de ombros.

— Pelas costas, senhor. Um tiro.

— Ele era impopular?

Brooker deu de ombros.

— Bastante, senhor.

— Acontece. — Acontecia mesmo, mas ninguém gostava de admitir. Certa vez Sharpe ouviu um capitão, sabendo da própria impopularidade, apelar aos seus homens antes da batalha que deixassem os inimigos o matarem. Eles concederam o desejo.

Então Sharpe se lembrou. Ford era o único major dos *fusiliers*, já que o segundo estava de licença, e isso significava que Sharpe era o oficial de maior posto. A não ser por Farthingdale.

— Você viu Sir Augustus?

— Não senhor.

— Você é o capitão mais antigo?

— Sim senhor. — Brooker fez que sim.

— Você vai encontrar fuzileiros lá também. E mande alguém trazer aqueles idiotas para cá. — Sharpe apontou para a Tropa de Foguetes cujos homens vagavam curiosos até o vilarejo.

— E os prisioneiros, senhor?

— Para as masmorras, quando tiverem sido limpas. Tragam os do convento para cá também. Dispa todos.

— Senhor?

— Dispa-os. Tire a porcaria da farda deles. Eles as desgraçaram. E homens nus acham difícil escapar nesse tempo.

Brooker assentiu, infeliz.

— Sim senhor.

— E mande enterrar esses homens! Pode usar prisioneiros. Eles podem ficar vestidos se forem trabalhar do lado de fora. Você tem algum cirurgião no batalhão?

— Sim senhor.

— Ponha-o para trabalhar no convento. Leve os feridos para lá. — Sharpe se virou para olhar os dois primeiros esquadrões da companhia de Frederickson passando sobre as pedras em direção à torre de vigia, a quinhentos metros dali. Graças a Deus os fuzileiros existiam. — Faça isso, capitão. Depois me encontre. Podemos ter esquecido alguma coisa.

— Sim senhor.

Farthingdale. Onde diabos Farthingdale estava? Sharpe passou pelas pedras espalhadas indo em direção ao ponto onde tinha visto o coronel cair, mas não havia nenhuma farda vermelha, dourada e preta entre os mortos. Tampouco o grande cavalo baio de Sir Augustus estava caído no próprio sangue. Talvez o coronel ainda estivesse vivo, e neste caso ele estaria no comando, mas onde diabos ele estava?

Um tenente conduziu outros doze fuzileiros por cima das pedras, mas ainda havia alguns homens de jaqueta verde nas ameias da torre de menagem, porque uma corneta subitamente espantou o vale, uma corneta tocada da pedra mais alta do castelo, uma corneta que deu dois toques rápidos. O primeiro com nove notas, o segundo com apenas oito. "Descobrimos o inimigo." "O inimigo é cavalaria."

Sharpe olhou para o alto da muralha. Um rosto se inclinou para fora de uma ameia e Sharpe pôs as mãos em concha na boca.

— Onde?

A mão apontou para o leste.

— O que são?

— Lanceiros. Franceses!

Outro inimigo tinha chegado ao Portal de Deus.

CAPÍTULO 14

Havia uma prioridade na cabeça de Sharpe, apenas uma, e ele correu para o convento acenando os braços, berrando.
— Capitão Gilliland! Capitão Gilliland!
Seguiu pela estrada e viu, com alívio, que os cavalos ainda estavam presos às carroças.
— Em movimento! Depressa!
— Senhor? — Gilliland vinha correndo da porta do convento.
— Ponha essa tropa em movimento! Depressa! Para o castelo. Tire essa porcaria de carro do caminho, mas depressa! — Sharpe apontou para o carro de boi que bloqueava o portão principal do castelo. Gilliland ainda olhava para ele boquiaberto. — Pelo amor de Deus, mexa-se!
Sharpe olhou para os artilheiros espalhados pelo vale seguindo para o vilarejo. Pôs as mãos em concha.
— Artilheiros!
Perseguiu-os, gritou com eles, virou cavalos pessoalmente, e aos poucos o senso de urgência foi passado aos homens que achavam que o Natal era um dia de descanso.
— Mexam-se, desgraçados! Não é a porcaria de um enterro! Andando, homem! Mexa-se!
Não temia um ataque da cavalaria francesa. Achava que os homens da torre de menagem tinham visto os batedores avançados de uma força francesa enviada para fazer o que ele fez na noite anterior: resgatar as reféns. Agora os três cavaleiros avistados ao amanhecer faziam sentido; eram uma

patrulha que descobriu que o trabalho foi feito por eles, e sem dúvida agora os franceses esperavam recuperar suas reféns sob uma bandeira de trégua, mas ainda assim Sharpe não queria que eles vissem as carroças estranhas e a forja portátil da Tropa de Foguetes. Talvez estivesse certo e não houvesse luta, ou talvez estivesse errado. Neste caso, os foguetes, embrulhados em suas caixas especiais nas carroças compridas, seriam a única surpresa com a qual ele poderia aparecer neste vale alto.

— Andem!

Mesmo que os franceses vissem as carroças, não teriam ideia do seu propósito, mas Sharpe não queria correr riscos. Eles saberiam da existência de algo estranho na extremidade oeste do vale e seriam cautelosos. A surpresa seria atenuada.

Sharpe correu com a carroça da frente e gritou para os *fusiliers*:

— Liberem o portão! Depressa!

Frederickson, o confiável Frederickson, abriu caminho entre os homens que lutavam com a carroça.

— Lanceiros, senhor. Fardas verdes com acabamento vermelho. São só uma dúzia.

— Verde e vermelho?

— Acho que são da guarda imperial. Alemães.

Sharpe olhou para o vilarejo, mas não viu nada. O vale descia depois de Adrados antes de virar à direita, para o sul, e, se não podia vê-los, eles não podiam ver as carroças estranhas que enfim se moviam atrás dele entrando no pátio do castelo. Lanceiros alemães. Homens recrutados nos ducados e pequenos reinos que se aliaram a Napoleão. Havia muito mais alemães lutando contra o imperador que por ele, mas eram iguais em um aspecto: lutavam melhor que a maioria dos homens nos campos de batalha. Sharpe procurou Gilliland.

— Esconda seus homens no estábulo, ouviu? Esconda-os!

— Sim senhor. — Gilliland estava pasmo com a súbita urgência. Sua guerra, até agora, havia sido uma questão paciente de ângulos e teorias; de repente a morte estava logo além do horizonte.

— Onde está sua companhia? — Sharpe se virou de novo para o capitão dos fuzileiros.

— A caminho, senhor. — Frederickson indicou com a cabeça os fuzileiros que atravessavam os arbustos de espinhos. — Em dez minutos todos estarão lá.

— Ordenei que uma companhia de *fusiliers* também fosse para lá. Vou mandar outra. Só garanta uma coisa.

— Senhor?

— Que sua comissão seja anterior à deles.

Frederickson sorriu.

— Sim senhor. — O capitão que tivesse sido promovido primeiro ao posto estaria no comando da guarnição da torre, e Sharpe não queria que esse combatente caolho estivesse sob o comando de ninguém mais além do seu. Frederickson mentiria por ele.

— E, William? — Era a primeira vez que ele usava seu nome de batismo.

— Pode me chamar de Bill, senhor.

— Presuma que tenhamos de lutar. Isso significa que você estará sustentando aquele morro.

— Sim senhor. — O Doce William se afastou animado com a promessa não só de luta, mas de uma luta pessoal. Alguns oficiais odiavam a responsabilidade, mas os melhores a recebiam bem, queriam-na e a tomavam quer fosse oferecida ou não.

Agora havia dezenas de coisas para Sharpe fazer. Uma segunda companhia precisava ser despachada para a torre de vigia, fuzileiros tinham de ser mandados para o convento, munição deveria ser tirada das carroças de Gilliland e distribuída para pronto uso em todas as posições. Encontrou o corneteiro de Cross, depois dois alferes dos *fusiliers* e fez deles seus mensageiros pessoais, e o tempo todo idiotas vinham procurá-lo com problemas que eles próprios poderiam resolver sem sua ajuda. Como a comida seria levada à torre de vigia? E as mochilas que ficaram no convento? A corda que tirava a água do poço na torre de menagem estava arrebentada, e Sharpe dava broncas, adulava, decidia, e o tempo todo vigiava o povoado em busca do primeiro sinal dos cavaleiros inimigos.

O sargento Harper, impassível e calmo, foi até Sharpe, que estava sobre o entulho da muralha minada; carregava numa das mãos um naco de pão encimado por carne e na outra um odre de vinho.

— O almoço, senhor. Meio tarde.
— Você comeu?
— Sim senhor.

Por Deus, como estava com fome! Era cordeiro frio, e a manteiga no pão estava fresca. Ele deu uma mordida, e o gosto foi celestial. Um sargento dos *fusiliers* se aproximou e quis saber se o portão do castelo deveria ser bloqueado de novo. Sharpe disse que não, mas mandou manter a carroça perto, depois outro homem perguntou se poderiam enterrar Kinney na entrada do passo, onde a sepultura olharia para sempre para os morros verdes e marrons de Portugal, e Sharpe disse que sim, e a cavalaria francesa continuava esperando fora do campo de visão. Os homens de Frederickson estavam na torre, graças a Deus, e Brooker tinha duas companhias de *fusiliers* o seguindo. Sharpe viu uma terceira companhia partir para o convento e começou a relaxar. Havia sido um começo. O vinho estava gelado e rascante.

Foi para o pátio do castelo e ordenou que o muro baixo fosse derrubado e as pedras usadas para bloquear a escada ao lado dos estábulos que levava ao topo da muralha oeste. Terminou de comer o cordeiro, lambendo as migalhas de pão e a gordura da mão, e em seguida veio um grito imperioso do portão do castelo.

— Sharpe! Major Sharpe!

Sir Augustus Farthingdale, com Josefina montada de lado junto dele, parado com seu cavalo no arco.

A porcaria do Sir Augustus Farthingdale, parecendo que estava cavalgando no Hyde Park de Londres. A única discrepância era uma bandagem branca e limpa aparecendo embaixo do chapéu, na têmpora direita. Chamava Sharpe com movimentos bruscos do chicote de montaria.

— Sharpe!

Sharpe foi até o muro baixo.

— Senhor?

— Sharpe. Minha esposa gostaria de ver um foguete ser disparado. Faça o favor de arranjar isso.

— Não será possível, senhor.

Sir Augustus não era o tipo de homem que gostava de ser contrariado, e certamente não por um oficial inferior, diante do amor de sua vida.

— Acho que eu dei uma ordem, Sr. Sharpe. Espero que seja obedecida.

Sharpe colocou o pé direito no muro e o odre de vinho pendia da mão apoiada num joelho.

— Se eu demonstrasse um foguete para Lady Farthingdale, senhor, também demonstraria para as tropas francesas que estão no vilarejo.

Josefina guinchou, parecendo empolgada. Sir Augustus encarou Sharpe como se o oficial fuzileiro estivesse louco.

— O quê?

— Tropas francesas, senhor. No vilarejo. — Sharpe olhou para as ameias da torre de menagem e gritou: — O que você está vendo?

Um fuzileiro, da companhia de Cross, berrou:

— Dois esquadrões de lanceiros, senhor! E agora um batalhão de infantaria à vista, senhor!

Agora infantaria! Sharpe se virou para olhar para o vilarejo, mas nenhum francês havia passado pelas casas e aparecido. Farthingdale avançou com seu cavalo, os cascos barulhentos nas pedras.

— Por que diabos eu não fui informado, Sharpe?

— Ninguém sabia onde o senhor estava.

— Maldição, homem, eu estava com o doutor!

— Espero que não tenha sido nada sério, senhor.

Josefina sorriu para Sharpe.

— Sir Augustus foi atingido por uma pedra, major. Na explosão. — E Sir Augustus, pensou Sharpe, insistiu em receber atenção do médico quando havia homens eviscerados, gritando, precisando muito mais de ajuda.

— Maldição, Sharpe! Por que eles estão no vilarejo?

A pergunta, concluiu Sharpe, era na verdade: por que permitiram que os franceses chegassem ao vilarejo. Não havia resposta óbvia, uma resposta que nem mesmo o autor das *Instruções práticas ao jovem oficial na arte da guerra, com referência especial aos combates que acontecem atualmente na Espanha* saberia. Os franceses estavam no vilarejo porque não havia tropas suficientes para sustentar a torre de vigia, o castelo, o convento e ainda lutar contra os franceses mais a leste. Sharpe optou por ler um significado diferente na pergunta petulante de Sir Augustus.

— Imagino que tenham vindo pelo mesmo motivo que nós, senhor. Para resgatar suas reféns.

— Eles lutarão? — Sir Augustus não ficou feliz em fazer essa pergunta, mas não conseguiu se conter. O autor das *Instruções práticas* tirou todo o seu material de despachos e de outros livros semelhantes ao seu, e não estava acostumado a tamanha proximidade com o inimigo.

Sharpe tirou a tampa do odre de vinho.

— Duvido, senhor. As mulheres deles ainda estão conosco. Espero que vejamos uma bandeira de trégua na próxima meia hora. Gostaria de sugerir que avisemos a madame Dubreton que ela nos deixará em breve.

— Sim. — Farthingdale se inclinava por cima da cabeça de Sharpe, procurando um vislumbre do inimigo. Por enquanto não via nada. — Cuide disso, Sharpe.

Sharpe cuidou, e também mandou Harper com um pedido a Gilliland, para que emprestasse um cavalo de montaria. Não tinha intenção de deixar Sir Augustus fazer toda a negociação com o inimigo, e a confiança que sentia no oficial superior não aumentou quando ele por fim se interessou pelos preparativos de Sharpe. Observou os soldados desmantelando o muro baixo e franziu a testa.

— Por que você ordenou isso?

— Porque é inútil como defesa, senhor. E, de qualquer modo, se houver uma batalha, prefiro que eles entrem no pátio.

Farthingdale ficou sem palavras por um instante.

— No pátio?

Sharpe limpou o vinho dos lábios, tampou o odre de novo e sorriu.

— É uma ratoeira, senhor. Assim que entrarem, estarão presos. — Ele tentou parecer mais confiante do que se sentia.

— Mas você disse que eles não iriam lutar.

— Não creio que lutem, senhor, mas devemos nos preparar para essa possibilidade. — Contou a Farthingdale suas outras precauções, sobre a guarnição na torre de vigia, e manteve um tom educado. — Há alguma outra coisa que o senhor deseje?

— Não, Sharpe, não. Vá em frente!

Maldito Farthingdale. O general de divisão Nairn, com sua fascinante indiscrição, disse a Sharpe que Farthingdale tinha esperanças de um alto comando.

— Nada perigoso, veja bem, por Deus, não! Uma daquelas salas elegantes na Guarda Montada, com soldados de chocolate prestando continência. Ele acha que, se escrever o livro certo, eles lhe darão todo o Exército para ensinar. — Nairn parecera sombrio. — E provavelmente farão isso.

Patrick Harper apareceu vindo dos estábulos, puxando dois cavalos. Passou perto de Sir Augustus e parou perto de Sharpe.

— Cavalo, senhor.

— Estou vendo dois.

— Achei que o senhor gostaria de ter companhia. — O rosto de Harper estava tenso de irritação. Sharpe o olhou com curiosidade.

— O que foi?

— O senhor ouviu o que o homem está dizendo?

— Não.

— "Minha vitória". Ele está dizendo que venceu aqui, está mesmo. Dizendo que *ele* tomou o castelo. E o senhor a viu? Ela nem me reconheceu! Não deu a mínima!

Sharpe sorriu, pegou as rédeas e enfiou o pé esquerdo num estribo.

— Ela tem uma fortuna a proteger, Patrick. Espere até ele ter ido embora, ela vai dizer olá. — Montou no animal. — Espere aqui.

Sharpe escondeu de Harper sua irritação, mas estava igualmente afrontado. Se algum dia escrevesse um livro como o *Instruções práticas*, coisa que não faria, haveria um conselho repetido página após página: sempre dê o crédito a quem é devido, por mais que seja tentador tomá-lo para si, porque, quanto mais um homem ascende no Exército, mais precisa da lealdade e do apoio dos inferiores. Era hora, decidiu, de fazer uma punção na autoestima de Sir Augustus. Virou o cavalo e foi até Farthingdale, que apontava para as bandeiras e descrevia a manhã como uma lutazinha muito satisfatória.

— Senhor?

— Major Sharpe?

— Achei que o senhor deveria ficar com isto. Para o seu relatório. — Sharpe estendeu um papel dobrado todo amassado.

— O que é?

— A conta do açougueiro, senhor.

— Ah. — A mão com luva de couro fino pegou o papel e o enfiou na pequena bolsa presa ao cinto.

— Não vai olhar, senhor?

— Eu estava com o médico, Sharpe. Vi nossos feridos.

— Eu estava pensando nos mortos, senhor. O coronel Kinney, o major Ford, um capitão e trinta e sete homens, senhor. A maioria morta na explosão. Já os feridos, senhor, quarenta e oito seriamente, mais vinte e nove não muito sérios. Sinto muito, senhor. Trinta. Eu havia me esquecido do senhor.

Josefina deu uma risadinha. Sir Augustus olhou para Sharpe como se este tivesse acabado de se arrastar para fora de uma fossa particularmente fedorenta.

— Obrigado, major.

— E peço desculpas, senhor.

— Desculpas?

— Não tive tempo de fazer a barba.

Josefina deu uma gargalhada descarada, e Sharpe, ao lembrar que ela sempre gostou de ver seus homens lutarem, lançou-lhe um olhar de raiva. Ele não era homem dela, e não estava lutando por ela, mas então qualquer coisa que pudesse ter dito foi interrompida por um toque de corneta, insistente e distante, notas de um instrumento da cavalaria francesa.

— Senhor! — Era o fuzileiro na torre de menagem. — Quatro franceses, senhor! Um deles tem uma bandeira branca, senhor. Estão vindo para cá!

— Obrigado! — Sharpe estava ajeitando a tira da espada. Ele não era elegante a cavalo como Sir Augustus, mas pelo menos a enorme espada da cavalaria podia ficar pendurada direito ao lado do corpo, em vez de estar quase na altura das costelas por causa da tira encurtada. Xingou mentalmente a tira de couro e correu os olhos pelo pátio.

— Tenente Price!

— Senhor? — Harry Price estava cansado.

— Cuide de Lady Farthingdale até retornarmos!

— Sim senhor! — Subitamente Price pareceu acordar.

Se Sir Augustus ficou chateado por ter sua autoridade usurpada, Sharpe não lhe deu tempo para protestar, tampouco Sir Augustus optou por contrariar a ordem. Seguiu o cavalo de Sharpe pelo chão pavimentado de pedras nas sombras, atravessando a passagem do portão, seguindo para a trilha e depois para o capim, onde Sharpe deixou seu cavalo à vontade.

A corneta ainda estava tocando, exigindo uma resposta das posições britânicas, mas, com o surgimento dos três cavaleiros, as notas morreram com um eco. Diante dos oficiais franceses havia um lanceiro com uma tira de pano branco amarrada abaixo da ponta da lança, e Sharpe se lembrou das fitas brancas enfeitando o choupo no convento e se perguntou se os lanceiros alemães que lutavam por Napoleão também cultuavam seus antigos deuses da floresta no Yuletide; o antigo nome pré-cristão para a festa do inverno.

— Senhor! — O sargento Harper esporeou seu animal e se posicionou à esquerda de Sharpe. — Está vendo, senhor? O coronel!

Era ele mesmo, e naquele mesmo instante Dubreton reconheceu Sharpe e acenou. O coronel francês tocou as esporas nos flancos do cavalo, passou pelo lanceiro, espirrou água no córrego e veio a meio-galope até eles.

— Major!

— Sharpe! Contenha-se!

O protesto de Farthingdale se perdeu quando Sharpe também esporeou a montaria, então os dois cavaleiros correram juntos, fizeram um círculo e depois puxaram as rédeas, de modo que os cavalos estivessem lado a lado e virados em direções opostas.

— Ela está em segurança?

A pergunta ansiosa de Dubreton foi um contraste gritante com sua tranquilidade calculada quando se encontraram antes, no convento. Na ocasião o francês não pôde fazer nada pela esposa, mas agora era diferente.

— Está. Em total segurança. Nem mesmo foi tocada, senhor. Posso dizer como estou feliz?

— Meu Deus! — Dubreton fechou os olhos. Os pesadelos, os pensamentos que lhe ocorreram em todas aquelas noites pavorosas pareceram escoar dele. Balançou a cabeça. — Meu Deus! — Os olhos se abriram. — Trabalho seu, major?

— Dos fuzileiros, senhor.

— Mas você os comandou?

— Sim senhor.

Farthingdale puxou as rédeas alguns passos atrás de Sharpe, e em seu rosto havia uma expressão de fúria porque o fuzileiro havia ofendido o decoro ao cavalgar adiante.

— Major Sharpe!

— Senhor. — Sharpe se virou na sela. — Tenho a honra de apresentar o *chef du battalion* Dubreton. Este é o coronel Sir Augustus Farthingdale.

Farthingdale ignorou Sharpe. Falou no que, para os ouvidos de Sharpe, parecia um francês fluente, e então os outros dois oficiais franceses chegaram e Dubreton fez as apresentações em seu inglês igualmente impecável. Um era um coronel alemão dos lanceiros, um homem enorme, de bigode ruivo e olhos curiosamente gentis, e o outro era um coronel francês dos dragões. O coronel dos dragões usava um manto verde sobre a farda verde, e na cabeça tinha um capacete de metal alto com uma cobertura de pano para impedir que o sol se refletisse no metal polido. Portava uma espada longa e reta, e, o que era incomum para um coronel, uma carabina da cavalaria repousava no arção da sela. Os dragões eram um regimento de luta, forjado pela caçada aos guerrilheiros esquivos através de um terreno hostil, e Sharpe notou o desdém do francês ao olhar para o fastidioso Sir Augustus. Atrás dos oficiais o lanceiro repuxava o nó do tecido branco.

Dubreton sorriu para Sharpe.

— Eu lhe devo agradecimentos.

— Não senhor.

— Devo, sim. — Ele olhou para Harper, que se continha com modéstia, então levantou a voz. — Fico feliz em vê-lo também, sargento!

— Obrigado, senhor. É gentileza sua. E o seu sargento?

— Bigeard está no vilarejo. Tenho certeza de que ficará feliz em vê-lo.

Farthingdale interrompeu em francês, a voz sugerindo irritação com aquelas amenidades. As respostas de Dubreton foram em inglês.

— Nós viemos, Sir Augustus, com a mesma missão dos senhores. Gostaria de expressar nossa satisfação com seu sucesso, meus agradecimentos pessoais e meu pesar pelas perdas sofridas. — Os corpos despidos dos mortos esperavam pálidos e frios ao lado das covas que eram cavadas.

Sir Augustus continuou falando em francês, Sharpe suspeitou que para excluí-lo da discussão, ao passo que Dubreton, talvez desejando o oposto, respondia obstinadamente em inglês. A patrulha que Sharpe tinha vislumbrado ao amanhecer eram os batedores de Dubreton, homens corajosos que se ofereceram para entrar no vale fingindo ser desertores e que de algum modo escapariam de volta antes do anoitecer para guiar o grupo de resgate para dentro do vale. Eles viram os fuzileiros, viram a bandeira ser içada e recuaram com prudência.

— Ficaram desapontados, Sir Augustus!

As mulheres francesas deveriam ser entregues imediatamente, isso Sharpe entendeu pelas palavras de Dubreton, então a conversa ficou embaraçosa e desconfortável porque Sir Augustus não pôde responder às perguntas do francês sobre o paradeiro dos desertores franceses. Farthingdale foi obrigado a se virar para Sharpe em busca de ajuda. Sharpe deu um sorriso pesaroso.

— Infelizmente muitos escaparam.

— Tenho certeza de que o senhor fez tudo o que era possível, major — disse Dubreton diplomaticamente.

Sharpe olhou de relance para os outros dois coronéis. Dois regimentos de cavalaria? Parecia muita coisa para essa tentativa de resgate, mas sua presença lhe deu outra ideia. O coronel dos dragões estava olhando para a grande espada de Sharpe que pendia ao lado do sabre de cavalaria preso à sela emprestada. Sharpe riu.

— Nossa fraqueza, coronel, estava na cavalaria. Nós os expulsamos do castelo, mas não podemos fazer muito para persegui-los nos morros. — Ele olhou para o sul. — Não que imagine que tenham ido muito longe.

Dubreton entendeu.

— Eles foram para o sul?

— Sim.

— Há quanto tempo? — Sharpe lhe disse, e o rosto de Dubreton ficou malicioso. — Nós temos uma cavalaria.

— Eu notei, senhor.

— Acho que poderíamos ajudar.

Ao ver as coisas fugirem de seu controle meticuloso, Sir Augustus instigou seu cavalo adiante.

— Está sugerindo que os franceses persigam nossos fugitivos, Sharpe?

Sharpe fez cara de inocente para o coronel.

— Parece que é por isso que eles estão aqui, senhor. Não vejo como podemos impedi-los.

Dubreton interveio, solícito:

— Eu sugeriria, Sir Augustus, que lutássemos juntos sob trégua. Não tentaremos atrapalhar sua ocupação do castelo, do convento ou da torre de vigia. Vocês, por sua vez, permitirão que acampemos no vilarejo. Enquanto isso nossa cavalaria empurrará os fugitivos de volta para este vale onde a infantaria poderá esperá-los.

Farthingdale ficou atônito com a sugestão.

— O Exército de Sua Majestade é perfeitamente capaz de cuidar de seus próprios negócios, coronel.

— Claro que é. — Dubreton olhou de relance para os cadáveres e de volta para Sir Augustus. — A verdade, Sir Augustus, é que nossos dragões começaram a fazer a varredura há uma hora. — Ele deu um sorriso depreciativo. — Se o senhor preferir que lutemos pela honra de capturá-los, garanto que o Exército do imperador também é plenamente capaz de cuidar dos próprios negócios. — Era um belo par de ases para se colocar na mesa. Sir Augustus se refugiou em perguntas.

— Vocês começaram? Uma trégua, o senhor diz?

Dubreton deu um sorriso paciente.

— Nós começamos, Sir Augustus. Digamos que previmos sua ajuda generosa. E por que não uma trégua? É Natal, sempre houve uma Trégua de Deus neste dia, então por que não haver o mesmo para nós? Posso sugerir que seja até a meia-noite de hoje? Querem nos dar a honra de ser nossos convidados?

— Até a meia-noite? — Sir Augustus falou de novo em tom de pergunta, ganhando tempo para seus pensamentos sondarem cada suspeita que tinha quanto a essa proposta, mas Dubreton fingiu se enganar com a inflexão.

— Esplêndido! Concordamos! Até a meia-noite, então, e os senhores serão nossos convidados?

Sharpe sorriu diante da habilidade de Dubreton para lidar com Sir Augustus.

— Tenho certeza de que podemos aceitar com prazer, senhor, com uma condição.

— Uma condição? Para um jantar?

— De que nós forneçamos o cozinheiro.

Dubreton gargalhou.

— Vocês fornecem o cozinheiro? Oferecem isso a um francês! Vocês, fuzileiros, são mais corajosos do que eu imaginava.

Sharpe desfrutou das palavras seguintes.

— Pot-au-Feu, com nossos cumprimentos.

— Vocês estão com ele?

— Na nossa cozinha. Se vou comer com o senhor esta noite, prefiro que ele esteja na de vocês.

— Esplêndido, esplêndido! — Dubreton olhou para Sir Augustus. — Concordamos, então, Sir Augustus?

Farthingdale continuava desconfiado, longe de se sentir feliz, mas era obrigado a seguir as orientações do único homem que entendia o inimigo e sabia como lutar com ele. Sharpe. Mais importante, Sharpe entendia quando não lutar. Sir Augustus inclinou sua cabeça fina e bonita.

— Concordamos, coronel.

— Tenho permissão de ir até o convento?

Farthingdale assentiu.

Dubreton falou brevemente com os cavaleiros e os observou partir para o vilarejo, depois conduziu seu cavalo a passo entre o de Sharpe e o de Sir Augustus, e de novo a conversa passou para o francês. Parecia educada, conversa casual de inimigos num Natal ensolarado, e Sharpe foi ficando para trás, de modo a se manter ao lado de Harper. Sorriu para o grande irlandês.

— Temos novos aliados, Patrick. Os franceses.

— Sim senhor. — Harper se orgulhava em não demonstrar surpresa. — Como quiser, senhor.

CAPÍTULO 15

A tarde de Natal foi tão festiva quanto qualquer homem poderia esperar. A princípio os *fusiliers* ficaram incrédulos, depois encantados, depois se misturaram animados com o *battalion* de Dubreton formando uma corrente à espera dos fugitivos que viriam dos morros depois de perseguidos. Dentro de uma hora nenhum francês usava barretina francesa, todos usavam as britânicas, e os homens trocavam botões da farda, bebida, comida, tabaco e procuravam tradutores para trocar lembranças de batalhas compartilhadas.

Meia hora depois disso os primeiros fugitivos apareceram. No começo eram principalmente mulheres e crianças, que tinham pouco a temer com a captura, e as mulheres procuravam tropas de seu próprio lado e imploravam proteção. Atrás delas havia o som ocasional e distante da carabina de um dragão instigando algum retardatário.

Sharpe perdeu tudo isso. Nos primeiros quarenta e cinco minutos estava com Harper no convento. Era impossível mover o canhão sem que os franceses vissem seus esforços, por isso Sharpe abandonou a esperança de montá-lo no portão do convento. Em vez disso, explorou os porões, entrando num espaço sujo e úmido embaixo do piso da capela e dos depósitos, e deixou Harper lá com um grupo de trabalho, ocupado com materiais capturados de Pot-au-Feu. Sharpe iria preparar uma surpresa ou duas para o caso de serem necessárias.

Então atravessou o campo, entre as tropas que confraternizavam, e guiou o cavalo devagar por um dos caminhos sinuosos que subiam até a torre de vigia. Os espinheiros eram densos, boa proteção, mas o morro ficava longe demais para receber apoio de qualquer tropa no castelo. Frederickson acenou para ele do alto da torre enquanto Sharpe apeava do cavalo, entregava as rédeas a um fuzileiro e depois ficava parado alguns segundos, observando a posição. Era boa. Os espanhóis haviam construído fortificações de terra voltadas para o vale, e atrás dessas fortificações estavam dois dos canhões de quatro libras que dominavam a encosta íngreme do morro ao norte. A oeste e a leste a encosta era igualmente escarpada, igualmente emaranhada de espinheiros, e só ao sul a colina era mais gentil. Fuzileiros xingavam abrindo mais um buraco, preparando-o para um dos canhões, e Sharpe viu, aprovando, como Frederickson tinha ordenado que fossem cortados espinheiros e postos na encosta sul, formando uma barreira. Uma companhia de *fusiliers* ainda cortava os arbustos, enquanto a outra formava um cordão para manter afastados os homens de Pot-au-Feu que retornavam.

Sharpe subiu a escada dentro da torre, saiu na torreta e cumprimentou Frederickson. O capitão fuzileiro estava animado.

— Espero que os desgraçados lutem, senhor!

— Espera?

— Eu poderia manter este lugar até o Armagedom.

— Talvez seja necessário. — Sharpe sorriu e apoiou seu telescópio numa das ameias meio desmoronadas. Olhou demoradamente para o vilarejo, vendo pouca coisa, depois o girou para a direita, onde o vale serpenteava ao redor do morro antes de voltar para o leste e desaparecer. — Quantos você viu?

Frederickson catou um papel no bolso e o entregou a Sharpe sem dizer nada.

— Lanceiros, 12. Dragões, 150. Infantaria, 450. — Sharpe grunhiu e devolveu o papel. — Meio desequilibrado, não é? — Olhou para o leste, para a vista magnífica, e se lembrou dos canhões parando de disparar da torre de vigia durante a batalha. Os homens ali devem ter visto os franceses se aproximando e ficado com medo, e sem dúvida os defensores da torre de menagem também os viram e espalharam o pânico entre os homens de Pot-au-Feu. A vitória desta manhã, que já foi deplorável, era diminuída pela chegada dos franceses, que desanimaram o inimigo. Olhou para a curva do vale que escondia a estrada. — Me pergunto o que há depois daquela curva.

— Também fiquei me perguntando. Enviei uma patrulha para lá, mas fomos mandados de volta. Foi tudo muito educado, mas muito firme. *Vamos.*

— Então eles devem estar escondendo alguma coisa.

Frederickson coçou embaixo do tapa-olho.

— Não confio nem um pouco nesses desgraçados. — Ele parecia animado.

— Nem eu. Você viu algum suprimento?

Frederickson balançou a cabeça.

— Absolutamente nada.

— Há mais deles depois da porcaria daquela curva. — A infantaria francesa precisava comer, os cavalos da cavalaria precisariam de forragem, e até agora Sharpe não tinha visto nenhum sinal dos suprimentos franceses. A sudeste, onde a estrada fazia a curva, via um grupo de lanceiros trotando no capim. — Foram eles que fizeram vocês voltar?

— Eles mesmos. Estão espalhados por toda aquela área. — Frederickson deu de ombros. — Não posso fazer nada quanto a isso, senhor. Nenhuma patrulha minha consegue ser mais rápida que aqueles desgraçados.

— Mande dois homens esta noite.

— Sim senhor. Ouvi dizer que fomos convidados para o jantar.

Sharpe sorriu.

— Você está doente demais para ir. Vou repassar seu pedido de desculpas. — Em seguida, conversou por dez minutos, sentindo o frio cortante voltar aos poucos à medida que o sol baixava, então se virou para ir embora. Parou no degrau de cima da torreta. — Você não se importa em perder o jantar?

— O senhor vai compensar para mim. — Frederickson parecia feliz, quanto mais Sharpe falava, mais iminente parecia uma luta no dia seguinte, e esta noite, enquanto Sharpe jantava, Frederickson tinha preparativos a fazer, surpresas a preparar.

Farthingdale havia aprovado todos os esforços de Sharpe para preparar uma defesa do Portal de Deus, mas seu motivo, Sharpe sabia, não era o temor de um ataque. Sir Augustus havia citado, sentenciosamente, seu próprio livro. "Tropas ocupadas, Sharpe, são tropas incapazes de fazer coisas erradas."

— Sim senhor.

Agora, cavalgando de volta para o castelo, Sharpe se perguntou de novo se estava deixando a imaginação voar demais. Estava convencido de que teria de lutar no dia seguinte, mas não havia motivo real para pensar isso. Os franceses tinham um motivo para estar no vale, assim como os ingleses, e em minutos o serviço que ambos os lados vieram fazer estaria terminado e parecia não haver motivo para nenhum dos dois lados permanecer no Portal de Deus. A não ser... A não ser por instinto. Farthingdale zombou desse instinto, acusando Sharpe de querer uma luta e recusando-se a deixar que um tenente *fusilier* fosse mandado com uma mensagem para o outro lado da fronteira.

— Alarmar os homens por causa de um punhado de cavaleiros e um pequeno batalhão! Não seja ridículo, Sharpe!

Farthingdale havia se retirado para seus aposentos, os mesmos que Pot-au-Feu tinha ocupado, e Sharpe viu Josefina numa varanda construída por algum dono do castelo no alto da torre de menagem, virada para o oeste. O quarto e a varanda deviam ter uma vista magnífica.

No pátio do castelo, Sharpe entregou o cavalo e pediu que um fuzileiro trouxesse água quente. Tirou a jaqueta da farda, baixou o macacão até a cintura e tirou a camisa suja. Daniel Hagman ofereceu um sorriso desdentado a Sharpe e pegou a jaqueta.

— Quer que eu escove, senhor?

— Eu faço isso, Dan.

— Deus nos ajude, mas o senhor é a porcaria de um major. — Hagman era o homem mais velho na companhia de Sharpe, com quase 50 anos, e sua idade e sua lealdade lhe permitiam ser livre com Sharpe. — O senhor precisa aprender a deixar as coisas serem feitas para o senhor, como os nobres. — Hagman começou a raspar uma mancha de sangue. — O senhor vai comer com a nobreza, e não pode ir maltrapilho.

Sharpe gargalhou. Pegou sua navalha no bolso do macacão, desdobrou-a e olhou com desprazer para a lâmina fina. Precisava conseguir uma nova. Afiou-a sem muito ânimo na bota, jogou água no rosto e depois, sem se dar ao trabalho de conseguir sabão, começou a se barbear.

— Ainda está com meu fuzil, Dan?
— Estou, senhor. Quer que eu traga?
— Não, se vou comer com a nobreza.
— O senhor provavelmente vai ter garfo e faca, senhor.
— Provavelmente, Dan.
— O fidalgo da vila comia com garfo. — Hagman era de Cheshire, só estava no Exército porque enfim havia perdido sua batalha de uma vida inteira contra os guarda-caças do fidalgo. Cuspiu na jaqueta de Sharpe e esfregou vigorosamente. — Não vejo a necessidade de usar garfo, senhor, não vejo. Não depois que o bom Deus nos deu dedos.

Os *fusiliers* acenderam uma fogueira no pátio, as chamas pegando na palha tirada do estábulo, subitamente acentuando o crepúsculo. Sharpe enxugou o rosto na camisa, vestiu-a de novo e lentamente puxou para cima as alças do macacão francês capturado. Hagman bateu a jaqueta no chão para tirar os últimos restos de poeira e a estendeu.

— Mais elegante impossível, senhor.
— Esse vai ser o dia, Dan. — Cinto, cinturão cruzado, bolsa de munição, faixa e espada completaram o major Sharpe. Bateu na barretina para fazer uma dobra enquanto Hagman indicava a torre de menagem com a cabeça.
— Lá vem o lorde, senhor. Fez a gente subir e descer correndo a porcaria da escada a tarde toda, com madeira para a porcaria do fogo, comida para a dama. Ela é a dama que o senhor conheceu em Talavera?
— Ela mesma.
— Ele sabe que não é o primeiro a disparar o mosquete?
Sharpe sorriu.
— Não.
— O que os olhos não veem, o coração não sente. — Hagman se afastou rapidamente enquanto Sir Augustus seguia até Sharpe.
— Sharpe! — A palavra verbalizada com indignação estava se tornando o flagelo da vida de Sharpe.

— Senhor?

— Espero que esteja pronto para sair dentro de uma hora. Entendeu?

— Sim senhor.

— Sua Senhoria vai me acompanhar. Diga a todos os oficiais que espero que eles permaneçam sóbrios e dignos. As aparências precisam ser mantidas.

— Sim senhor. — Sharpe suspeitava que a censura era dirigida a ele. Farthingdale não acreditava que Sharpe fosse um cavalheiro, e, portanto, achava que era propenso à bebedeira.

— Senhor! — Um grito vindo do portão.

— O que foi? — Farthingdale franziu a testa diante da interrupção.

— Oficial francês vindo, senhor. Com uma guarda.

— Quantos? — perguntou Sharpe.

— Uma dúzia, senhor.

Sharpe não deixaria que entrassem, teria saído do portão para que os franceses não tivessem chance de avaliar as parcas defesas do castelo, mas Farthingdale gritou para as sentinelas deixarem que os franceses passassem. Sharpe olhou para o estábulo e acenou para que a Tropa de Foguetes ficasse escondida. Admitiu que já era possível que Dubreton soubesse da existência dela. Os soldados de ambos os lados tinham se misturado livremente, falado abertamente, e a única esperança de Sharpe em manter os foguetes como surpresa estava na incredulidade do soldado inimigo comum e nas dificuldades da tradução.

Os cascos dos cavalos franceses soltaram fagulhas nas pedras da passagem em arco, ecoaram alto nas pedras antigas, então Dubreton os conduziu para o pátio. O sol estava escarlate e glorioso, baixo no céu de Natal, sua luz brilhante no flanco da montaria do francês. Ele sorriu para Sharpe.

— Eu lhe devo um favor, major Sharpe. — Seu cavalo parou e se afastou dos estalos súbitos da madeira no fogo. Dubreton o acalmou. — Vim pagar minha dívida em parte, uma parte muito pequena, mas espero que lhe agrade.

Dubreton se virou e sinalizou para os dragões atrás dele, que se separaram, revelando o sargento Bigeard desconfortável e enorme a cavalo.

Sharpe sorriu. A mão direita de Bigeard estava segurando cabelos grisalhos e sujos, os cabelos de Obadiah Hakeswill.

Sharpe sorriu para o francês.

— Obrigado, senhor.

Obadiah Hakeswill, capturado e impotente, ainda usando as roupas finas tiradas de algum coronel da infantaria inglesa. O sargento Bigeard assentiu cumprimentando Sharpe, soltou os cabelos de Hakeswill e o empurrou com um pontapé.

Houve alegria naquele momento, uma alegria enorme, a alegria de dezenove anos de ódio chegava a este lugar, a esta hora, a esta impotência de um homem que passou a vida atormentando os fracos e fazendo o mal. Obadiah Hakeswill, prisioneiro, o rosto amarelo sofrendo espasmos no pescoço alongado, os olhos azuis brilhantes ainda correndo de um lado para o outro como se procurasse alguma fuga no pátio. Sharpe avançou lentamente, e os olhos continuavam atrás de uma saída, mas então saltaram para Sharpe ao ouvir o som de uma espada sendo desembainhada.

Sharpe deu um sorriso.

— Soldado Hakeswill. Você perdeu o posto de sargento, sabia? — A cabeça sofreu um espasmo, os olhos piscaram, e Sharpe esperou até que Hakeswill estivesse imóvel. — Sentido!

Automaticamente, com uma vida inteira de soldado nas costas, Hakeswill se empertigou, as mãos ao lado do corpo, e no mesmo instante, captando o fogo do sol que baixava, a espada longa foi até seu pescoço. A lâmina era empunhada por Sharpe com o braço totalmente estendido, a ponta mal se mexendo junto ao pomo de adão de Hakeswill. Silêncio.

Os soldados no pátio sentiram a raiva que havia nos dois homens. *Fusiliers* e fuzileiros pararam, viraram-se e olharam para a espada.

Apenas Farthingdale se mexeu. Avançou com os olhos horrivelmente atraídos pela espada na horizontal, imóvel, e temeu o súbito jato de sangue ao pôr do sol.

— O que está fazendo, Sharpe?

Sharpe falou baixinho, cada palavra clara e lenta:

— Estava pensando em esfolar esse desgraçado vivo, senhor. — Seus olhos não se desviaram de Hakeswill.

Farthingdale olhou para Sharpe e o sol poente iluminava o lado esquerdo do rosto com a cicatriz, um rosto implacável e apavorante, e Farthingdale sentiu o medo. Temeu a morte a sangue-frio e temeu que uma palavra sua pudesse provocá-la. O protesto, quando saiu, pareceu débil até mesmo a seus próprios ouvidos.

— O homem deve ser julgado por uma corte marcial, Sharpe. Você não pode matá-lo!

Sharpe deu um sorriso, ainda olhando para Hakeswill.

— Eu disse que ia esfolá-lo vivo, e não morto. Ouviu, Obadiah? Não posso matar você. — Ele levantou a voz subitamente. — Este é o homem que não pode ser morto! Vocês todos ouviram falar dele. Bom, aqui está ele! Obadiah Hakeswill. E logo vocês verão um milagre. Vocês o verão morrer! Mas não aqui, não agora! Diante de um pelotão de fuzilamento.

A grande lâmina permaneceu onde estava. Os dragões franceses, que passavam muitas horas dolorosas fortalecendo o braço para fazer exatamente o que Sharpe estava fazendo, apreciaram a força de um homem que segurava uma espada pesada de cavalaria com o braço estendido por tanto tempo e a mantinha tão imóvel.

Hakeswill tossiu. Sentia a morte se afastando e olhou para Farthingdale.

— Permissão para falar, senhor? — Farthingdale fez que sim com a cabeça e Hakeswill espremeu o rosto até sair um sorriso. A espada refletia a luz vermelha do sol e da fogueira na pele amarela. — Uma corte marcial será bem-vinda, senhor. Será bem-vinda. O cavalheiro é justo, eu sei disso.

— Ele estava sendo totalmente obsequioso.

Farthingdale estava sendo totalmente complacente. Ali, enfim, estava um soldado que entendia como se dirigir aos superiores.

— Você terá um julgamento justo. Prometo.

— Obrigado, senhor. Obrigado. — Hakeswill teria prestado continência, mas a espada ainda o aterrorizava.

— Sr. Sharpe! Ponha-o com os outros prisioneiros! — Farthingdale sentiu que havia aplacado os ânimos, que estava no comando outra vez.

— Farei isso, senhor. Farei. — Sharpe continuava olhando para Hakeswill, seus olhos não haviam se mexido desde que a espada fora desembainhada.

— Que farda é essa, soldado?

— Farda, senhor? — Hakeswill fez cara de quem jamais havia notado a patente da própria farda. — Ah, esta, senhor! Eu encontrei, senhor, encontrei.

— Você é coronel, é?

— Não senhor. Claro que não. — Hakeswill continuava olhando para Sir Augustus e lhe revelou todo o seu sorriso podre. — Fui obrigado a usá-la, senhor, obrigado! Depois que me obrigaram a me juntar a eles, senhor!

— Você é uma porcaria de desgraça para essa farda, não é?

Os olhos azuis voltaram para Sharpe.

— Sim senhor. Se o senhor diz.

— Digo, Obadiah. Digo, sim. — Sharpe sorriu de novo. — Tire-o.

Dubreton sorriu e fez uma tradução por cima do ombro. Bigeard e os dragões riram e se inclinaram para a frente nas selas.

— Senhor? — Hakeswill apelou a Farthingdale, mas a ponta da espada estava comprimida contra seu pescoço.

— Tire, seu desgraçado!

— Sharpe! — A palavra maldita.

— Tire! Seu bastardo sifilítico. Tire!

A lâmina da espada tremeluziu, esquerda e direita, tirando sangue da pele sobre o pomo de adão de Hakeswill, e o homem nojento, simplório, tirou a faixa vermelha de oficial, puxou os cintos, a bainha vazia, e então saiu da casaca vermelha e a largou nas pedras do chão.

— Agora as calças e as botas, soldado.

Farthingdale protestou.

— Sharpe! Lady Farthingdale está olhando! Insisto em que isso pare!

O olhar de Hakeswill se dirigiu para a varanda e Sharpe soube que, se ficasse na ponta da plataforma, Josefina poderia ver o pátio. Manteve a espada firme.

— Se Lady Farthingdale não gostar da visão, senhor, sugiro que ela entre. Enquanto isso, senhor, este homem desgraçou sua farda, seu país e seu regimento. Por enquanto só posso tirar uma dessas coisas dele. Dispa-se!

Hakeswill se sentou, tirou as botas e se levantou para tirar a calça branca. Tremia ligeiramente, usando apenas a camisa branca e comprida que era abotoada do pescoço até os joelhos. O sol havia baixado atrás da muralha oeste.

— Eu mandei se despir.

— Sharpe!

Sharpe odiava aquele homem de pele amarela, cabelo escorrido e cheio de espasmos que tentou matar sua filha, estuprar sua mulher, esse homem que um dia açoitou Sharpe a ponto de as costelas aparecerem através da carne rasgada, esse homem que assassinou Robert Knowles. Sharpe queria matá-lo aqui e agora, neste pátio com esta espada, mas havia jurado muito antes que a justiça mataria o homem que não podia ser morto. Um pelotão de fuzilamento cuidaria disso, e então Sharpe poderia escrever a carta que desejava escrever havia muito, para os pais de Knowles, contando que o assassino de seu filho tinha encontrado o fim.

Hakeswill olhou para Josefina, de volta para Sharpe, depois recuou dois passos como se pudesse escapar da espada. Bigeard deu um chute nele, lançando-o para a frente, e Hakeswill olhou para Sir Augustus.

— Senhor?

Por fim o braço da espada se mexeu. Para cima, para baixo, na horizontal, e a camisa estava rasgada, com sangue escorrendo dos cortes superficiais.

— Dispa-se!

As mãos arrancaram a camisa, rasgando-a, soltando botões, e Hakeswill ficou parado, com os trapos do orgulho aos pés, e no rosto um ódio mais intenso que a própria vida.

Sharpe puxou a camisa, então limpou a ponta da espada e a enfiou na bainha. Em seguida recuou.

— Tenente Price!

— Senhor?

— Quatro homens para pôr o soldado Hakeswill na masmorra! Quero que ele seja amarrado lá!

— Sim senhor!

O pátio pareceu relaxar. Só Hakeswill, disforme e nu, estava tenso de fúria e ódio. Fuzileiros o empurraram, os mesmos fuzileiros de quem ele despiu as jaquetas verdes antes do ataque a Badajoz.

Dubreton segurou as rédeas.

— Talvez você devesse tê-lo matado.

— Talvez, senhor.

Dubreton sorriu.

— Por outro lado, nós não matamos Pot-au-Feu. Ele está trabalhando, preparando o seu jantar.

— Estou ansioso por ele, senhor.

— E deveria estar mesmo! Deveria mesmo! Os cozinheiros franceses possuem segredos, major. Tenho certeza de que o senhor não possui nenhum. — Ele olhou de relance para o estábulo, sorriu, depois levantou a mão para Sir Augustus antes de virar o cavalo. — *Au revoir!*

As fagulhas brilhavam mais quando os franceses aceleraram o passo ao atravessar o portão do castelo. Sharpe olhou para o estábulo. Havia seis homens, todos com farda da artilharia, boquiabertos à porta. Ele os xingou, mandou um sargento anotar seus nomes e esperou que Dubreton não tivesse chegado a conclusões além de que Sharpe estava escondendo alguns canhões. O dia seguinte revelaria tudo.

Anoitecia no Natal, no Castelo da Virgem.

CAPÍTULO 16

Vozes alemãs, cantando canções natalinas, foram sumindo às suas costas enquanto cavalgavam lentamente para o vilarejo. Oito oficiais e Josefina jantariam com os franceses.
As tochas que iluminavam a rua do vilarejo ardiam dentro de halos suaves. Havia uma névoa noturna. Sir Augustus estava de bom humor, excessivamente brincalhão, talvez porque Josefina estivesse tão sensual e linda quanto os artifícios poderiam proporcionar. Ele olhou para Sharpe, do outro lado dela.

— Talvez eles sirvam pernas de rã, Sharpe!

— Só podemos torcer que sim, senhor.

Cairia uma geada pesada esta noite. Ao sul e no alto dava para ver as estrelas através da névoa esparsa, estrelas de Natal, mas o céu ao norte estava escuro, espalhando-se para o sul, e Sharpe sentia cheiro de tempo ruim no ar. Por Deus, que não nevasse. Não gostava da ideia de se afastar do Portal de Deus com dificuldade, vigiando os prisioneiros britânicos, portugueses e espanhóis que estavam apinhados na masmorra do castelo, do trabalho de descer o passo coberto de neve com eles e com as carroças de Gilliland. Mas, afinal, pensou, talvez eles não partissem de manhã. Isso dependia dos franceses e seus planos.

Dubreton o esperava à porta da hospedaria. Era uma construção grande, grande demais para um vilarejo tão minúsculo, mas um dia ela serviu como abrigo para os viajantes que atravessavam a *sierra* e queriam evitar os pedágios da estrada ao sul. A guerra havia reduzido o comércio, mas a construção ainda parecia convidativa e quente. Uma bandeira tricolor pendia de uma janela do andar de cima, iluminada por duas tochas de palha e resina, e soldados desarmados avançaram para pegar os cavalos. Farthingdale deixou as apresentações para Sharpe. Quatro capitães, incluindo Brooker e Cross, e dois tenentes, incluindo Harry Price.

Assim que entrou, Dubreton conduziu Josefina para a sala onde as mulheres francesas se preparavam. Sharpe escutou vozes deliciadas recebendo a ex-companheira de infortúnio, então sorriu ao ver o trabalho dedicado à refeição.

Todas as mesas da hospedaria foram reunidas, formando uma grande mesa coberta de panos brancos, e velas altas exibiam mais de vinte lugares. Garfos, como Hagman temia, reluziam prateados sob as chamas. Havia garrafas de vinho abertas num aparador, fileiras de garrafas, todo um batalhão de vinho, ao passo que o pão, com crosta dura, esperava em cestos na mesa. Chamas ardiam na lareira, seu calor já chegando à porta principal da hospedaria.

Um ordenança pegou o sobretudo de Sharpe, outro trouxe uma grande tigela de onde subia vapor, e Dubreton serviu cálices de ponche. Doze oficiais franceses esperavam na sala, com sorrisos de boas-vindas, os olhos curiosos por ver o inimigo tão de perto. Dubreton esperou até que o ordenança houvesse servido o ponche a todos.

— Desejo um feliz Natal aos senhores!

— Feliz Natal!

Da cozinha da hospedaria vinha um cheiro que só podia descrito como uma antecipação do paraíso.

Farthingdale ergueu seu cálice.

— A um inimigo galante! — E repetiu em francês.

Sharpe bebeu, e seu olhar foi atraído por um oficial francês que, diferentemente dos outros, não se vestia como homem da infantaria, lanceiro ou dragão. Sua farda era de um azul simples, muito escuro, sem uma única divisa de posto ou marca de unidade. Usava óculos de aro metálico, e seu rosto exibia a devastação da varíola na infância. Os olhos, pequenos e escuros como o próprio sujeito, atraíram os de Sharpe, e não havia nada da amabilidade demonstrada pelos outros oficiais.

Dubreton devolveu o elogio de Sir Augustus e anunciou que faltava meia hora para o jantar, que os ordenanças manteriam os cálices cheios e que seus oficiais foram escolhidos por falarem inglês, em sua maioria mal, porém todos deveriam se considerar bem-vindos. Farthingdale deu uma breve resposta, então levou os oficiais ingleses até os franceses que esperavam. Sharpe, que odiava conversa fiada, foi para um canto da sala nas sombras e ficou atônito ao ver o homenzinho moreno de farda azul simples vir na sua direção.

— Major Sharpe?
— Sim.
— Mais ponche?
— Não, obrigado.
— Prefere vinho? — A voz era ríspida, o tom zombeteiro.
— Sim.

O francês, cujo sotaque inglês era perfeito até demais, estalou os dedos, e Sharpe se espantou com a rapidez com que um ordenança reagiu ao chamado. Esse sujeito era temido. Quando o ordenança se afastou, o francês olhou para o fuzileiro.

— Sua promoção é recente, não?
— Não tenho a honra de saber seu nome.

Um sorriso rápido, que sumiu instantaneamente.

— Ducos. Major Ducos, a seu dispor.
— E por que minha promoção seria recente, major?

O sorriso voltou, um sorriso secreto, como se Ducos guardasse conhecimento e adorasse isso.

— Porque no verão o senhor era capitão. Deixe-me ver, agora. Em Salamanca? Sim. Depois em Garcia Hernandez, onde matou Leroux. Uma pena, ele era um bom homem. Seu nome não chegou aos meus ouvidos em Burgos, mas suspeito que estivesse se recuperando do ferimento causado por Leroux.
— Mais alguma coisa?

O homem estava certo em tudo, irritantemente certo. Sharpe notou o burburinho das conversas aumentando no restante da sala, as primeiras risadas, e notou que todos os franceses deram espaço ao homenzinho. Dubreton se virou e olhou nos olhos de Sharpe, então deu de ombros num gesto levíssimo, quase como se pedisse desculpas.

— Há mais, major. — Ducos esperou que o ordenança servisse o vinho a Sharpe. — Viu sua esposa nas últimas semanas?

— Tenho certeza de que o senhor sabe a resposta.

Ducos sorriu, recebendo isso como um elogio.

— Ouvi dizer que La Aguja está em Casatejada, e garanto que não corre perigo de nossa parte.

— Raramente corre.

O insulto passou por Ducos como se nunca tivesse sido pronunciado. Os óculos lançavam em Sharpe círculos de luz de vela refletida.

— Está surpreso por eu saber tanto sobre você, Sharpe?

— A fama é sempre surpreendente, Ducos, e muito gratificante. — Sharpe soou maravilhosamente pomposo, porém aquele major pequeno e irônico o estava irritando.

Ducos riu.

— Aproveite enquanto pode, Sharpe. Não vai durar. A fama comprada num campo de batalha só pode ser sustentada no campo de batalha, e em geral isso traz a morte. Duvido que você veja o fim da guerra.

Sharpe levantou o cálice.

— Obrigado.

Ducos deu de ombros.

— Vocês todos, heróis, são tolos. Como ele. — Ducos virou a cabeça para Dubreton. — Acham que a trombeta nunca vai parar de tocar. — Ele bebericou em seu cálice, tomando muito pouco. — Sei de você porque temos uma amizade em comum.

— Acho improvável.

— Acha? — Ducos parecia gostar de ser insultado, talvez porque seu poder de retribuir o ferimento fosse absoluto e secreto. Havia algo de sinistro nele, algo de um poder que podia se dar ao luxo de ignorar soldados. — Então talvez não seja uma amizade em comum. Amizade sua, sim. Minha? Uma conhecida, talvez. — Esperou Sharpe dar voz à curiosidade e riu ao perceber que ele não diria nada. — Devo mandar algum recado seu a Helene Leroux? — Ele riu de novo, deliciado com o efeito das palavras. — Está vendo? Sou capaz de surpreendê-lo, major Sharpe.

Helene Leroux. *La marquesa de Casares el Grande y Melida Sadaba*, amante de Sharpe em Salamanca, que ele viu pela última vez em Madri antes que os ingleses se retirassem para Portugal. Helene, uma mulher de beleza estonteante, uma mulher que espionava para a França, amante de Sharpe.

— Você conhece Helene?

— Foi o que eu disse, não foi? — Os óculos lançaram seus círculos de luz. — Eu sempre digo a verdade, Sharpe, e com frequência isso surpreende as pessoas.

— Mande minhas lembranças.

— Só isso? Vou dizer que você ficou boquiaberto à menção do nome dela, não que isso me surpreenda. Metade dos oficiais da França está aos pés de Helene. Mas ela escolheu você. Me pergunto por quê, major. Você matou o irmão dela, então por que ela gostou de você?

— Foi minha cicatriz, Ducos. — Sharpe tocou o rosto. — Você deveria arranjar uma.

— Fico longe das batalhas, Sharpe. — O sorriso veio e foi embora. — Odeio violência, a não ser que seja necessária, e a maioria das batalhas não passa de um estardalhaço em que quem não é ninguém ganha fama fugaz. Você não me perguntou onde ela está.

— Eu teria uma resposta?

— É claro. Voltou para a França. Temo que você não vá vê-la por muito tempo, major, pelo menos até o fim da guerra, talvez.

Sharpe pensou em sua mulher, Teresa, e na culpa que sentiu quando a traiu, mas não conseguia apagar da mente a francesa loira, casada com o marquês espanhol ancião. Queria vê-la de novo, ver de novo uma mulher que se igualava a um sonho.

— Ducos! Você está monopolizando o major Sharpe. — Dubreton se colocou entre os dois.

— Achei que Sharpe era o mais interessante dos seus convidados. — Ducos não se deu ao trabalho de dizer "senhor".

A aversão de Dubreton pelo major era óbvia.

— Você deveria conversar com Sir Augustus, Ducos. Ele escreveu um livro, então deve ser um sujeito fascinante. — O desprezo de Dubreton por Sir Augustus era igualmente evidente.

Ducos não saiu do lugar.

— Sir Augustus Farthingdale? Não passa de um burocrata. Grande parte de seu livro foi copiado do livro do major Chamberlin, do 24º. — Ele tomou um gole do ponche e correu os olhos pela sala. — Vocês têm homens dos *fusiliers*, um do South Essex, um fuzileiro, excluindo o senhor, major Sharpe. Deixe-me ver agora. Um batalhão inteiro? Os *fusiliers*. Uma companhia do 60º e a sua própria companhia. Vocês esperavam fazer com que pensássemos que tinham mais homens?

Sharpe sorriu.

— Um batalhão de infantaria francesa, cento e vinte lanceiros e cento e cinquenta dragões. E um burocrata, major. O senhor. Estamos bem equilibrados.

Dubreton riu, Ducos fez cara feia, e então o coronel francês pegou o cotovelo de Sharpe e o conduziu para longe do homenzinho.

— Ele é um burocrata, mas é mais perigoso do que o seu Sir Augustus.

Sharpe olhou para Ducos.

— O que ele é?

— O que ele quiser. É de Paris. Era um dos homens de confiança de Fouché.

— Fouché?

— Que felicidade você não conhecer o nome. — Dubreton pegou outro cálice de ponche numa bandeja que passava. — Um policial que trabalha por baixo dos panos, Sharpe. De tempos em tempos cai em desgraça e perde o favor do imperador, mas esses homens sempre voltam. — Ele indicou Ducos com um movimento de cabeça. — Outro fanático, espionando seu próprio lado. Para ele hoje não é Natal, é 5 de *nivôse*, ano 20, e não importa que o imperador tenha abolido o calendário revolucionário. Ele arde de paixão.

— Por que o senhor o trouxe?

— Que opção eu tinha? Ele decide aonde vai, com quem fala.

Sharpe se virou para olhar Ducos. O pequeno major sorriu para ele, revelando dentes manchados de vermelho pelo ponche.

Dubreton pediu mais vinho para Sharpe.

— Vocês vão partir amanhã?

— O senhor deve perguntar a Sir Augustus. Ele está no comando.

— Verdade? — Dubreton sorriu, depois se virou quando uma porta foi aberta. — Ah! As damas!

Novas apresentações foram feitas, apresentações que pareceram durar cinco minutos, e mão após mão foi beijada, elaboradas cortesias foram feitas, e então, com igual cuidado, Dubreton fez com que os convidados se sentassem. Ele próprio havia reservado uma cadeira no centro da mesa, virada para a porta, e conduziu Sir Augustus com requinte para um lugar ao seu lado. Ducos imediatamente ocupou a cadeira do outro lado de Farthingdale, e Sir Augustus arregalou os olhos para Josefina. Dubreton notou o olhar.

— Ora, ora, Sir Augustus! Nós temos o que conversar, temos muito o que conversar, e sua bela esposa está sempre com o senhor, ao passo que nós só temos o prazer de sua companhia por um tempo brevíssimo. — Ele gesticulou para Josefina. — Posso convencê-la a sentar-se diante de seu marido, Lady Farthingdale? Creio que não há corrente de ar vinda da porta. Está bem fechada com cortina, mas talvez o major Sharpe consinta em sentar-se ao seu lado para protegê-la do inverno, não?

Tudo foi muito bem conduzido. Farthingdale estava onde os franceses queriam. Planejavam negociar e não lhe deixaram área de manobra. Dubreton se sentou ao lado de sua esposa, esfregando sal na ferida de Sir Augustus, e Sharpe viu o olhar de sofrimento de Sir Augustus para Josefina. Ele a queria perto, odiava vê-la longe, e para Sharpe parecia patético um homem ficar tão desolado porque sua prostituta estava a dois metros de distância.

Madame Dubreton sorriu para Sharpe.

— Estamos nos encontrando em circunstâncias mais felizes, major.

— De fato, senhora.

— Na última vez em que vi o major Sharpe — disse ela para a mesa em geral, convenientemente esquecendo os encontros que tiveram no convento desde seu resgate —, ele estava coberto de sangue, empunhando uma espada enorme, e era extremamente amedrontador. — Ela sorriu para ele.

— Peço desculpas, senhora.

— Por favor, não peça. Em retrospecto, foi uma visão maravilhosa.

— Foi sua lembrança de Alexander Pope que a tornou possível, senhora.

Ela sorriu. O cansaço havia desaparecido, seu rosto parecia mais liso, e ela e Dubreton irradiavam uma felicidade mútua.

— Eu sempre disse que um dia a poesia seria útil. Alexandre jamais acreditou em mim.

Dubreton gargalhou e ignorou o embaraço de ouvir seu nome, então a conversa morreu quando uma sopa foi servida. Sharpe a experimentou. Era tão deliciosa que ele teve medo de que um segundo bocado não pudesse estar à altura da promessa do primeiro, mas estava, e pareceu melhor, e ele tomou mais, então viu que Dubreton o observava com ar divertido.

— Boa?

— Magnífica.

— De castanha. É muito simples, major. Um pouco de caldo de legumes, castanhas amassadas, manteiga e salsa. Cozinhar é tão simples! A coisa mais difícil é descascar as castanhas, mas temos muitos prisioneiros. *Voilà!*

— É só isso que tem nela?

Um capitão dos dragões franceses insistiu que havia creme de leite na sopa, e um lanceiro alemão protestou dizendo que cozinhar não era nada simples porque nunca conseguiu preparar nada além de ovos cozidos, e mesmo assim ficava duro feito um peitoral de *cuirasseur*, e um capitão dos *fusiliers* insistiu ter visto homens cozinhar ovos girando-os continuamente numa funda feita de pano, o que levava uma eternidade, e Harold Price insistiu em dar a receita de um "tommy", a panqueca do Exército britânico, que consistia em nada além de farinha e água, mas mesmo assim Price levou dois minutos para descrever. Sir Augustus, sentindo-se de fora, disse como estava atônito porque os portugueses comiam somente as folhas dos nabos, e Josefina, sentindo que seu país era depreciado, insultou-o delicadamente sugerindo que apenas um pagão comeria qualquer outra parte de um nabo, então a sopa acabou e Sharpe olhou desejoso para a tigela vazia.

Um pé encostou no seu, pressionou, e ele olhou para Josefina, à esquerda. Ela estava falando com um dragão francês do outro lado, um homem que se inclinava muito à frente para tomar a sopa, de modo a captar vislumbres do decote de seu vestido estilo império. Não era o que ela estava usando quando Sharpe a resgatou, e ele olhou de relance para Sir Augustus e percebeu que ele devia ter trazido o vestido na bagagem. Não era de espantar que ele odiasse ver qualquer homem sentado ao lado dela. O pé continuava pressionando o dele e então ela se virou em sua direção e deu uma leve sugestão de piscadela.

— Gostou?

— Deliciosa.

Um ordenança serviu mais vinho, e Sharpe viu que algumas unhas do sujeito estavam arrancadas e manchadas de tanto colocar pólvora e puxar pederneiras.

Sir Augustus se inclinou para a frente.

— Minha cara?

— Augustus?

— Você não está com frio? A corrente de ar? Posso mandar que peguem seu xale?

— Com frio, meu caro? De forma nenhuma. — Ela sorriu para ele e seu pé subiu e desceu pelo tornozelo de Sharpe.

A porta da cozinha se abriu com um estrondo e ordenanças pareceram correr para a mesa, cada um deles com uma bandeja cheia de pratos, e em cada prato havia uma única tigela. Os pratos fumegavam, e Dubreton bateu palmas dirigindo-se à mesa.

— Comam depressa! São muito melhores recém-saídos do forno!

Sharpe ajeitou o prato que queimou sua mão. A ave estava acomodada numa fatia de pão frito, dourada sob o brilho marrom-escuro da pele assada.

— Major! Coma!

O pé direito de Josefina pressionou com força o de Sharpe e ele arrancou uma tira da carne da ave, experimentou, e ela pareceu se dissolver em sua boca. Era impossível que algo pudesse ser mais gostoso que a sopa, no entanto isso era muito melhor.

Dubreton sorriu.

— Está bom? Está?

— Magnífico!

Josefina olhou para ele. A maioria dos homens à mesa olhava para ela, e à luz de velas era uma mulher extraordinariamente linda, os lábios ligeiramente entreabertos, uma preocupação minúscula no rosto. Seu pé pressionava tanto que quase doía.

— Tem certeza de que gosta, major?

— Tenho. — Ele pressionou também e se virou para Dubreton. — Perdiz?

— Claro. — Dubreton falava entre os bocados. — Manteiga, sal e pimenta dentro da ave, duas folhas de uva do lado de fora, com um pouco de banha de porco. Está vendo? É simples!

Sir Augustus, ainda irritado com a censura por causa dos nabos, animou-se.

— O senhor deveria experimentar toucinho gordo, coronel! É muito melhor que banha de porco. Minha querida mãe sempre insistia em usar toucinho gordo.

Agora o pé de Josefina se enganchou no tornozelo de Sharpe, puxando sua perna para mais perto. Um ordenança serviu vinho para seu outro vizinho e ela moveu a cadeira, aparentemente para lhe dar mais espaço, então seu joelho estava tocando o de Sharpe.

— Toucinho gordo! — Dubreton havia chupado e descartado um osso. — Meu caro Sir Augustus! O toucinho briga com o sumo da ave! E queima! — Ele sorriu para Josefina. — A senhora deve mudar os hábitos dele, milady, e insistir em usar apenas banha de porco.

Ela assentiu de boca cheia, depois limpou os lábios.

— Sem ervas, coronel?

— Bela dama. — Dubreton sorriu. — Uma ave nova não precisa de ervas. Uma ave mais velha? Sim, talvez. Um pouco de tomilho, salsa, talvez uma folha de louro.

Ela parou com um garfo cheio de carne de peito a um centímetro da boca.

— Sempre me lembrarei de ter aves novas, coronel. — Seu joelho se esfregou no de Sharpe.

Um ordenança pôs mais lenha no fogo, e em algum lugar no vilarejo vozes masculinas cantaram juntas, enquanto outros ordenanças se moviam ao redor da mesa e davam a todos um segundo cálice de vinho, um tinto mais claro que o anterior, e, quando Sharpe fez menção de pegar o novo cálice, Dubreton o impediu.

— Espere, major! Este é para o prato principal. Fique com o seu... Como vocês chamam?... Clarete! Fique com seu clarete por enquanto.

O outro vizinho de Josefina tinha colocado a cadeira mais perto para que sua visão ficasse desimpedida. Depois de comer metade de sua perdiz, Sir Augustus afastou o prato e olhou infeliz para o outro lado da mesa. Josefina tinha encantado o capitão dos dragões, mexendo nos fios de prata de sua dragona e perguntando como ele a limpava. Sharpe sorriu sozinho. Ela era magnífica. Tão indigna de confiança quanto uma espada barata em batalha, mas os anos não empalideceram a empolgação que havia em sua malícia. Viu o olhar de Ducos fixo nele, os óculos refletindo intermitentemente a luz das velas enquanto o major mastigava, e pareceu a Sharpe que Ducos sorria porque sabia o que estava acontecendo.

Harry Price explicava como se jogava críquete a uma francesa, usando uma mistura de inglês com um francês ultrajante.

— Ele lança *la bolle, oui?* E *frappe* ela *avec le baton! Come ça!* — Price deu um golpe com a faca que ressoou na borda de um cálice. Seu rosto corado sorriu pedindo desculpas aos oficiais superiores que se viraram para olhar.

Um major francês instigou Price.

— O mesmo homem? Ele joga e bate?

— *Non, non, non!* — Price tomou um gole de vinho. — *Onze hommes, oui? Une homme* lança e *une homme frape. Dix* pegam. *Une homme* de *autre* lado frappe *comme le* homem lança. *Simple!*

O major francês explicou ao restante da mesa como se joga críquete, repetindo um monte de vezes "*une homme*" e "*le frape*", e a risada não era forçada, a sala estava quente, e o vinho era bom. Noite de Natal com os franceses? Sharpe se recostou na cadeira e pareceu tão estranho, não, mais que estranho, pareceu não natural que no dia seguinte esses mesmos homens estariam tentando matar uns aos outros. Price estava se oferecendo a ensinar críquete aos franceses de manhã, mas os instintos de Sharpe o alertavam para um jogo diferente.

O pé de Josefina parou de se mexer por um instante, então se enganchou em seu tornozelo enquanto ela ouvia o dragão contar uma longa história sobre um baile em Paris. Isso seria do agrado de Josefina. Paris seria o paraíso para ela, uma cidade mítica onde uma mulher linda podia andar para sempre em tapetes macios sob lustres de cristal recebendo homenagens de homens usando fardas deslumbrantes. Ele pensou em afastar o pé, sabendo que não a desejava, mas não conseguia reunir energia ou vontade de se mexer. Olhou para Farthingdale, infeliz defendendo seu livro contra o conhecimento surpreendente de Ducos, e Sharpe imaginou que estivesse flertando com Josefina porque sentia tanta aversão por Sir Augustus. Fazia isso, além do mais, porque era fraco. Se Sir Augustus não a estivesse vigiando esta noite, Sharpe sabia que não resistiria à tentação. Moveu o pé só um pouco e ela aumentou a pressão impetuosamente.

Dubreton se inclinou para a frente enquanto os ordenanças recolhiam os restos das perdizes.

— A senhora parece estar com calor, Lady Farthingdale. Gostaria que abrissem uma janela?

— Não, coronel. — Ela sorriu, o cabelo preto cacheado em volta do rosto, com domínio absoluto sobre os homens à mesa. Havia algo de satisfatório em ter a atenção dela, ainda que oculta, embora Sharpe achasse que ela poderia tê-la estendido a qualquer vizinho.

A porta da cozinha foi aberta de novo, e desta vez surgiu uma variedade de comidas, todas quentes, e os ordenanças puseram novos pratos diante de cada pessoa. O cheiro era irresistível. Dubreton bateu palmas.

— Lady Farthingdale! Sir Augustus! Senhoras e senhores. Vocês terão de nos perdoar. Não há ganso neste Natal, nem cabeça de porco, nem mesmo um cisne assado. Infelizmente! Tentei conseguir carne de boi em homenagem aos nossos convidados, mas nada. Os senhores terão de se contentar com este prato humilde. Major Sharpe? Pode ajudar Lady Farthingdale? Sir Augustus? Permita-me.

Havia três tipos de carne num conjunto de bandejas, perto de pratos de feijão que pareciam encimados por migalhas de pão, e havia tigelas de batata assada, todas crocantes e marrons. Sharpe adorava batata assada e calculou quantas tigelas havia à mesa, quantas batatas em cada e quantos convidados tinham de dividi-las. Ofereceu um pouco a Josefina.

— Milady?

— Não, obrigada, major. — O joelho dela roçou no dele. Sharpe tinha certeza de que Sir Augustus via o que estava acontecendo. Josefina estava tão perto dele que os cotovelos dos dois roçavam sempre que comiam. Houve uma ocasião em que ele matou por essa mulher, e na época ele jamais acreditaria que uma paixão tão grande poderia se desbotar e virar mero afeto.

— Tem certeza?

— Tenho. — Sharpe se serviu da porção dela, além da própria. Esconderia o excesso debaixo do feijão.

Dubreton se serviu por último, depois levantou os olhos para ver se todo mundo estava com o prato cheio.

— Isso deve alegrar seus corações ingleses. É o prato predileto de seu lorde Wellington: cordeiro! — Mas era um cordeiro como Sharpe jamais tinha visto, nem um pouco parecido com a carne marrom-amarelada e gordurosa que o par comia com tanto gosto. O rosto fino de Dubreton estava cheio de prazer. — Você assa o cordeiro, mas só um pouquinho, depois acrescenta a linguiça de alho e o pato meio assado. Infelizmente, deveria ser ganso, mas não temos. Cozinha-os no feijão, depois separa. — O feijão estava delicioso, branco e inchado, e no meio havia quadradinhos de pele de porco assada. Dubreton fisgou um único feijão. — Deve-se cozinhar o feijão na água e jogar a água fora, sabia?

Os ingleses balançaram a cabeça, perplexos, e Dubreton continuou:

— A água do feijão *flageolet* é fedorenta, horrível. Conhece-se uma mulher desmazelada porque ela não joga fora essa água longe o suficiente de casa. No entanto! — Ele levantou o feijão e sorriu. — Pode-se engarrafar a água, certo? E terá uma substância capaz de tirar as manchas mais teimosas dos tecidos. Estão vendo o quanto têm a aprender conosco? Agora comam!

Dubreton havia pedido desculpas pelo prato principal, mas foram desnecessárias porque a comida, mais uma vez, ultrapassava a experiência de Sharpe, e as batatas, para seu deleite secreto, eram tão crocantes que cada uma ameaçava explodir feito um pequeno obus e deslizar pela toalha branca da mesa. Tomou o vinho mais claro e entendeu por que Dubreton havia insistido em que o guardassem para esse prato, e se sentiu maravilhosamente bem, relaxado, e riu enquanto Harry Price reclamava que feijões lhe causavam flatulência e partia cada um deles para liberar o gás escondido que, ele insistia, estava lá dentro. A menção a gás fez Dubreton perguntar se era verdade que Londres já possuía iluminação a gás, e Sharpe disse que sim, e madame Dubreton quis saber exatamente onde, então suspirou ao ouvir a resposta.

— Pall Mall! Não vejo o Mall há nove anos.

— Mas verá, madame, de novo.

Josefina se inclinou para perto de Sharpe, o cabelo roçando no dele.

— Você vai me levar a Londres?

— Quando quiser.

— Esta noite? — Ela sorria, provocando-o, a coxa se comprimindo ritmicamente na sua.

— Não ouvi suas palavras, minha cara. — Sir Augustus se inclinou para a frente, incapaz de conter a raiva.

Ela lhe lançou um belo sorriso.

— Eu estava contando as batatas no prato do major Sharpe. Acho que ele foi muito ganancioso.

— Um homem precisa de força — disse Ducos, o olhar alternando entre Sharpe e Josefina.

— E é por isso que o senhor come tão pouco, major? — Ela sorriu para Ducos, e era verdade que o homenzinho de roupas simples remexia fastidioso no prato e comia pouco. Josefina se recostou perto de Sharpe e pôs seu garfo acima do prato dele. — Uma, duas, três, quatro, cinco, o senhor comeu parte daquela ali, seis. — Seu joelho e sua coxa estavam rígidos encostando nele. Ela baixou a voz. — Ele dorme feito pedra. Três horas?

— *Qui vive?* — O grito veio de fora da hospedaria, era a interpelação francesa.

Josefina segurava o garfo na mão esquerda, a mão direita embaixo da mesa, os dedos passando na junção entre o tecido verde e o couro de seu macacão francês.

— Oito, nove. Dez batatas, major? É isso?

— Três e meia seria melhor — disse ele. Conseguia sentir o cheiro dos cabelos dela. O garfo de Josefina pairava sobre seu prato, decidindo que batata iria espetar. Escolheu uma, inclinou-se para longe e levou a batata à boca de Sharpe. — Para a sua força, major.

Ele abriu a boca, o garfo avançou, e então a interpelação foi repetida. Houve uma batida à porta, que foi aberta, e a cortina grossa foi puxada de lado deixando entrar um sopro de ar gelado.

Os comensais pararam com o garfo a meio caminho da boca, o garfo de Josefina a dois centímetros dos lábios de Sharpe, e ali, na passagem, estava Patrick Harper, sorrindo, e ao lado dele, muito menor, com os olhos escuros, o cabelo preto escondido do capuz, estava Teresa. A esposa de Sharpe.

— Olá, marido.

CAPÍTULO 17

Teresa não queria entrar na hospedaria, de jeito nenhum, não enquanto os oficiais franceses estivessem lá. Odiava os franceses com todo o ardor de sua alma ardorosa. Eles estupraram e mataram sua mãe, ela retribuía matando o máximo que pudesse encontrar e emboscar nos morros da fronteira. Sharpe andou ao seu lado pela rua do vilarejo, em direção ao convento, e ela olhou para ele.

— Esqueceu como é que se come, Richard?

— Ela estava só brincando.

— Brincando! — Teresa riu da cara dele. A luz das tochas de palha mostrava seu rosto fino e forte. Nele não havia nada da suavidade de Josefina, essa mulher tinha o rosto de um falcão; um belo falcão, mas ainda assim assassino, caçador, uma criatura de forte e ágil e nada piedosa. O rosto era orgulhoso, um rosto da velha Espanha, suavizado apenas pelos olhos grandes e reluzentes. A mãe de sua filha. — Aquela é Josefina, a puta, não é?

— É.

— E você ainda usa o anel dela, não é?

Sharpe parou, surpreso. Tinha esquecido, e Josefina não mencionou, mas ele ainda usava o anel de prata com uma Águia gravada que Josefina comprou para ele antes da batalha de Talavera, antes de ele tomar o estandarte da águia dos franceses. Olhou para o anel, depois para os olhos de Teresa.

— Está com ciúme?

— Richard. — Ela sorriu. — Você usa o anel por causa da águia, não por causa dela, sei disso. Mesmo assim, suspeito que você a ache linda, não é?

— Gorda demais.

— Gorda demais! Você acha qualquer mulher gorda quando é mais larga que uma vareta de mosquete. — Ela estava virada para ele e lhe deu um soquinho no braço. — Um dia vou ficar gorda, muito gorda, e verei se você me ama de verdade.

— Amo.

— E acha que isso perdoa tudo. — Ela sorriu, ficou na ponta dos pés e ele a beijou, consciente do olhar interessado de várias sentinelas francesas, além da figura enorme de Harper a vinte metros dali. Ela franziu a testa.

— É assim que você me ama?

Ele a beijou de novo, desta vez abraçando-a, e ela deslizou seu rosto no dele e sussurrou em seu ouvido, então se afastou para ver a expressão de Sharpe.

— Verdade? — perguntou ele.

— É. Por aqui. — Ela o pegou pela mão e foi com ele para além das luzes das tochas, no campo aberto. A névoa ainda estava esparsa, as estrelas ainda apareciam enevoadas no alto, mas as nuvens tinham se espalhado mais para o sul e prometiam tempo ruim. Ela o fez parar quando estavam bem longe dos ouvidos de qualquer francês no vilarejo.

— Seis batalhões, Richard. Estão num vilarejo cinco quilômetros estrada abaixo. — Ela fez um gesto para o leste. — E não é só isso.

— Continue.

— Oito quilômetros depois deles tem mais. Muito mais. Vimos cinco baterias de canhões, talvez seis. Mais cavalaria, mais infantaria e carroças grandes. Carroças de suprimentos.

— Meu Deus. — Ele sentiu que ficava sóbrio rapidamente no ar frio sob o impacto das notícias de Teresa.

Os guerrilheiros estavam em movimento, instigados pelo pedido de Nairn, e Teresa havia cavalgado com doze homens para o nordeste. O instinto cauteloso a fez descrever um círculo para se aproximar do destino, chegando a Adrados pelo leste, e no crepúsculo do Natal tinha visto as tropas francesas escondidas no vale e apontadas feito uma lança para Portugal. Avaliou que deviam ser pelo menos dez batalhões franceses, talvez mais, e Sharpe soube que essas tropas não haviam marchado para as montanhas no inverno apenas para pegar Pot-au-Feu.

Para que, então? Para conquistar o norte de Portugal, como Nairn sugeriu? Parecia uma ambição irrisória, uma pena destinada a fazer a balança pender contra o peso de chumbo da derrota francesa na Rússia. Mas então o que seria? Por que um exército francês estaria tão ao norte, quando o verdadeiro prêmio seria recuperar as fortalezas de fronteira em Ciudad Rodrigo e Badajoz? Se o par perdesse essas cidades, a campanha de 1813 seria retardada por semanas, talvez meses.

Teresa se agarrou em seu braço.

— Eles disseram por que estão aqui?

— Pelo mesmo motivo que nós. Para destruir Pot-au-Feu.

— Mentirosos desgraçados.

Sharpe estremeceu no frio. Via as fogueiras na torre de vigia e pensou em Frederickson preparando uma defesa, mas uma defesa que jamais foi projetada para derrotar baterias de artilharia e infantaria em massa.

O rosto de Teresa estava pálido na escuridão.

— E o que você vai fazer?

— Isso não é comigo. Não estou no comando.

— Major?

— Sim.

Ela gargalhou.

— Você é major! Está satisfeito?

Ele riu.

— Estou.

— Patrick está satisfeito. Ele diz que você merece. Espero que não vá fugir deles.

— Não se eu puder evitar. — Ele se virou e olhou para o vilarejo. — Não. Não vamos fugir, mas vamos precisar de ajuda.

Ela assentiu, virando-se com ele.

— Meus homens estão cavalgando para ajudar de manhã. — Ela citou meia dúzia de líderes guerrilheiros a menos de um dia de cavalgada.

— E você?

Ela apertou a capa ao redor do corpo.

— O que você quer que eu faça?

— Vá para o oeste. Leve uma mensagem às nossas linhas. Até agora ninguém sabe que há franceses no vale.

Ela assentiu.

— E a mensagem?

— Que estamos sustentando o Portal de Deus.

Ela gostou disso, sorrindo na escuridão, os dentes brancos e regulares. Olhou para o norte.

— Vou logo, esta noite, antes da neve.

Ele queria que ela esperasse até de manhã, mas Teresa estava certa, e Sharpe sentiu desprezo por si mesmo por precisar da proteção dela contra o encontro das três e meia. Não haveria encontro, não esta noite, porque tinha uma defesa a preparar e uma batalha a travar ao amanhecer. Teresa pareceu sentir seus pensamentos, porque sorriu para ele, e sua voz soou provocadora.

— Acho que a puta estará a salvo de você esta noite.

— Acho que sim.

Foram lentamente para as luzes na rua do vilarejo e Teresa tirou um embrulho de baixo da capa e entregou a ele.

— Abra.

Sharpe desamarrou o barbante e desenrolou o pano. Havia um boneco no embrulho. Ele o colocou mais perto da luz e sorriu. Era um fuzileiro.

Teresa pareceu preocupada.

— Gosta?

— É lindo.

— Mandei fazer para Antonia.

Ela queria que Sharpe gostasse.

Ele o virou para a luz e viu o cuidado com que a fardinha minúscula tinha sido confeccionada. O boneco tinha só quinze centímetros, mas a jaqueta verde exibia cada peça de rolotê preto, pequenos elos intricados na frente atravessados por um cinturão diagonal fino e preto. O rosto era esculpido em madeira. Ele levantou a barretina de bico preto minúscula e viu cabelo preto embaixo.

— Lã. — Ela sorriu. — Eu ia dar para ela de Natal. Hoje. Vai ter que esperar.

— Como ela está?

— Linda. — Teresa pegou o boneco de volta e começou a embrulhá-lo com cuidado e delicadeza. — Lucia cuida dela. — Lucia era a cunhada de Teresa. — É muito boa com ela. Acho que tem que ser, já que nós não somos os melhores pais do mundo. — Ela deu de ombros.

— Diga a ela que o boneco é presente meu também. — Ele não tinha nada para dar à filha.

Teresa assentiu.

— Era para ser você. — Ela sorriu. — Ela pode ter um boneco e chamá-lo de papai. Vou dizer que é presente seu também.

Sharpe pensou nas palavras que disse a Frederickson. Deixá-la para a vida. Não queria isso. Antonia era a única pessoa de sua carne e sangue, mas ela não o conhecia, nem ele a conhecia. Olhou para uma estrela turva no meio da névoa e pensou no quanto era egoísta. Preferia viver no gume do perigo e da glória em vez de criar uma família em paz e segurança. Antonia era filha da guerra, e a guerra, como disse Ducos, trazia a morte com mais frequência que a vida.

— Ela já fala?

— Algumas palavras. — Teresa falava com a voz contida. — Mamãe. Chama Ramon de "Goga", não sei por quê. — Ela riu, mas havia pouco prazer em sua voz.

Antonia falaria espanhol. Não tinha a quem chamar de papai a não ser o tio, Ramon, e tinha sorte em tê-lo. Mais sorte com o tio que com o pai.

— Major! Major Sharpe!

A voz o chamava da porta da hospedaria, então Dubreton saiu à rua e foi até eles.

— Major?

Sharpe pôs a mão no ombro de Teresa e esperou até que o coronel francês estivesse perto.

— Minha esposa, *m'sieu*. Teresa? Este é o coronel Dubreton.

Dubreton fez uma reverência.

— La Aguja. A senhora é tão linda quanto perigosa, madame. — Ele fez um gesto indicando a hospedaria. — Seria um prazer que se juntasse a nós. As damas se retiraram, mas a senhora seria bem-vinda, eu sei.

Para a surpresa de Sharpe, Teresa respondeu educadamente:

— Estou cansada, coronel. Preferiria esperar meu marido no castelo.

— Claro, senhora. — Dubreton fez uma pausa. — Seu marido me prestou um grande serviço, senhora, um serviço pessoal. A ele devo a segurança de minha esposa. Se algum dia estiver ao meu alcance, eu me sentiria honrado em pagar essa dívida.

Teresa sorriu.

— O senhor vai me perdoar se eu esperar que isso jamais esteja ao seu alcance?

— Lamento sermos inimigos.

— O senhor pode sair da Espanha, e então não precisaríamos ser.

— Ser seu amigo, senhora, torna suportável a ideia de perder esta guerra.

Ela gargalhou, satisfeita com o elogio e, para absoluta perplexidade de Sharpe, estendeu a mão e deixou que o francês a beijasse.

— Poderia pedir que trouxessem meu cavalo, coronel? Um dos seus homens está segurando-o.

Dubreton obedeceu, sorrindo do estranho acaso que lhe levou para tão perto de uma mulher cuja cabeça valia tanto na França. La Aguja, "a agulha", travava uma guerra amarga contra seus homens.

Harper trouxe o cavalo, ajudou Teresa a montar e a acompanhou até o castelo. Dubreton ficou observando-os se afastar e tirou um charuto de uma caixa de couro. Ofereceu um a Sharpe, e o fuzileiro, que raramente fumava, aceitou. Esperou enquanto Dubreton soprava uma fagulha no pano chamuscado dentro de seu isqueiro até produzir uma chama e depois se curvou para acender o charuto.

O barulho dos cascos do cavalo foi desaparecendo na terra quebradiça, gelada. Dubreton acendeu seu charuto.

— Ela é lindíssima, major.

— É, sim.

A fumaça do charuto sumiu na névoa. Uma brisa fraca soprava agora, uma brisa capaz de soprar fumaça de canhão para longe do cano. Logo a névoa iria se dissipar, esgarçada. E depois? Chuva ou neve.

Dubreton sinalizou para Sharpe retornar à hospedaria.

— Seu coronel exige sua presença. Não creio que precise de seu conselho, ou que o queira. Suspeito que meramente queira privá-lo da companhia de sua esposa.

— Assim como o senhor o privou?

Dubreton sorriu.

— Minha esposa, que não é tola, chegou a sugerir que a bela Lady Farthingdale não é o que deveria ser.

Sharpe gargalhou, não respondeu e abriu caminho para Dubreton se curvar sob o lintel da porta da hospedaria. Assim que entrou, Sharpe fechou a cortina e encontrou a sala sufocante com fumaça de charutos, tensa com conversas sérias. O batalhão de garrafas de vinho tinha sido destruído, substituído por conhaque que somente os oficiais superiores estavam bebendo com prazer. Sir Augustus Farthingdale franzia a testa, Ducos dava seu sorriso misterioso.

Dubreton olhou para Ducos.

— Infelizmente você acaba de deixar de conhecer La Aguja, Ducos. Convidei-a a nos acompanhar, ela alegou cansaço.

Ducos virou o sorriso para Sharpe e o manteve no rosto enquanto fazia um gesto obsceno. Fez um círculo com o polegar e o indicador da mão esquerda e enfiou o indicador direito repetidamente no círculo.

— La Aguja, é? Todo mundo sabe o que se faz com agulhas. Enfia-se a linha.

A espada saiu da bainha tão rápido que nem Dubreton, parado perto de Sharpe, poderia impedir o movimento. O aço brilhou à luz das velas e arremeteu enquanto Sharpe se inclinava por cima da mesa e a ponta parava a dois centímetros do nariz de Ducos.

— Gostaria de repetir, major?

A sala ficou completamente silenciosa. Sir Augustus ganiu sua palavra.

— Sharpe!

Ducos não se mexeu. Uma levíssima pulsação latejava embaixo da bochecha marcada de varíola.

— Ela é uma inimiga abominável da França.

— Eu perguntei se gostaria de repetir o que disse? Ou me dê satisfação.

Ducos sorriu.

— Você é um tolo, major Sharpe, se acha que travarei um duelo com você.

— Então você é um tolo em me provocar. Estou esperando seu pedido de desculpas.

Dubreton falou rapidamente em francês e Sharpe supôs que tivesse ordenado o pedido de desculpas, porque Ducos deu de ombros e olhou para Sharpe de novo.

— Não tenho palavras suficientemente baixas para La Aguja, mas pelo insulto ao senhor, *m'sieu*, ofereço minhas desculpas. — Isso foi dito a contragosto, com escárnio.

Sharpe sorriu. O pedido de desculpas foi deselegante e insuficiente e ele moveu a lâmina da espada, rápido, e desta vez Ducos reagiu porque a ponta de aço havia raspado sua sobrancelha esquerda e arrancado os óculos de seu nariz. Ele tentou pegá-los e parou. A lâmina impediu sua mão.

— Está me enxergando bem agora, Ducos?

Ducos deu de ombros. Parecia míope e indefeso sem as duas lentes grossas.

— O senhor teve minhas desculpas.

— É difícil enfiar uma linha quando se está meio cego, Ducos. — O aço pesado bateu numa lente, despedaçando-a. — Lembre-se de mim, seu inimigo. — A lâmina da espada bateu na segunda lente e Sharpe recuou, reverteu a espada e a embainhou.

— Sharpe! — Farthingdale olhava incrédulo para as lentes quebradas. Ducos levaria semanas para substituí-las.

— Bravo, senhor! — Harry Price estava bêbado, bêbado e feliz. Até mesmo os oficiais franceses, que não gostavam de Ducos, sorriram para Sharpe e bateram na mesa, aprovando.

Dubreton voltou à sua cadeira e olhou para o ultrajado Sir Augustus.

— O major Sharpe demonstrou contenção, Sir Augustus. Devo pedir desculpas se um dos oficiais sob meu comando é ofensivo e está bêbado.

Ducos continha sua fúria. Houve dois insultos; de que ele estava bêbado, o que não era verdade, e que estava sob as ordens de Dubreton, o que era igualmente inverídico. Era um homem perigoso, Sharpe sabia, e um homem cuja inimizade poderia se estender longe no futuro.

Dubreton se sentou, bateu as cinzas num prato e se virou para Sir Augustus.

— Tenho sua decisão, Sir Augustus?

Farthingdale tocou a bandagem branca que escondia parte do cabelo prateado. Sua voz soou muito precisa.

— O senhor deseja que deixemos o vale às nove da manhã de amanhã, certo?

— De fato.

— Depois disso o senhor tem ordens de destruir a torre de vigia?

— Isso.

— E depois vão para casa?

— Exatamente! — Dubreton sorriu, serviu conhaque e estendeu a garrafa para Sharpe.

Sharpe fez que não com a cabeça. Soprou uma nuvem de fumaça.

— Por que o senhor quer que deixemos o vale antes de destruírem a torre de vigia? Não poderíamos observar do castelo enquanto isso fosse feito?

Dubreton sorriu, sabendo que a pergunta era tão falsa quanto a informação que ele deu a Sir Augustus.

— É claro que podem observar.

Farthingdale franziu a testa para Sharpe.

— Seu interesse é louvável, major, mas o coronel Dubreton já nos deu bons motivos para a sensatez de nossa partida.

Dubreton assentiu.

— Temos mais três batalhões de infantaria no próximo vilarejo. — Ele deu de ombros e girou o conhaque na taça. — Eles vieram como um exercício de marcha, para endurecer tropas jovens, e, por mais que eu aprecie sua companhia, major, temo que tropas demais no vale possam se tornar algo explosivo.

Então Dubreton estava disposto a mostrar parte de suas cartas. O coronel devia ter percebido que Farthingdale se assustaria com os números, imaginou Sharpe, então se recostou.

— O senhor tem ordens para destruir a torre de vigia?
— Sim.
— Estranho.

Dubreton sorriu.

— Ela foi usada no passado por guerrilheiros. É um perigo para nós, mas não para vocês, eu sugeriria.

Sharpe bateu as cinzas do charuto no chão. Ouviu as risadas das mulheres na sala ao lado.

— Achei que esses morros eram pouco usados por nós, por vocês ou pelos guerrilheiros. Quatro batalhões parece uma força grande demais para destruir uma torre pequena.

— Sharpe! — Farthingdale havia acendido um dos próprios charutos, mais compridos e mais grossos que os de Dubreton. — Se os franceses querem se fazer de bobos explodindo uma torre inútil, isso não é da nossa conta.

— Se os franceses querem alguma coisa, senhor, nosso dever é negar. — A voz de Sharpe saiu ríspida.

— Não preciso que você me diga qual é o meu dever, major! — A voz de Sir Augustus estava raivosa. Dubreton observou em silêncio. A mão tocou a bandagem de novo. — O coronel Dubreton nos deu sua palavra. Ele vai se retirar quando a tarefa estiver concluída. Não há necessidade de um confronto inútil neste vale. Você pode querer uma luta, major, para polir seus louros, mas meu serviço está feito. Destruí Pot-au-Feu, retomei nossos desertores e nossas ordens são de ir para casa!

Sharpe sorriu. Não eram as ordens de Farthingdale, eram ordens de Kinney, e agora Kinney estava na sepultura, olhando para os morros a oeste, e esse comando havia caído na mão de Farthingdale. Sharpe soprou fumaça para o teto e olhou para Dubreton.

— O senhor vai para casa?

— Sim, major.

— E vocês se chamam de "Exército de Portugal", não é?

Silêncio. Sharpe sabia que estava certo. Os franceses mantinham três exércitos no oeste da Espanha: o Exército do Norte, o Exército do Centro e o Exército de Portugal. O lar de Dubreton era do outro lado da fronteira, suas palavras foram deliberadamente enganosas, ainda que não o suficiente para comprometer sua honra.

Dubreton ignorou Sharpe. Em vez disso, olhou para Sir Augustus e pôs aço na voz.

— Tenho quatro batalhões de infantaria, Sir Augustus, e posso chamar outros em menos de um dia. Tenho minhas ordens, por mais tolas que possam parecer, e pretendo cumpri-las. Começarei minhas operações amanhã às nove horas. Deixo a opção de vocês tentarem obstruí-las.

Dubreton sabia com quem estava falando. Sir Augustus viu as chances, viu as baionetas francesas vindo em meio à fumaça da guerra, e se dobrou, covarde, diante da ameaça.

— E o senhor diz que podemos nos retirar sem sermos importunados?

— Nossa trégua será estendida até as nove da manhã de amanhã, Sir Augustus. Isso deve lhe dar tempo suficiente para se distanciar de Adrados.

Farthingdale assentiu. Sharpe não conseguia acreditar no que estava vendo, embora tenha conhecido outros oficiais assim, oficiais que compraram a patente sem jamais ver o inimigo e que fugiam na primeira oportunidade. Farthingdale se afastou da mesa, arrastando a cadeira para trás.

— Partiremos ao amanhecer.

— Esplêndido! — Dubreton levantou sua taça de conhaque. — Bebo a esse bom senso!

Sharpe largou a guimba do charuto no chão.

— Coronel Dubreton?

— Major?

Agora Sharpe tinha cartas a jogar, mas num jogo diferente, e devia jogá-las com cuidado.

— Sir Augustus comandou um ataque galante hoje, como o senhor pôde ver.

— De fato. — Dubreton olhou para a bandagem branca. O rosto presunçoso de Farthingdale espiou Sharpe com suspeitas.

— Não tenho dúvida, senhor, de que a história do ataque desta manhã trará somente glória a Sir Augustus. — O rosto de Farthingdale, diante desse elogio, só demonstrou mais suspeitas. Sharpe arqueou uma sobrancelha. — Infelizmente o despacho terá de registrar que Sir Augustus recebeu um ferimento enquanto comandava tropas pela brecha. — Sharpe se inclinou para a frente. — Eu já soube de ocasiões, coronel, em que esse tipo de ferimento provocou uma séria recaída durante a noite.

— Devemos rezar para que isso não aconteça, major — disse Dubreton.

— E agradeceremos por suas orações, senhor. No entanto, se isso acontecer, o comando das tropas britânicas estará nos meus ombros indignos.

— E...?

— E eu exercerei esse comando.

— Sharpe! — protestou Farthingdale com indignação. — Você exige muito de si mesmo, major! Eu tomei minha decisão, dei minha palavra, e não tolerarei esse insulto. Você aceitará minhas ordens!

— Claro, senhor. Peço desculpas.

Dubreton entendeu. Sharpe também estava protegendo sua honra, desassociando-se da decisão de Farthingdale, e o francês captou a mensagem que Sharpe quis passar. Ele ergueu uma das mãos.

— Rezaremos para que a saúde de Sir Augustus perdure durante a noite, e de manhã, major, saberemos se ele viveu feliz se virmos vocês se retirarem.

— Sim senhor.

Ficaram mais meia hora e depois se despediram. Soldados trouxeram cavalos à porta, oficiais vestiram capas ou sobretudos e deram espaço para Josefina montar em seu cavalo. Sir Augustus montou ao lado dela, abaixou o chapéu em cima da bandagem e olhou para os oficiais ingleses junto à porta da estalagem.

— Todos os oficiais da companhia em meu alojamento dentro de meia hora. Todos! Isso inclui você, Sharpe. — Ele levantou um dedo enluvado para a borla do chapéu e assentiu para Dubreton.

O coronel francês segurou Sharpe de lado.

— Vou me lembrar da dívida para com você, Sharpe.

— Na minha mente não há dívida, senhor.

— Sou um juiz melhor. — Ele sorriu. — Vai lutar contra nós amanhã?

— Devo obedecer às ordens, senhor.

— É. — Dubreton observou os primeiros cavalos partirem. Em seguida tirou uma garrafa de conhaque das costas. — Para mantê-lo quente em sua marcha amanhã.

— Obrigado, senhor.

— E feliz Ano-Novo, major.

Sharpe montou e seguiu a passo atrás dos oficiais que se afastavam. Harry Price o esperou, seguiu ao seu lado, e, quando estavam longe dos outros ouvidos, o tenente olhou para o alto major.

— Vamos mesmo embora amanhã de manhã, senhor?

— Não, Harry. — Sharpe sorriu para ele, mas o sorriso escondia os sentimentos reais. Muitos fuzileiros e muitos *fusiliers*, Sharpe sabia, jamais deixariam este lugar alto nas montanhas chamado Portal de Deus. Tinham tido seu último Natal.

CAPÍTULO 18

Meia-noite depois do Natal. A névoa que não tinha sido levada pela brisa se agarrava a pedras e capim, e o som do calcanhar das botas das sentinelas ecoava no alto das muralhas do castelo. Chamas tremulavam no pátio. Vistas de baixo, as abas dos sobretudos das sentinelas de patrulha poderiam ser os mantos de cavaleiros com armaduras; as baionetas, refletindo o brilho do fogo, a ponta das lanças de homens que esperavam o ataque do islã ao amanhecer.

Sharpe segurava Teresa junto ao corpo. Dois guerrilheiros esperavam no portão do castelo, seu cavalo se movia inquieto, atrás dela.

— Você está com a mensagem?

Ela assentiu e se afastou dele.

— Volto em dois dias.

— Ainda estarei aqui.

Ela lhe deu um soquinho.

— É melhor estar mesmo. — Ela se virou, montou no cavalo e seguiu em direção ao portão.

— Cuide-se!

— Nós cavalgamos mais à noite que de dia! Dois dias! — E ela atravessou o arco, virando para o oeste para levar a Frenada a notícia das tropas francesas escondidas. Outra separação num casamento feito de demasiadas separações; ele ouviu o som dos cascos se afastando e pensou que ao fim de dois dias de luta haveria uma recompensa.

Estava atrasado para a reunião de Sir Augustus, mas não se importava. A decisão que havia tomado faria com que nada que Sir Augustus tivesse a dizer fizesse sentido. Sharpe assumiria o comando. Subiu a escada da torre do portão, laboriosamente liberada do sarilho, e andou pelo circuito de ameias em direção à torre de menagem.

A lareira do quarto de Sir Augustus era enorme, a madeira estalando ferozmente enquanto os espinhos queimavam. A chaminé, a única do castelo, abria-se para o topo da muralha.

Farthingdale parou quando Sharpe entrou. Havia uma dúzia de oficiais na sala, até mesmo Frederickson havia sido convocado da torre de vigia, e os olhos se viraram para Sharpe. A voz de Farthingdale foi hostil.

— Está atrasado, major.

— Peço desculpas, senhor.

Pot-au-Feu havia mobiliado o quarto com um esplendor bárbaro, tapetes nas paredes e no chão, e até servindo como cortinas pesadas, e as cortinas se moveram para revelar Josefina. Ela veio da varanda, sorriu para Sharpe e se encostou na parede quando Sir Augustus levantou o papel que segurava.

— Vou recapitular para os que não puderam chegar a tempo. Partiremos às primeiras luzes. Os prisioneiros vão na frente, adequadamente vestidos, e vigiados por quatro companhias de *fusiliers*.

Brooker assentiu, tomando notas num quadrado de papel dobrado.

— O capitão Gilliland irá em seguida. Você abrirá espaço em suas carroças para os feridos.

Gilliland assentiu.

— Sim senhor.

— Em seguida o restante dos *fusiliers*. Major Sharpe?

— Senhor?

— Seus fuzileiros formarão a retaguarda.

O capitão Brooker levantou o argumento pertinente do que seria feito com as mulheres e os filhos dos prisioneiros, e, enquanto os capitães davam suas sugestões, Frederickson olhou com simpatia para Sharpe, que sorriu e balançou a cabeça.

Frederickson entendeu errado, ou então estava perturbado demais para deixar isso por conta de Sharpe, porque se levantou e pediu permissão para falar.

— Capitão?

— Por que vamos embora, senhor?

— Os fuzileiros estão com sede de glória — zombou Farthingdale, e Sharpe marcou os homens que sorriram, porque esses eram os que tinham pouco gosto por esta luta. Farthingdale entregou o papel a um *fusilier*, que agia como escrivão e começou a tarefa laboriosa de copiar as ordens. — Vamos partir, capitão Frederickson, porque estamos diante de forças avassaladoras num lugar pelo qual não temos motivo para lutar. Não podemos lutar contra quatro batalhões franceses.

Sharpe ignorou o fato de que quatro batalhões franceses não eram um número muito grande para uma defesa bem posicionada. Desencostou-se da parede.

— Na verdade, senhor, são muito mais que quatro.

Todos os olhares se fixaram em Sharpe. Farthingdale pareceu perdido por um segundo.

— Mais?

— A menos de doze quilômetros de nós, senhor, e provavelmente se movendo esta noite, há quase dez batalhões, talvez mais. Além disso, há cinco ou seis baterias de artilharia, e pelo menos mais duzentos cavalarianos. Minha suspeita é de que isso seja o mínimo. Suponho que sejam pelo menos quinze batalhões.

Os espinhos estalavam na lareira. O escrivão *fusilier* estava olhando boquiaberto para Sharpe. Farthingdale franziu a testa.

— Posso perguntar por que você optou por não me informar sobre isso, Sharpe?

— Acabo de informar, senhor.

— E posso perguntar como você sabe?

— Minha esposa os viu, senhor.

— O relato de uma mulher.

— Uma mulher, Sir Augustus, que passou os últimos três anos lutando contra os franceses. — A provocação acertou em cheio, gerando sorrisos de Frederickson e de alguns outros oficiais.

Sir Augustus falou rispidamente com o escrivão que continuasse redigindo, depois se dirigiu rispidamente a Sharpe:

— Não vejo como isso afeta estas ordens, major. No mínimo parece enfatizar a sabedoria das mesmas.

— Seria interessante, senhor, saber por que os franceses estão aqui com tamanha força. Duvido que seja para destruir uma torre de vigia.

— Interessante, sem dúvida, mas não é da minha conta. Está sugerindo que lutemos com eles? — Sir Augustus deixou o sarcasmo transparecer na pergunta.

— Bom, senhor. Eles provavelmente têm sete ou oito mil soldados de infantaria, suspeito que mais. Nós temos, deixe-me ver, apenas seiscentos, incluindo os que estão com ferimentos leves. Também temos os homens do capitão Gilliland, por isso acho que podemos contê-los com segurança.

Mais sorrisos, e Sharpe também marcou esses, porque eram os capitães com os quais podia contar.

Sir Augustus estava gostando disso.

— Como, major?

— Do jeito de sempre, senhor. Matando os filhos da mãe.

— Minha esposa está na sala, Sharpe. Peça desculpas.

Sharpe fez uma reverência para Josefina.

— Desculpe, milady.

Farthingdale puxou a aba de sua casaca para se esquentar na frente do fogo. Estava satisfeito consigo mesmo, tendo obrigado Sharpe a pedir desculpas, e desfrutava de sua demonstração de autoridade diante de Josefina. Sua voz estava firme.

— O major Sharpe sonha com milagres, eu prefiro depositar a confiança no bom senso de soldado. Nosso dever mais simples é viver e lutar outro dia. Capitão Brooker?

— Senhor? — Sharpe havia marcado Brooker como apoiador de Farthingdale.

— Destaque dois tenentes confiáveis para levar essas informações à nossa frente amanhã. Garanta que estejam com boas montarias.

— Sim senhor.

Sharpe se encostou de novo na parede.

— Já mandei a mensagem, senhor.

— Você assume muita responsabilidade, major Sharpe. — A voz de Sir Augustus estava repleta de desprezo. — Achou que a cortesia de pedir minha permissão era um estorvo grande demais para seu tempo precioso?

— Minha esposa e seus homens não estão sujeitos à sua permissão, Sir Augustus. — Sharpe deixou a hostilidade transparecer e viu a fúria saltar nos olhos de Farthingdale. Continuou falando, suavizando o tom: — Mas preciso de sua permissão, senhor, para outra coisa. Gostaria que fosse registrada uma observação nesta reunião.

— Que se dane a sua observação!

— O senhor pode achar o que quiser, mas mesmo assim ela é importante. — Sharpe sabia como enfrentar alguém metido a valente. Estava empertigado de novo, mais alto que todos os outros na sala, com uma raiva e uma violência contidas ameaçando a reunião. Fez uma pausa, dando a Sir Augustus a chance de ordenar que ele ficasse em silêncio, e, quando a ordem não veio, jogou a linha de salvação em que havia pensado tão cuidadosamente. Se Sir Augustus desse ouvidos, poderia sustentar o passo. — É óbvio, senhor, que os franceses estão interessados em muito mais que a destruição da torre de vigia. Sugiro, senhor, que a força deles denota uma tentativa de entrar em Portugal, e, assim que tiverem atravessado este passo, há uma dúzia de rotas que poderiam tomar. Vai demorar um dia para nossa mensagem chegar a Frenada e mais um dia para qualquer tropa ser concentrada, e até lá o objetivo deles pode ser cumprido. Não sei qual é o objetivo deles, senhor, mas sei de uma coisa: há apenas um lugar onde podem ser impedidos, e é aqui. — Os apoiadores de Sharpe, dentre eles Gilliland, assentiram.

Sir Augustus se recostou na coifa ornamentada da chaminé de pedra e passou a mão no cabelo, mexendo no laço preto junto à nuca.

— Obrigado pela palestra, major Sharpe. — Sir Augustus estava se sentindo mais confortável. As chances descritas por Sharpe haviam justificado sua decisão, e ele sentia o apoio de metade dos oficiais na sala. — Você queria que essa observação fosse registrada. E será, assim como a minha. Este pode ser o lugar para impedi-los, mas só com tropas adequadas. Não pretendo sacrificar um ótimo batalhão à sua ambição numa tentativa infrutífera de impedir um inimigo em maior número e com mais canhões. Está sugerindo mesmo que podemos vencer?

— Não, senhor.

— Ah! — Sir Augustus fingiu surpresa.

— Estou sugerindo que temos de lutar.

— Sua sugestão está anotada e recusada. Minha decisão está tomada. Partimos amanhã. É uma ordem. — Ele lançou um olhar mordaz para Sharpe. — Aceita essa ordem, major?

— É claro, senhor, e peço desculpas por tomar seu tempo. — Frederickson olhou aparvalhado para Sharpe. Farthingdale pareceu satisfeito.

— Obrigado, major. — Sir Augustus suspirou. — Estávamos discutindo o problema das mulheres e das crianças. Capitão Brooker?

A colaboração do capitão Brooker estava condenada a não ser dita. Sharpe pigarreou.

— Senhor?

— Major Sharpe. — Farthingdale mostrou ares de superioridade na vitória.

— Há uma questão minúscula, senhor, que eu estaria errado se não trouxesse à sua atenção.

— Eu odiaria que você estivesse errado, major. — Farthingdale provocou sorrisos em seus homens. — Por favor, esclareça-me.

— É uma história, senhor, e, por favor, tenha paciência comigo, mas ela tem certa relevância. — Sharpe falava em tom afável, encostado na parede, a mão direita atravessando o corpo para segurar o botão da espada. — As chances contra nós parecem avassaladoras, senhor, extremamente, mas me lembro de uma dama que conheço em Lisboa.

— Sério, Sharpe? Uma dama em Lisboa? Você diz que isso tem relevância?

— Sim, senhor. — A voz de Sharpe estava humilde. Ele olhou de relance para Josefina, depois voltou a encarar o homem magro e elegante encostado na chaminé. — Ela era chamada de La Lacosta, senhor, e sempre dizia que, quanto mais, melhor.

Frederickson gargalhou, assim como um ou dois outros, e a gargalhada sufocou o arquejo de Josefina. Frederickson e os outros oficiais não sabiam de quem Sharpe estava falando, mas Sir Augustus sim. Estava sem palavras, uma expressão de choque no rosto, e Sharpe foi em frente:

— Lady Farthingdale vai perdoar minha linguagem, senhor, mas La Lacosta era uma prostituta. Ainda é, e seu marido, Sir Augustus, mora no Brasil.

— Sharpe!

— O senhor me ouviu. Quanto mais, melhor! — Agora Sharpe estava de pé, a voz ríspida. — Posso sugerir que é hora de uma reunião dos oficiais superiores, senhor? De major para cima? Para discutir o relatório que terei de submeter ao quartel-general?

O júbilo de um ás caindo sobre o pano verde, o júbilo do momento em que a linha de escaramuça inimiga se vira e parte em retirada, o júbilo de ver Sir Augustus cair diante de um trunfo, derrotado, destruído.

— Uma reunião?

— Na outra sala, senhor? — Sharpe olhou de soslaio para Josefina e havia choque no rosto dela, incredulidade também, porque Sharpe usou o conhecimento, mas as dívidas de Sharpe para com La Lacosta haviam sido pagas muito antes. Ele andou pela sala, ignorando a de perplexidade no olhar dos oficiais reunidos, e manteve a porta aberta para Sir Augustus.

Havia uma tocha de palha no suporte do lado de fora da porta. Sharpe a pegou e foi à frente, entrando no grande salão onde Pot-au-Feu exerceu seu reinado precário. A varanda se estendia até o salão, e Sharpe foi para lá e ordenou que os dois soldados que estavam ali dessem o fora. Pôs a tocha na balaustrada e se virou para olhar o rosto pálido do coronel da cavalaria.

— Acho que nos entendemos, Sir Augustus. O senhor usou as tropas de Sua Majestade para resgatar uma prostituta portuguesa.

— Não, Sharpe!

— Então, por favor, diga-me o que fizemos.

A vontade de lutar havia desaparecido de Farthingdale, mas ele não iria se render. Suas mãos balançaram debilmente.

— Nós viemos destruir Pot-au-Feu e resgatar todas as reféns!

— Uma prostituta, coronel. Uma prostituta que eu conheci há três anos, e conheci muito bem. Como vai Duarte, o marido dela?

— Sharpe!

— Quer uma lista de outros que estiveram lá, coronel? Naquela bela casa com laranjeiras? Ou devo simplesmente mandar uma carta para os jornais ingleses? Eles gostariam da história de como invadimos um convento para resgatar a prostituta que Sir Augustus afirmava ser sua esposa.

Sir Augustus estava numa arapuca, enfim apanhado. Brincou com fogo e se queimou. Sharpe olhou de relance para o salão, certificando-se de que não havia ninguém por perto.

— Temos de pará-los aqui, Sir Augustus, e creio que o senhor não seja o homem para fazer isso. O senhor alguma vez já se defendeu contra um ataque francês?

A cabeça balançou miseravelmente.

— Não.

— Os tambores nunca param, coronel, pelo menos até o senhor ter derrotado os filhos da mãe, e eles suportam bastante pancada. Eu lhe digo. Não podemos sustentar as três construções, não temos homens para isso, portanto vou ceder o convento primeiro. Eles vão colocar canhões lá, e, assim que tiverem tomado a torre de vigia, o que vai acontecer, vão colocar canhões ali também. Será como estar num moedor de carne, coronel. Os desgraçados giram a manivela e tudo o que se pode fazer é torcer para não sermos pegos nas porcarias das lâminas. Quer realizar essa defesa?

— Sharpe? — Era um pedido desesperado.

— Não. O senhor pode partir daqui com a reputação intacta, coronel, e pode levar a prostituta. Eu não vou dizer nada. Diga que seu ferimento dói ao ponto de você desmaiar, e entregue o comando a mim. Entendeu? E ao alvorecer o senhor partirá. Eu lhe darei quatro homens como escolta, mas o senhor vai embora.

— Isso é chantagem, Sharpe!

— É, sim. E também é guerra. Agora, o que o senhor quer? Que eu não diga nada? Ou devo contar sua historinha para o exército inteiro?

Farthingdale aceitou, como Sharpe sabia que faria. Não havia prazer em humilhá-lo, e nenhum prazer em prejudicar a riqueza de Josefina. O rosto fino e bonito olhou para Sharpe, digno de pena.

— Você não dirá nada?

— Dou minha palavra de honra.

Nuvens haviam se espalhado até longe, ao sul, amortalhando a lua, adensando a promessa de chuva ou neve. Sharpe esperou enquanto Sir Augustus voltava à sala para fazer o anúncio, um anúncio que lamentava sua saúde, dizia que ele e Lady Farthingdale iriam para o convento, que o major Sharpe estava no comando. No comando. Um mês antes Sharpe comandava vinte e oito homens, esta noite tinha quase oitocentos, contando com os de Gilliland. Alguns homens tomavam para si a responsabilidade, quer fosse oferecida ou não.

Ele voltou para a sala depois que Sir Augustus e Josefina saíram e foi recebido por uma algazarra. A maioria dos oficiais estava confusa, pasma com a reviravolta, temendo que Sharpe tivesse reduzido tremendamente suas chances, e clamavam por detalhes, por explicações. Sharpe interrompeu a balbúrdia.

— Silêncio!

Pegou os papéis na mesa do escrivão, as ordens de retirada, e os jogou no fogo. Os outros olhavam, alguns vendo as esperanças queimarem.

— Nossa tarefa, senhores, é sustentar o passo durante pelo menos quarenta e oito horas. E será feito assim. — Ele não admitiu perguntas, nem discussões, nem mesmo quando ordenou que o perplexo tenente Price mandasse Patrick Harper capturar o máximo de pássaros vivos que conseguisse.

— Sim senhor. — Price balançou a cabeça, espantado. Frederickson sorriu, finalmente feliz.

Enfrentou as perguntas no fim, dispensou-os para suas companhias e depois tirou o tapete da janela, para olhar para oeste, para Portugal. Teresa estava em algum lugar lá embaixo, cavalgando na noite.

— Senhor?

Ele se virou. Frederickson estava encostado na parede junto à porta.

— Sim?

— Como conseguiu?

— Não importa. Sustente aquela torre para mim.

— Considere isso feito. — Frederickson sorriu e saiu.

A torre. A chave para todo o vale, a chave para viver os dois dias seguintes ou então a escuridão perpétua. Sharpe olhou para as cinzas de papel no fogo. Ele sustentaria o Portal de Deus.

CAPÍTULO 19

O amanhecer de sábado, 26 de dezembro de 1812, foi lamacento, vagaroso e inglório.
A temperatura subiu durante a noite, e o ar mais quente trouxe uma chuva que castigava as pedras do pátio, sibilava na fogueira e nas tochas e encharcava os arbustos de espinheiro de modo que, à medida que a luz lutava para atravessar as nuvens, eles pareciam pretos e brilhantes nas encostas.

A princípio o vale parecia vazio. A chuva havia se exaurido até se tornar uma garoa fina que escondia os distantes morros de Portugal. Nuvens tocavam os picos rochosos a norte e sul, amortalhavam até mesmo as pedras mais altas da torre de vigia. A bandeira inglesa no convento foi retirada durante a noite, e os dois estandartes na torre do portão pendiam pesados e molhados acima da pedra escurecida pela chuva.

Às sete e meia, alguns minutos depois do nascer do sol, um grupo de oficiais franceses apareceu a oeste do vilarejo. Um era general. Ele apeou, depois apoiou o telescópio na sela do cavalo e espiou os homens na muralha do castelo, em seguida girou o cavalo para poder olhar as figuras sob a torre de vigia. Resmungou:

— Quanto tempo?

— Uma hora e meia, senhor.

A chuva alimentou o córrego, que agora borbulhava vigorosamente na fonte, e a água caía branca sobre pedras e terra e inundava pequenos trechos do vale. Dois maçaricos, com seus bicos longos e curvados feito sabres, saltitavam junto ao córrego bicando a água gelada. Pareceram não encontrar nada, porque voaram para o leste em busca de comida melhor.

Às oito horas a garoa havia parado e um vento soprava as dobras rígidas das bandeiras.

Às oito e quinze o general reapareceu com um pedaço de pão e "enfim" foi recompensado por movimento, fuzileiros estavam apagando os restos de vida de uma fogueira sob a torre de vigia, depois pegaram mochilas e armas e partiram para o oeste adentrando os espinheiros. Os arbustos pretos e pontudos pareceram engoli-los, escondendo-os, mas então, dez minutos depois, eles apareceram em frente ao castelo. O general bateu com os pés.

— Graças a Deus os desgraçados estão indo embora. — Nenhum francês gostava dos fuzileiros, os "gafanhotos", que matavam de longe e pareciam invulneráveis ao fogo de mosquete dos escaramuçadores franceses.

Às oito e meia as bandeiras foram retiradas da torre do portão e as sentinelas desapareceram das muralhas do castelo. Saíram pelo portão do castelo, deformadas por sobretudos, mochilas, sacolas e cantis, e um oficial montado as formou em fileiras. Os fuzileiros que tinham vindo da torre de vigia se posicionaram ao lado delas, e todo o grupo marchou para a estrada, virou para o oeste e ultrapassou a borda do passo. Antes que o oficial montado sumisse, parou, virou-se para os franceses e os saudou com a espada.

O general riu.

— Então é isso. Quantos havia lá?

Um ajudante de ordens fechou o telescópio.

— Cinquenta casacas-vermelhas, senhor, vinte gafanhotos.

Dubreton tomou um gole de café.

— Então o major Sharpe perdeu.

— Sejamos gratos a isso. — O general envolveu seu café com as duas mãos. — Devem ter ido à noite, deixando essa retaguarda.

Outro ajudante de ordens estava olhando para o morro deserto da torre de vigia.

— Senhor?

— Pierre?

— Eles deixaram os canhões.

O general bocejou.

— Não tiveram tempo de tirá-los. Aqueles artilheiros marcharam até aqui por nada. — E gargalhou. Dubreton chegou a pensar que os artilheiros no convento tinham sido trazidos para pegar os canhões no vale das montanhas. E, mais ainda, que Sharpe tinha dado um jeito de ele ver os homens para que os franceses achassem que os ingleses haviam munido adequadamente as baterias de artilharia. Dubreton sentiu um momento de pesar inútil. Teria sido interessante lutar contra Richard Sharpe.

O general jogou a borra do café na estrada e olhou para Dubreton.

— Ele quebrou os óculos de Ducos?

— Sim senhor.

O general gargalhou, um som estranhamente parecido com um relincho, a tal ponto que as orelhas do cavalo se viraram para trás, interessadas no som. O general balançou a cabeça.

— Vamos alcançá-los antes do meio-dia. Certifique-se de que Sharpe não caia nas mãos do nosso amigo Ducos. Alexandre.

— Sim senhor.

— Que horas são, Pierre?

— Vinte para as nove, senhor.

— O que são vinte minutos numa guerra? Vamos começar, senhores!

— O general, um homem pequeno, deu um tapa nas costas de Dubreton.

— Muito bem, Alexandre! Nós teríamos levado o dia inteiro para forçar passagem por esse passo, se eles tivessem ficado.

— Obrigado, senhor.

Mais uma vez Dubreton sentiu um instante de pesar pelo inimigo ter sido enganado com tanta facilidade, mas sabia que o pesar não fazia sentido. Esta operação no meio do inverno dependia demais de que tudo acontecesse no momento certo. Os franceses tomariam o Portal de Deus e colocariam uma guarnição ali, então mandariam a maior parte da força para baixo, em direção a Vila Nova, na margem norte do Douro. Sua presença reforçaria os boatos cuidadosamente plantados por Ducos de uma invasão ao norte de Portugal, em Trás-os-Montes, e, quando os ingleses reagissem, o que fariam, trazendo suas forças para o norte, a verdadeira operação se desdobraria partindo de Salamanca. Divisões do Exército de Portugal, reforçadas por homens do Exército do Centro e até mesmo uma divisão do Exército do Sul, atravessariam o Côa, arrancariam seus defensores da divisão ligeira inglesa e capturariam Frenada, possivelmente Almeida, e esperavam até mesmo surpreender a guarnição espanhola de Ciudad Rodrigo. Em uma semana, a estrada do norte de Portugal estaria de novo em mãos francesas, a guerra com os ingleses recuaria por pelo menos um ano, e Dubreton havia passado a noite em claro, enquanto sua esposa dormia pacificamente, temendo que Sharpe ficasse no Portal de Deus. De madrugada se levantou, vestindo-se em silêncio e se juntado à linha de piquete a oeste de Adrados. Um sargento o cumprimentou, então indicou o castelo com um aceno de cabeça.

— Ouviu aquilo, senhor?

Carroças ribombando na noite.

— Os desgraçados estão indo embora.

— Esperemos que sim, sargento.

Agora, à medida que a luz do dia enchia o vale — uma luz cinzenta, úmida e deprimente —, Dubreton sentiu um instante de pesar por Sharpe. Gostou do fuzileiro, reconhecendo-o como um colega soldado, e sabia que Sharpe desejava defender sua posição no alto vale. Seria uma luta sem esperança, mas digna de um soldado, e, enquanto pensava assim, a suspeita se formou em seu cérebro. Sorriu. É claro! E se Sharpe quisesse que eles pensassem que os ingleses tinham ido embora? Pegou seu telescópio, usou o ombro de um soldado e examinou as seteiras escuras do castelo.

Nada. Virou a lente para a direita, a mão escorregando de modo que, por um segundo, só pôde ver a terra recém-revirada das sepulturas em frente à muralha leste, e então o telescópio estava sob controle e ele olhou a torre do portão. Nada, ainda. O portão parecia desimpedido. Inclinou o telescópio para cima e olhou as longas fendas escuras acima do arco, e ali havia movimento! Sorriu, a sentinela pôde sentir a empolgação do coronel, então o momento passou. Era apenas uma gralha voando da construção vazia, os pássaros tomando conta do que normalmente era seu domínio. Fechou o telescópio. A sentinela olhou para ele.

— Tem alguém lá, senhor?

— Não. Está vazio.

Na sala retangular acima do portão, Sharpe xingou. O *fusilier* balançou a cabeça.

— Desculpe, senhor. O desgraçado se soltou.

— Bom, não brinque com a porcaria dos cestos!

— Não, senhor.

Harper e Daniel Hagman levaram mais de duas horas para pegar os cinco pássaros nas pedras acima do convento. Sharpe queria mantê-los presos até os franceses estarem muito mais perto, quando o inimigo pudesse ver claramente os pássaros saindo das seteiras e chegasse à conclusão óbvia de que a construção estava deserta de novo. Agora esse *fusilier* idiota havia entreaberto as bordas do cesto de vime para olhar a ave que saltou em cima dele, voando desesperadamente para o vale. Um pássaro desperdiçado! Sharpe tinha só mais um, e os outros três estavam com um dos tenentes de Cross na torre de menagem.

Foi uma noite frenética, e Sharpe tirou um peso dos ombros quando, às cinco horas, Sir Augustus Farthingdale e Josefina cavalgaram para o oeste descendo o passo com quatro *fusiliers* levemente feridos, montados em cavalos da tropa de Gilliland e servindo de escolta. Uma hora depois, Sharpe mandou as mulheres e as crianças para o oeste, arrebanhadas pelos fuzileiros de Cross, que as forçaram por um quilômetro e meio abaixo do passo e as deixaram por conta própria. Quase quatrocentos prisioneiros permaneciam nas masmorras do castelo, vigiados por outros *fusiliers* levemente feridos. Os feridos foram trazidos do castelo, de carroça, e levados até o grande salão voltado para o oeste, e estariam mais longe dos tiros dos canhões franceses. O cirurgião, um homem alto e sério, havia arrumado suas sondas, serras e facas numa mesa trazida da cozinha.

Agora havia três companhias de *fusiliers* na torre de vigia, reforçando os setenta e cinco fuzileiros de Frederickson. Sharpe garantiu que os melhores capitães estivessem na torre, homens que pudessem lutar no morro isolado e não buscar ordens que poderiam jamais chegar. Os capitães mais fracos, dois deles, ele pôs no convento, e com eles estava Harry Price com a antiga companhia de Sharpe e oito fuzileiros de Cross. Cento e sete homens sustentavam o convento, sem contar os oficiais, exatamente metade do número de fuzileiros e *fusiliers* que agora se agachavam na encosta reversa do morro da torre de vigia. Patrick Harper estava lá, e Sharpe havia posto capitães fracos no prédio para tornar mais fácil o sargento irlandês cuidar da defesa. Frederickson sustentava a direita de Sharpe, Harper a esquerda, e no centro ficava o castelo. Sharpe tinha quarenta fuzileiros de Cross com duzentos e trinta e cinco *fusiliers*. A Tropa de Foguetes tinha ido para o sul, escondida do outro lado do morro, os homens nervosos nas selas com as lanças estranhas nas mãos.

— Senhor? — Um alferes na escada que ia para o alto da torre do portão gritou para Sharpe.

— Sim?

— Um homem cavalgando para a torre de vigia, senhor.

Sharpe xingou baixinho. Tinha se esforçado tanto para convencer o inimigo de que as posições estavam desertas! Harper havia levado um grupo de fuzileiros para longe da torre de vigia e esperado perto do portão do castelo enquanto uma companhia de *fusiliers* baixava as bandeiras em plena vista e formava do lado de fora do castelo, e depois todos se esconderam atrás da borda do passo, antes de virar à direita e entrar no convento pelo buraco aberto para o canhão de Pot-au-Feu. O oficial, um dos homens mais inteligentes dos *fusiliers*, havia cavalgado para o sul e levado o cavalo pelas encostas íngremes até se juntar aos nervosos homens de Gilliland.

— E, senhor...?

— Sim?

— Um batalhão vindo na nossa direção. Na estrada, senhor.

Isso era melhor. Era tudo o que Sharpe podia esperar, um único batalhão para verificar se as construções estavam vazias, um único batalhão do qual ele podia fazer picadinho antes do desjejum. Subiu a escada, e o alferes abriu caminho para ele. Manteve-se bem afastado da seteira estreita e observou os franceses virem pela estrada. Marchavam casualmente, os mosquetes pendurados nos ombros, e alguns ainda seguravam o pão do café da manhã.

Um capitão francês, liberado pelas ordens de seu coronel, cavalgava à frente do batalhão. Ele olhou para a torre de menagem do castelo e viu um pássaro sair voando de um dos buracos nas pedras. Uma segunda ave apareceu, grande e preta, e se empoleirou nas ameias para se pavonear. O homem sorriu porque as construções estavam vazias.

Sharpe estava de volta à câmara onde ficava o equipamento para erguer a grade levadiça. Viu o capitão se aproximar tranquilamente pela estrada, viu o rosto do sujeito olhar para a seteira e teve certeza de que o ele podia vê-lo, mas o olhar do capitão continuou subindo até o topo da muralha.

— Agora.

O *fusilier*, agachado embaixo da seteira da direita, abriu o segundo cesto, e a gralha gritou com raiva, bateu as asas furiosamente em direção à luz e se espremeu entre as pedras, subindo no ar. O cavalo, que estava apenas alguns metros atrás, refugou, e Sharpe ouviu o capitão tranquilizá-lo.

O capitão acariciou o pescoço do animal e deu um tapinha.

— Está com medo de um pássaro, é? — O francês deu uma risadinha e continuou dando tapas, então as ferraduras ecoaram altas nas pedras do túnel que subia suavemente até o pátio. Riu de novo porque alguém havia escrito com grandes letras a carvão nas pedras do túnel: "*Bonjour*".

Os homens na câmara prenderam a respiração.

O capitão entrou no pátio e viu onde a chuva havia diluído e desbotado as manchas de sangue. Os restos de uma fogueira soltavam fumaça preguiçosamente à direita, diante do que parecia ser um estábulo comprido e baixo. Seu cavalo estava inquieto, sacudindo a cabeça e movendo-se de lado em passos curtos e rápidos. Ele lhe deu outro tapinha.

Um ajudante de ordens do general, um homem curioso pelas construções espanholas, havia cavalgado por entre os espinheiros até a torre de vigia. Nesse lugar os espinheiros eram densos, o caminho tortuoso e marcado por pequenos tufos de lã velha e desbotada que estavam ali desde o verão, quando as ovelhas usavam as pastagens altas. Amarrou seu cavalo a um galho de espinheiro, xingando baixinho quando um espinho arranhou sua mão, depois pegou no alforje um bloco de desenho e um lápis. Essas torres, ele sabia, foram construídas contra os mouros, e esta estava em ótimas condições. Foi até ela, notou o canhão no buraco de terra e viu, também, o prego enfiado no ouvido da arma. Era estranho, pensou, que os ingleses não tivessem tirado o prego da culatra, mas eles partiram às pressas. O canhão era velho, de qualquer modo, de um calibre que não era usado pelos franceses, portanto não representava grande coisa como troféu.

Virou-se e ficou observando o batalhão único marchar para o castelo e o convento, viu o capitão atravessar o arco e olhou para a direita, para os outros dois batalhões, que entravam em formação na rua do vilarejo. Essa era a nova guarnição do Portal de Deus, os homens que deveriam garantir que as tropas que marchariam até Vila Nova teriam um porto seguro na retaguarda para a retirada, então olhou para a passagem em arco que levava à torre. Suspirou, surpreso. A porta tinha um arco redondo decorado num padrão em zigue-zague, nitidamente francês, e ele recebeu isso como um bom presságio de que algum cavaleiro ou pedreiro francês havia supervisionado a construção daquela torre de vigia numa terra estranha. Seu lápis esboçou o arco, movimentos hábeis sombreando a decoração normanda, e a trinta metros dali o Doce William o observava. O tapa-olho e os dentes estavam no bolso.

Agora o general estava a cavalo, colocando a espada no lugar, preparando-se para o dia de marcha.

— O que Pierre está fazendo?

— Desenhando, senhor.

— Meu Deus! — Sua voz saiu em tom divertido. — Existe alguma construção que ele não tenha desenhado?

— Ele diz que vai escrever um livro, senhor — observou outro ajudante de ordens.

O general deu sua gargalhada estranha. O batalhão estava virando à esquerda, aproximando-se do castelo. O general pôs o cantil de vinho no lugar, verificou a pequena caixa de couro no arção da sela, que tinha o suprimento diário de papel para mensagens, depois sorriu para o ajudante de ordens.

— Certa vez conheci um homem que escreveu um livro. — Ele coçou o queixo. — Ele tinha bafo.

O ajudante de ordens riu obedientemente.

E a corneta soou na guarita do castelo.

CAPÍTULO 20

Frederickson não se mexeu. Tinha esperado que ao menos uma companhia de infantaria francesa fosse mandada à torre de vigia, mas havia apenas um homem, segurando um bloco de desenho, cujo rosto magro e bonito estava virado com preocupação para o castelo.

A corneta soou de novo, as notas inequivocamente ordenando "Inclinar para a direita", mas nesta manhã ela dizia às tropas britânicas cuidadosamente posicionadas que os três planos preparados deveriam ser seguidos. O toque era uma sequência repetida de duas notas que fizeram Frederickson se lembrar de um sinal de campo de caça. Nesta hora a caça à raposa estaria acontecendo na Inglaterra.

O ajudante de ordens com seu bloco de desenho foi em direção ao cavalo e parou. Ninguém o ameaçava. Franziu a testa e, com seu cuidado de sempre, pegou um relógio no bolso, abriu a tampa gravada com uma mensagem do pai e anotou a hora no canto do bloco. Faltavam quatro minutos para as nove. Olhou rapidamente para o alto do morro, percebendo o segundo canhão em seu buraco recém-cavado, virado para o sul, mas ainda não via nenhum inimigo. Então notou os casacas-vermelhas no castelo e se levantou, perplexo, e viu fumaça de mosquetes manchar a manhã.

O capitão, cujo cavalo estava nervoso, tinha ido até o grande portão do castelo. A passagem em arco estava bloqueada por pedras até a altura da cintura, e ele conseguia ver o pátio interno vazio do outro lado. Seu cavalo continuava com medo de alguma coisa, e isso era estranho, mas ele coçou o pescoço do animal, falou com carinho e se virou para o estábulo. Dava para ouvir as botas das primeiras companhias vindo em direção ao castelo.

O coronel do batalhão acenou carrancudo para outro capitão que girou suas tropas à direita, na direção da estrada do convento, então o coronel olhou de novo para a guarita. Um dia aquilo foi uma bela construção, pensou.

O capitão esporeou o cavalo e trotou de volta para o portão. Ao menos poderia confirmar o abandono do castelo, e sorriu enquanto acariciava o pescoço do animal. Então o cavalo refugou de novo porque de repente havia um enxame de homens na guarita. Um oficial fuzileiro apareceu no portão que levava à muralha norte, e havia um garoto junto dele, com a corneta na boca, e as notas saltaram para o vale. Mais homens jorraram de uma pequena porta na guarita, fuzileiros que correram para o túnel e se ajoelharam com armas apontadas. Pareceram ignorá-lo, assim como os outros homens de jaqueta verde que passaram correndo pelo oficial indo até a muralha norte, então houve um grito, uma comemoração, e pés correndo atrás dele.

Casacas-vermelhas saíam da torre de menagem, correndo para a muralha leste, derrubada, os sargentos berrando com eles, oficiais gritando, e o capitão francês estava sozinho num pátio cheio do inimigo. Levou a mão à espada e viu o oficial fuzileiro na muralha norte acenando para ele. O aceno era óbvio. Apeie. Renda-se. Ao lado do oficial um homem de jaqueta verde estava ajoelhado com a arma apontada.

O capitão xingou, amargo, apeou, e as primeiras armas racharam a manhã.

Sharpe se virou de volta. A primeira companhia francesa estava a trinta metros do castelo quando as balas de fuzil derrubaram a fila da frente, depois a segunda, e ele olhou para a esquerda, vendo outros fuzileiros mirando nos oficiais. Fuzis estalaram na torreta em cima da guarita e Sharpe viu o coronel francês ser jogado para trás, caindo do cavalo, com sangue manchando a farda. Então outra saraivada de balas de fuzil se cravou na companhia da frente, e os oficiais franceses gritavam com seus homens, formando-os em linha, e os fuzis mortais nas ameias escolhiam os oficiais, depois os homens com a divisa dourada única de sargento.

— Continue tocando, garoto. — O corneteiro havia parado para respirar.

Meia companhia de casacas-vermelhas chegou retumbando à passagem do portão e se alinhou na frente do arco. Os mosquetes dispararam, a fumaça densa à frente deles, e Sharpe soube que os franceses não teriam sucesso numa investida frontal desesperada. Essa era a única esperança deles, se os oficiais tivessem sobrevivido para realizá-la, e agora Sharpe voltava correndo para a guarita, descendo a escada e saindo no pátio, indo em direção à parede leste.

Pará-los junto ao portão, depois atingi-los pelo flanco. Ouvia os franceses gritando, o barulho de varetas desesperadas nos mosquetes, em seguida estava do outro lado da muralha, e os oficiais gritavam atrás dele, formando o meio batalhão de *fusiliers* em duas fileiras, uma linha para varrer para o norte atravessando o vale. Virou-se para encará-las.

Esperou os casacas-vermelhas se posicionarem e verificou a formação, sem apressá-los. Aquilo precisava ser perfeito, porque seria a única chance de lutar no vale aberto, e não queria que os *fusiliers* avançassem com pressa, desconcentrando-se por causa da empolgação e do medo. Acenou para uma abertura entre as companhias.

— Junte-as, sargento!

— Senhor!

— Calar baionetas!

O som do metal estalando e raspando percorreu a linha. Fuzis soavam junto à guarita, os estalos dos mosquetes, e em seguida, enfim, as primeiras respostas francesas enquanto o batalhão atordoado formava uma linha irregular na encruzilhada.

Sharpe se virou e desembainhou a espada grande.

— Avante!

Gostaria de fazer parte de uma banda naquele momento, queria ouvir música enquanto avançava, o som de uma boa melodia como "A queda de Paris" ou, melhor ainda, a canção dos fuzileiros "Sobre os montes e mais além", mas havia apenas a corneta, que não parava de tocar. Olhou para a esquerda e ainda não havia outras tropas francesas à vista. Tinha medo da cavalaria, por isso pôs um oficial com o segundo corneteiro de Cross na torre de menagem para dar um aviso caso ela aparecesse.

Olhou de novo para a frente. Os fuzileiros no telhado do convento atacavam a retaguarda dos franceses, que agora estavam em pânico, apinhando-se para o leste, em direção ao vilarejo. Era o que Sharpe queria. Fez a linha se inclinar para a esquerda, forçando os franceses para o leste, e os fuzileiros na guarita correram mais para o leste enquanto os *fusiliers* bloqueavam a linha de tiro a partir do portão.

O nervosismo havia desaparecido agora, as horas de dúvida enquanto a noite se arrastava, os momentos de espera para soltar sua pequena força contra o inimigo. Sharpe sentiu a estrada sob as botas e viu os franceses cinquenta metros à frente, e já estava escolhendo o caminho entre os mortos deles. Uma bala de mosquete passou perto da sua cabeça, um barulho agudo que pareceu um leve tapa do vento, e ele viu um francês que havia morrido com expressão de perplexidade absoluta no rosto jovem. Atrás de Sharpe o sargento gritou:

— Fechem! Fechem!

Estavam tendo perdas.

Sharpe parou, ouviu as botas atrás dele, ouviu os fuzileiros na guarita, e as duas linhas de soldados o alcançaram.

— *Fusiliers*! Apontar!

As duas filas de mosquetes com ponta de aço foram aos ombros. Para os franceses parecia que a linha vermelha tinha feito um quarto de volta à direita.

— Fogo!

Chamas cuspiram na fumaça, uma saraivada mortal a curta distância, e a nuvem se espalhou na frente dos *fusiliers* obscurecendo sua visão.

— Giro à esquerda! — Isso seria malfeito, mas não importava. Seus ouvidos retiniam com o som dos mosquetes.

— Carga!

Baionetas saindo da fumaça, espada na mão dos oficiais, e Sharpe gritou com eles enquanto partia da nuvem de fumaça e via os franceses correndo, como sabia que correriam. O tempo era tudo. Aquilo foi ensaiado em sua cabeça repetidamente, pensado em detalhes nas horas solitárias, sonhado enquanto a chuva caía nas pedras do pátio por onde o mato crescia.

— Alto! Alinhar!

Um francês ferido gritou e se arrastou na direção dos *fusiliers*. Os mortos inimigos eram densos na encruzilhada onde receberam a única saraivada de mosquete a uma distância tão curta que praticamente nenhuma arma poderia errar. O batalhão estava recuando para o vilarejo, sem líder e apavorado, e Sharpe se mantinha perto do coronel caído. O cavalo do homem corria livre pelo vale.

Sharpe realinhou os *fusiliers*, ainda atento ao toque de corneta que alertaria sobre a cavalaria francesa, e gritou para os homens recarregarem. Era um trabalho desajeitado, porque as baionetas compridas arranhavam os dedos frios enquanto eles enfiavam as balas nos canos, mas precisava de mais uma saraivada. Gilliland! Onde diabos Gilliland estava?

O oficial francês na torre de vigia foi o primeiro a vê-los. Lanceiros! Os ingleses não tinham lanceiros! No entanto, ali estavam eles, vindo da linha dos morros ao sul, cavalgando como o diabo pelo pequeno vale que separava o castelo da torre de vigia. Pareciam mal formados e pouco profissionais, talvez porque os cavalos precisassem passar pelos espinheiros, e então o batalhão francês os viu e os oficiais e os sargentos ainda vivos gritaram com seus homens.

— Formar quadrado!

Eles sabiam o que os lanceiros fariam com a infantaria espalhada, sabiam como as lâminas compridas os rasgariam e trucidariam, e os líderes franceses empurraram homens, bateram neles e formaram o quadrado enquanto os cavaleiros de sobretudo irrompiam na pastagem do vale.

— Avante! — gritou Sharpe de novo, com a espada sem sangue, e as duas fileiras pisaram e tropeçaram nos cadáveres franceses, passaram pelos feridos que gritavam por socorro, e o júbilo estava em Sharpe porque agora se encontrava a segundos do primeiro sucesso.

— Esquerda! Esquerda! Esquerda! — O capitão dos *fusiliers* que comandava os lanceiros gritou com eles, descreveu um círculo ao se aproximar do castelo e acenou com a espada para o local seguro. Sharpe, mesmo em suas esperanças mais loucas, jamais desejou que a destreinada Tropa de Foguetes levasse a carga até o fim. Eles morreriam feito gado no matadouro, mas fizeram seu serviço. Forçaram o batalhão a se fechar num quadrado, num alvo sólido para outra saraivada de mosquetes, e, enquanto os cavaleiros se desviavam rapidamente, com os cascos dos animais espirrando água, e iam para o pátio, Sharpe fez a linha parar de novo.

— Apontar!

Os franceses sabiam o que viria. Alguns gritaram, implorando misericórdia, e outros se agacharam como se antecipassem uma tempestade de vento e chuva, então a grande espada baixou.

— Fogo!

O estalo agudo e o martelo da saraivada, a tosse de garganta suja do meio batalhão de mosquetes, e as balas convergiram atingindo a massa compacta, e de novo:

— Carga!

A corneta soou na torre de menagem: "O inimigo é cavalaria."

— Recuar! Recuar! Recuar!

Eles pararam, derraparam, deram meia-volta e correram como tinha sido ordenado. Uma corrida em pânico para a muralha leste, afastando-se de qualquer jeito da ameaça da cavalaria francesa que vinha do vilarejo, e junto à muralha eles pararam, deram meia-volta e se alinharam no entulho que destruiria qualquer ataque montado. Então comemoraram. Tinham conseguido. Pegaram um batalhão francês e o destruíram, e os corpos cobriam o vale eram prova disso.

Sharpe recuou. Via que os lanceiros alemães estavam longe, não formados, e não representavam ameaça. Olhou para o convento e viu a figura enorme de Harper em pé no telhado. Corpos de casaca azul na estrada para o convento mostravam onde a companhia francesa única foi impelida para trás. Acenou para Harper e viu uma das mãos se levantar em resposta. Gargalhou.

Subiu no entulho da muralha, um entulho ainda marcado pela explosão que ocorrida no dia anterior. Olhou para os *fusiliers*.

— Quem disse que não poderia ser feito?

Alguns gargalharam, outros sorriram. Atrás deles os artilheiros apeavam agradecidos, conduzindo os cavalos para o pátio interno. Eles falavam alto, como se tivessem sobrevivido ao vale das sombras da morte, e Sharpe viu Gilliland falando empolgado com o capitão *fusilier* que os guiou em segurança para o portão do castelo. Sharpe juntou as mãos em concha.

— Capitão Gilliland!
— Senhor?
— Prepare seus homens!
— Senhor!

Sharpe havia apoiado a espada na coxa e a pegou de volta, embainhou-a e olhou para os *fusiliers*.

— Nós vamos perder?
— Não! — rugiram eles em desafio numa mensagem que atravessou o vale.
— Vamos vencer?
— Sim! Sim! Sim!

Pierre, o ajudante de ordens, perplexo e sozinho no morro da torre de vigia, ouviu o grito triplo e encarou o vale. Os sobreviventes do batalhão estavam retornando ao vilarejo, pressionados no caminho pelos fuzileiros que ainda disparavam do castelo e do convento, deixando para trás o Portal de Deus horrendo com mortos e feridos. Ele pegou o relógio, abriu a tampa e anotou a hora. Nove horas e três minutos! Sete minutos de carnificina planejada por um profissional, sete minutos em que um batalhão francês perdeu quase duzentos soldados entre mortos e feridos. Um segundo batalhão francês estava perfilado diante do vilarejo, suas fileiras se abrindo para deixar os sobreviventes passarem, e os lanceiros alemães se formavam em esquadrões ao pé do morro.

— Ei! Ei!

Demorou alguns segundos para o ajudante de ordens perceber que o grito era para ele. O coronel dos lanceiros alemães tentou de novo:

— Ei!
— Senhor?
— O que está acontecendo lá?
— Nada, senhor! Nada!

Alguns homens do batalhão derrotado voltaram para pegar seus feridos, mas as balas dos fuzileiros os impeliram para trás. Eles protestaram, levantando os braços para mostrar que não carregavam armas, porém os fuzileiros dispararam de novo. Eles retornaram. Dubreton foi até os lanceiros, ouviu o grito e balançou a cabeça.

— É uma armadilha.

É claro que era uma armadilha. Dubreton tinha visto Sharpe levar o meio batalhão para o vale. Odiou Sharpe por sua habilidade e o admirou pelo feito, e nenhum soldado capaz de estripar um batalhão do imperador em tão pouco tempo deixaria esse morro desguarnecido.

O coronel alemão acenou para o ajudante de ordens.

— Ele está lá, não está?

— Os britânicos também. — Os olhos de Dubreton examinaram os emaranhados densos de espinheiros. — Chame-o de volta.

O alemão balançou a cabeça.

— E perder o morro? Talvez eles não tenham homens suficientes para defendê-lo.

— Se ele tivesse metade dos homens que tem, iria defendê-lo.

O alemão se virou na sela e falou com um tenente, depois olhou de novo para Dubreton e sorriu.

— Doze homens, então? Eles vão vasculhar o lugar melhor que aquele artista.

— Você vai perdê-los.

— Então vou vingá-los. Vão!

O tenente gritou para seus homens e os conduziu para uma das trilhas sinuosas, as lanças empunhadas no alto de modo que as bandeirolas vermelhas e brancas se destacavam luminosas contra os espinheiros escuros. Dubreton os viu subir, viu como o progresso era lento nos arbustos densos, e temeu por eles. Uma companhia de *voltigeurs* veio correndo do vilarejo, escaramuçadores franceses mandados como reforço para os cavaleiros que subiam, e Dubreton se perguntou se Sharpe havia decidido, no fim das contas, defender apenas as duas grandes construções no alto do passo. Talvez o coronel alemão estivesse certo. Talvez Sharpe não tivesse homens para sustentar todo esse terreno, e o morro da torre de vigia ficava terrivelmente distante do castelo. Na verdade, ficava mais longe que o vilarejo, com relação ao portão do castelo.

Os *voltigeurs*, com dragonas vermelhas se destacando nas fardas azuis, desapareceram nos espinheiros, com as baionetas caladas nos mosquetes. Sessenta homens tomaram meia dúzia de caminhos e Dubreton os viu subir. O tenente estava quase no topo.

— Deveríamos ter posto um batalhão ali.

O coronel alemão cuspiu, não por causa das palavras de Dubreton, e sim por causa dos fuzileiros que impediam os franceses de pegar os feridos.

— Filhos da mãe.

— Eles vão fazer com que levemos uma bandeira branca. Ele está ganhando tempo. — Dubreton balançou a cabeça. Sharpe era um inimigo difícil.

O tenente lanceiro se livrou dos últimos arbustos de espinhos e sorriu para o ajudante de ordens.

— O senhor tomou o morro! — Seu francês era hesitante.

Pierre deu de ombros.

— Eles foram embora!

— Vamos nos certificar, senhor.

Os lanceiros se espalharam com as lâminas abaixadas, mas aquele não era um lugar para uma carga de cavalaria de gelar corações, com cascos retumbando no terreno e lâminas rasgando o inimigo. Aquele era um morro apertado, cheio de buracos, cercado por espinhos escuros, e os cavalos avançavam devagar para que a cavalaria pudesse espiar dentro dos espinheiros molhados.

Frederickson os observava. Era uma pena. Ele esperava que viesse ao menos uma companhia, e não tão poucos homens, mas era preciso aceitar o que o destino oferecia.

— Fogo!

Somente os fuzis dispararam, fuzis que estavam em número superior aos lanceiros numa relação de pelo menos sete para um, e os cavalos enormes caíram gritando, as lâminas das lanças tombaram, e Frederickson saiu do meio dos espinheiros.

— Avançar!

Um lanceiro estava vivo, milagrosamente vivo, e se levantou com a lança estendida e balançou a cabeça quando Frederickson gritou para ele em alemão. Então mais vozes alemãs gritaram para ele, fuzileiros, e o lanceiro continuou se recusando obstinadamente a se render, e em vez disso os desafiou com a arma longa. Tentou perfurar Frederickson, mas o sabre desviou a lâmina com facilidade, e o sargento Rossner puxou os pés do lanceiro, sentou-se no peito dele e gritou num alemão furioso.

— Venham! — Frederickson correu pelo alto do morro, acenando para os homens à esquerda e à direita, ouvindo os palavrões e os gritos, e eles se livraram dos espinhos. — Escaramuçadores na frente! — Uma bala de mosquete acertou a torre. — Matem aqueles desgraçados!

Frederickson não estava preocupado com uma companhia de escaramuçadores franceses. Passou a vida lutando contra *voltigeurs*, assim como seus homens, e deixou seus tenentes os empurrarem de volta enquanto ia até o canhão virado para o norte e tirava o prego de dentro do ouvido da arma. Um caderno de desenho havia caído embaixo da conteira do canhão e ele se abaixou, limpou a lama da página aberta e viu o desenho da porta da torre.

— Capitão? — Um *fusilier* sorrindo deu a volta na torre com a baioneta nas costas do ajudante de ordens. O francês parecia aterrorizado. Tinha corrido ao ouvir as primeiras balas e mergulhado no buraco do canhão, e em seguida o topo do morro estava coberto de tropas britânicas. Agora estava diante do homem de aparência mais terrível que já tinha visto, um homem com apenas um olho, a outra órbita em carne viva nas sombras, um homem sem os dentes superiores da frente, e um homem que lhe dirigia um sorriso cruel.

— É seu? — perguntou Frederickson, estendendo o bloco de desenho.
— *Oui, monsieur.*

O fuzileiro de aparência maligna olhou o desenho, olhou de volta para o francês, e desta vez Frederickson falou em francês:

— Você já esteve em Leca do Balio?
— Não, *monsieur.*
— Há uma porta muito parecida. Você ia gostar. E algumas belas janelas em arco ogival no clerestório. E abaixo também. É uma igreja dos templários, o que pode explicar a influência estrangeira. — Mas Frederickson

poderia ter economizado o fôlego. O ajudante de ordens havia desmaiado, e o *fusilier* sorriu para Frederickson.

— Devo matá-lo, senhor?

— Santo Deus, não! — Frederickson pareceu angustiado. — Quero conversar com ele!

Fuzis estalavam no topo da torre, fuzis que levavam confusão às fileiras dos lanceiros. O coronel alemão xingou, fechou a cara, e havia sangue em sua coxa. Ele apertou o ferimento com uma das mãos, olhou para o morro e xingou de novo.

Os *voltigeurs* estavam retornando, caçados por entre os espinheiros que estalavam enquanto as balas de fuzis passavam por eles. O capitão dos *voltigeurs* viu mais tropas aparecendo, usando casacas vermelhas e equipadas com baionetas.

— Recuar! Recuar!

Dubreton virou seu cavalo e o esporeou para voltar ao vilarejo. Eles fizeram tudo que Sharpe sabia que fariam, tudo! Entraram no jogo dele e agora seriam obrigados a fazer a próxima coisa que Sharpe havia planejado. Seriam obrigados a pedir uma trégua para resgatar seus feridos. Sharpe queria ganhar tempo, e eles iriam entregar o tempo numa bandeja.

— Coronel! — gritou o general. Atrás do general, um ajudante de ordens já estava colocando uma toalha branca da hospedaria numa espada.

— Sim senhor. Eu sei.

O ajudante de ordens abriu o pano, desanimado, e Dubreton pôde ver as manchas do vinho da noite anterior. Parecia fazer muito tempo, e seus convidados para o jantar já haviam sangrado o orgulho francês no capim. Na próxima vez não seria tão fácil para eles. Dubreton se virou e esporeou o cavalo por entre as fileiras do novo batalhão, seguido pelo ajudante de ordens.

Os tiros morreram no Portal de Deus, deixando a fumaça de pólvora pairar para o oeste na brisa, e Sharpe foi para o pasto que havia salpicado de mortos e aguardou seu inimigo.

CAPÍTULO 21

— Major Sharpe.

— Senhor. — Sharpe prestou continência.

— Eu deveria saber, não é? — Dubreton estava inclinado para a frente na sela. — Sir Augustus morreu durante a noite?

— Descobriu que tinha o que fazer em outro lugar.

Dubreton suspirou, empertigou-se e olhou para os feridos.

— Na próxima vez não será tão fácil, major.

— Não.

O coronel francês deu um sorriso irônico.

— Não adianta lhe dizer que isso é inútil, não é? Não. — Sua voz ficou mais formal. — Gostaríamos de resgatar nossos feridos.

— Por favor, façam isso.

— Posso perguntar por que vocês dispararam contra os grupos que mandamos para fazer esse trabalho?

— Nós acertamos alguém?

— Mesmo assim eu gostaria de registrar nosso protesto.

Sharpe assentiu.

— Senhor.

Dubreton suspirou.

— Tenho autorização para lhe oferecer uma trégua pelo tempo necessário para limpar o campo. — Ele olhou por cima da cabeça de Sharpe e franziu a testa. *Fusiliers* estavam cavando as sepulturas que tinham sido abertas no dia anterior.

Sharpe balançou a cabeça.

— Não, coronel. — Os franceses poderiam trazer armões e tirar seus feridos em trinta minutos. — Qualquer trégua deverá durar até o meio-dia.

Dubreton olhou para a direita. Os feridos ainda conscientes gritavam para ele pedindo socorro, sabiam por que ele tinha vindo, e alguns, ainda mais horrível, se arrastavam na direção dele. Outros estavam caídos no próprio sangue e se limitavam a chorar. Alguns permaneciam em silêncio, a vida arruinada, o futuro como aleijados na França. Alguns viveriam para lutar de novo, e uns poucos desses mancavam na estrada em direção ao vilarejo. O coronel francês olhou para Sharpe.

— Devo lhe dizer formalmente que nossa trégua só durará pelo tempo necessário para resgatar nossos homens.

— Então devo lhe informar formalmente que não mande mais de dez homens para ajudá-los. Qualquer outro será alvo de tiros, e meus fuzileiros terão ordem para matar.

Dubreton assentiu. Sabia, assim como Sharpe, como essa conversa ia terminar.

— Onze horas, major?

Sharpe hesitou, depois assentiu.

— Onze horas, senhor.

Dubreton deu um sorriso de lado.

— Obrigado, major. — E fez um gesto indicando o vilarejo. — Posso?

— Por favor.

Dubreton acenou vigorosamente e os primeiros homens saíram correndo das fileiras do batalhão que esperava, alguns segurando macas, então houve uma agitação maior nas fileiras e duas das estranhas ambulâncias francesas vieram a galope pela estrada. Eram pequenas carroças cobertas, com molas para o conforto dos feridos, e causavam inveja nos soldados britânicos. Mais homens sobreviviam a uma amputação se o membro fosse removido minutos depois do ferimento na batalha, e os franceses desenvolveram as ambulâncias rápidas para levar as baixas aos cirurgiões que aguardavam. Sharpe olhou para Dubreton.

— O senhor estava com elas muito perto, considerando que não esperava lutar.

Dubreton deu de ombros.

— Elas foram usadas para trazer vinho e comida ontem à noite, major. — Sharpe queria não ter feito o comentário. Na última vez em que encontrou Dubreton, um presente foi passado entre eles, e agora eram inimigos num campo. O coronel olhou para os pioneiros que usavam pás para remexer a terra solta das sepulturas. — Presumo, major, que não faremos obras militares no tempo da trégua, não?

Sharpe assentiu.

— Concordo.

— Portanto presumo que aquilo não seja uma trincheira defensiva.

— É uma sepultura, senhor. Nós também perdemos homens. — A mentira saiu com facilidade de sua língua. Três *fusiliers* morreram e oito estavam feridos, mas a sepultura não era alargada para os mortos.

Sharpe se virou para o castelo e acenou, assim como Dubreton havia acenado, e o capitão francês foi liberado pelas sentinelas no portão. Cavalgou para o campo, trotou na direção de Dubreton e observou pasmo a carnificina em seu batalhão. Atrás dele os *fusiliers* levaram a carroça até o arco, fechando a passagem.

Sharpe acenou para o capitão e falou com Dubreton:

— O capitão Desaix teve o infortúnio de estar no pátio do castelo quando a luta começou. Ele me deu sua palavra de não levantar armas contra Sua Majestade britânica ou seus aliados até ter sido trocado por um oficial de igual patente. Até então está sob os cuidados do senhor. — Era um discurso pomposo, mas uma necessidade formal, e Dubreton assentiu.

— Isso será feito. — Então falou em francês com o capitão, virando a cabeça para o vilarejo, e o jovem esporeou o cavalo, afastando-se. — Ele teve sorte.

— Teve.

— Espero que a sorte continue com o senhor, major. — Dubreton puxou as rédeas. — Vamos nos encontrar de novo.

Ele se virou, suas esporas tocavam os flancos do cavalo, e Sharpe ficou observando-o. Uma hora e meia, pouco mais, e a luta recomeçaria.

Parou perto dos pioneiros *fusiliers* que remexiam as sepulturas. Um sargento olhou para o oficial.

— Uma coisa horrenda, senhor. O que fazemos com eles?

Os corpos tinham sido descobertos, com a nudez terrivelmente branca e manchada de terra, os ferimentos parecendo irreais.

— Não foram enterrados fundo, não?

— Não. — O sargento pioneiro fungou. Os corpos estavam a apenas trinta centímetros da superfície, sem proteção contra os animais de rapina que iriam desenterrá-los e rasgar a carne morta.

Sharpe virou a cabeça para a parte mais ao sul da trincheira, a escavação mais próxima do morro coberto de espinheiros.

— Cave fundo. Quero a maior parte desta trincheira livre.

— Sim senhor.

— E depressa.

O sargento balançou a cabeça.

— Seria bom ter alguma ajuda, senhor.

Sharpe sabia que os homens eram suficientes.

— Se não estiver pronto em uma hora e meia, sargento, vou deixá-lo aqui quando eles atacarem.

— Sim senhor. — A polidez e a formalidade mal disfarçavam o ódio do sargento. Enquanto Sharpe se afastava, ouviu o som do sujeito cuspindo, mas então ordens foram gritadas, gritos para os pioneiros continuarem, e Sharpe deixou o sargento para lá. Era um serviço horrendo, mas os pioneiros de um batalhão costumavam receber os serviços horrendos, as piores escavações e o mínimo de agradecimentos. Pelo menos desta vez seu trabalho não seria um desperdício. Sharpe ia precisar da trincheira para enterrar seus mortos quando esse negócio estivesse terminado.

Subiu para o passadiço da torre de menagem e se acomodou com seu telescópio e uma caneca de chá. Via os homens de Frederickson arrastando espinheiros da encosta voltada para o vilarejo, alguns cortando os troncos com as baionetas que tinham o gume oposto serrilhado, outros puxando os arbustos para que um caminho largo fosse aberto morro acima. Os arbustos eram levados para a encosta sul, a encosta vulnerável, e

Sharpe se perguntou que inteligência tinha dado as ordens. Sem dúvida descobriria logo. Esperava que a torre de vigia fosse o próximo ponto de ataque, e esperava que ela caísse no meio da tarde, e ensaiou mentalmente o plano que tinha preparado para evacuar a guarnição. Falando de modo estrito, o que quer que Frederickson estivesse fazendo no morro violava os termos da trégua, mas os franceses também não estavam sendo exatamente cuidadosos nesse sentido. Pelas lentes do telescópio conseguia ver a artilharia entrando no vilarejo. Canhões de doze libras, os reis do campo de batalha, grandes filhos da mãe que transformariam as próximas horas em sofrimento e morte.

Pela primeira vez na manhã queria ter companhia, mas não havia nenhum soldado com quem quisesse falar. Teresa, talvez, mas nem mesmo ela seria capaz de aplacar seus temores da derrota. Dizia-se que um atacante precisava de uma vantagem de três para um para dominar uma defesa bem posicionada, e a defesa de Sharpe era o melhor que ele podia fazer. No entanto, carecia de artilharia para enfrentar os canhões franceses, e os franceses podiam trazer muito mais que três atacantes para cada defensor. Havia os foguetes, é claro, mas eles seriam inúteis contra a artilharia. Para eles Sharpe tinha outros planos.

Planos inúteis, pensou, tão inúteis quanto o orgulho e o dever que o levaram a permanecer neste lugar alto onde não podia ser vitorioso. Atrasaria os franceses, e cada hora era uma espécie de vitória, mas as horas seriam compradas ao preço de homens. Ajoelhou-se de novo atrás das ameias, apontou o telescópio e viu as barretinas de oito fuzileiros alinhadas nas pedras mais altas da torre de vigia. Oito batalhões de infantaria francesa à vista. Oito! Podia chamar aquilo de quatro mil homens, e não ficava melhor. Riu em silêncio, uma risada sem graça, e riu porque eles o haviam tornado major e seu primeiro feito seria perder um batalhão. O que Harry Price lhe disse na marcha partindo de Frenada? Que os homens não viviam muito quando lutavam por Sharpe. Era um epitáfio sinistro, o resumo de sua vida, e ele balançou a cabeça como se quisesse afastar o pessimismo.

— Senhor? — Uma voz esganiçada. — Senhor?

O corneteiro foi devagar até ele, com o fuzil de Sharpe no ombro pequeno e um prato equilibrado precariamente numa das mãos.

— A cozinha mandou. Para o senhor.
Pão, carne fria e bolachas duras.
— Já comeu, garoto?
O garoto hesitou. Sharpe riu.
— Sirva-se. Quantos anos você tem?
— Quatorze, senhor.
— Onde pegou o fuzil?
— Um soldado pôs no seu quarto ontem à noite, senhor. Estou cuidando dele. O senhor não se importa?
— Não. Você quer ser fuzileiro?
— Quero, senhor! — Subitamente o garoto ficou ansioso. — Mais dois anos, senhor, e o capitão Cross disse que posso entrar para as fileiras.
— Talvez até lá a guerra tenha acabado.
— Não. — A cabeça balançou. — Não pode, senhor.
Ele provavelmente estava certo. Havia guerra entre a Grã-Bretanha e a França desde que o garoto havia nascido. Devia ser filho de fuzileiro, ter crescido no regimento, não conhecia outra vida. Seria sargento aos 20 anos, se sobrevivesse, e, se a guerra terminasse, seria cuspido no monte de soldados velhos que ninguém desejava. Sharpe desviou os olhos, ajoelhou-se de novo junto ao parapeito e fixou o olhar nos cavaleiros que mais uma vez haviam aparecido no fim da rua do vilarejo. Um general, nada menos que isso, tinha vindo lutar contra Sharpe.

O general tamborilou os dedos na caixa de escrita sobre a sela. Maldito Sharpe, maldito passo, e maldita manhã! Ele olhou para o ajudante de ordens que rabiscava números.
— E então?
O capitão estava nervoso.
— Acreditamos que metade do batalhão esteja no castelo, senhor, talvez mais. Vimos uma companhia no morro e alguns casacas-vermelhas no convento.
— A porcaria dos fuzileiros?
— Sem dúvida há uma companhia no morro, senhor. Mas são poucos no castelo e vimos meia dúzia no convento.

— Quer dizer que há mais do que uma companhia?

O capitão assentiu, infeliz.

— É o que parece, senhor.

O general olhou para Ducos, cujos olhos lacrimejavam sem a proteção dos óculos.

— Bom?

— Então eles têm duas companhias. Uma no morro e a outra dividida em dois.

O general não gostou do tom despreocupado de Ducos.

— Os fuzileiros são uns desgraçados, major. Não gosto de como eles se reproduzem lá. E diga quem são aqueles lanceiros, por favor.

Ducos deu de ombros.

— Eu não os vi. — Seu tom sugeria que, se não os tinha visto, eles não existiam.

— Nós os vimos! Maldição, eu os vi! Alexandre?

Dubreton balançou a cabeça.

— Os ingleses não têm lanceiros, e, se tivessem, iriam vesti-los com capa da cavalaria, não com sobretudos da infantaria. E lembrem que esta manhã eles não concluíram o ataque.

— E...?

Dubreton se remexeu na sela com o couro estalando embaixo dele.

— Bom. Sabemos que La Aguja está aqui, e acho improvável que ela viaje sozinha. Acho que eram guerrilheiros com sobretudos dados pelos ingleses. — Ele deu de ombros. — Eles lhe deram todo o resto.

O general olhou para o outro lado.

— Ducos?

— Faz sentido. — A voz soava de má vontade.

— Então acrescentemos cinquenta guerrilheiros à guarnição. Agora diga quantos são os soldados britânicos e onde estão posicionados?

O capitão não gostou da responsabilidade. Soou insatisfeito.

— Sessenta fuzileiros e cem casacas-vermelhas no morro, senhor. Trinta e trezentos no castelo, e trinta e cem no convento?

O general resmungou:

— Dubreton?

— Concordo, senhor. Talvez pouco menos que isso no convento.

— Canhões?

Dubreton respondeu:

— Nossos prisioneiros têm certeza disso, senhor. Um no convento, que não pode ser apontado. Um acima da muralha quebrada, que não representa perigo enquanto não chegarmos ao pátio, e dois no morro.

— E eles trouxeram artilheiros?

— Sim senhor.

O general ficou em silêncio. Tempo, tempo, tempo. Queria estar no rio esta tarde, atravessá-lo antes da noite e chegar a Vila Nova ao crepúsculo do dia seguinte. Estava sendo otimista, sabia, e havia se permitido mais um dia para alcançar o objetivo, mas, se esse desgraçado do Sharpe o segurasse o dia todo, a operação seria prejudicada. Brincou com uma ideia.

— E se nós os ignorarmos? Cercarmos a porcaria do castelo com *voltigeurs* e marcharmos passando direto por eles? Hein?

Era uma ideia tentadora. Se os três batalhões que deveriam servir como guarnição do Portal de Deus ficassem para manter o cerco, o restante da força poderia entrar em Portugal, mas todos os oficiais sabiam o que poderia acontecer. Se o castelo não fosse tomado pelos três batalhões, a retirada do general estaria bloqueada. E havia mais um motivo. Dubreton o verbalizou.

— O passo é estreito demais, senhor. — Ele imaginou os canhões leves que deveriam acompanhar o general se comprimindo na borda do passo, com os cavalos sendo alvejados, o peso do cano e da carreta passando por cima dos animais feridos, virando, bloqueando a estrada abaixo da mira implacável dos homens de jaqueta verde.

O general olhou para a torre alta à esquerda.

— Quanto tempo demoraríamos para tomar aquilo?

— Com quantos batalhões, senhor? — perguntou Dubreton.

— Dois.

Dubreton olhou para os espinheiros, para a inclinação do morro, e imaginou os soldados subindo contra o fogo dos fuzis.

— Duas horas, senhor.

— Só isso?

— Vamos lhes oferecer medalhas.

O general deu um riso sem graça.

— Então poderíamos ter a torre à uma hora. Mais uma hora para pôr os canhões lá. — Ele deu de ombros. — Poderíamos colocar nossos canhões aqui! Eles podem fazer picadinho daqueles desgraçados.

A voz de Ducos saiu zombeteira.

— Por que tomar a torre? Por que simplesmente não tomar o castelo? — Ninguém respondeu, por isso ele continuou: — Perdemos tempo a cada minuto! O coronel Dubreton já lhes deu até as onze horas! Quantos homens o senhor perderia atacando a torre, coronel?

— Cinquenta.

— E ainda assim o castelo precisaria ser tomado. Então perca esses homens lá, em vez disso. — O castelo era um mero borrão para Ducos, mas ele acenou naquela direção, sem dar importância. — Ataque *en masse*! Dê medalhas às primeiras cinco fileiras e vá!

En masse. Era o jeito francês, o método que trouxe vitória aos exércitos do império por toda a Europa, a massa implacável. Lançar a massa como um míssil humano contra os defensores do castelo, sufocá-los com alvos, aterrorizá-los com os tocadores de tambor amontoados no meio da coluna e passar por cima dos mortos até a vitória. O castelo seria deles ao meio-dia e o general sabia que o convento não representava a mesma ameaça, que era menos guarnecido e mais vulnerável aos tiros de doze libras que desmoronariam as muralhas em volta dos ingleses. Tomar o castelo e retirar o canhão do convento, então suas tropas poderiam marchar pelo passo às duas horas, tendo esquecido, ignorado, tratado a guarnição da torre de vigia com o desprezo que ela merecia. *En masse*.

Tentou calcular as perdas. Seriam pesadas nas primeiras fileiras, talvez uma centena de mortos, mas era um preço pequeno a pagar pelo tempo de que precisava. Podia se dar ao luxo de perder o dobro desse número e seguir em frente sem nem perceber. Era o jeito do imperador, e aquele maldito Ducos escreveria seu relatório e seria uma coisa boa se dissesse que a vitória fora obtida ao estilo do imperador!

— Todos os batalhões no vilarejo. — Ele estava pensando em voz alta. — Cinquenta homens em cada fileira. Quantas fileiras?

— Oitenta — respondeu o ajudante de ordens. Um grande retângulo de oito mil homens, tambores no centro, oitenta fileiras pressionando implacavelmente.

Dubreton havia acendido um charuto.

— Não gosto disso.

O general hesitou. Gostava da ideia, não queria ser dissuadido, mas olhou relutante para Dubreton.

— Diga.

— Duas coisas, senhor. Primeiro: ele cavou uma trincheira na frente da muralha. Isso poderia ser um obstáculo. Segundo: estou preocupado com aquele pátio. Vamos entrar lá e descobrir que cada saída está bloqueada. Vamos marchar para um beco sem saída, com fuzis de três lados.

Ducos tinha um pequeno telescópio no olho direito, com o cano ligeiramente contraído para compensar os óculos que faltavam.

— A trincheira não segue por toda a extensão.

— Verdade.

— Qual é a largura dela?

Dubreton deu de ombros.

— É estreita. Um homem poderia pular sem esforço, mas...

— Mas? — perguntou o general.

— Na coluna, os homens não veem os obstáculos à frente. As primeiras fileiras vão passar, mas as de trás vão tropeçar.

— Então as avise! E vá pela direita! A maior parte da coluna vai passar pela trincheira!

— Sim senhor.

O general soprou nas mãos e sorriu.

— E o pátio? Vamos preenchê-lo com mosquetes! Qualquer fuzileiro maldito que mostre a cabeça estará morto! Quantos homens nós achamos que estão lá?

— Trezentos e trinta, senhor — respondeu o ajudante de ordens.

— Estamos com medo de trezentos e trinta homens? Contra oito mil?

— O general deu sua risada equina. — Uma Legion d'Honneur para o primeiro homem a entrar na torre de menagem. Isso serve para você, Dubreton?

— Já tenho uma, senhor.

— Você não vai, Alexandre. Preciso de você. — O general sorriu para ele. — Bom! Vamos ignorar a torre de vigia. Que eles pensem que são importantes, e saberão que não são! Vamos atacar *en masse*, cavalheiros, e vamos colocar cada *voltigeur* na frente para manter os gafanhotos ocupados! — Tinha voltado a ficar animado. — Vamos paralisá-los, senhores! Faremos isso do jeito de Bonaparte!

O vento oeste estava ficando mais frio a cada minuto, soprando no rosto dos defensores do castelo. Os pequenos trechos inundados junto ao córrego estavam ficando gélidos, era o início do gelo, e atrás do vilarejo os batalhões franceses recebiam as ordens que iam levá-los para o Portal de Deus do jeito do imperador.

CAPÍTULO 22

—Na Bretanha, é?

O ajudante de ordens capturado assentiu. A verdade é que aquele capitão fuzileiro de aparência vilanesca não era mau sujeito, e certamente melhorava muito com a adição de um tapa-olho e dentes falsos. Ele pegou o lápis e esboçou um javali.

— As imagens ficam todas no oeste. E o senhor diz que eles têm as mesmas coisas em Portugal?

Frederickson assentiu.

— Em Bragança, exatamente iguais. E na Irlanda.

— Então os celtas podem ter vindo até aqui?

Frederickson deu de ombros.

— Ou saído daqui. — Ele bateu no desenho da imagem de javali. — Ouvi dizer que são um símbolo da realeza.

Pierre deu de ombros.

— Na Bretanha dizem que são altares. Um tem até um nicho onde pode ser posto um cálice de sangue.

— Ah!

Frederickson espiou enquanto o francês sombreava a laje esculpida. Foi uma manhã interessante. O francês concordou com Frederickson que a arquitetura platersca de Salamanca era incrível mas elaborada demais. A linha se perdia nos detalhes, disse Frederickson, e o francês ficou encantado em encontrar outro herege que compartilhava essa visão. Na verdade, os dois odiavam essas obras modernas, preferindo a simplicidade dos séculos X e XI, e Frederickson desenhou de memória o castelo português de Montemoro Velho, e Pierre perguntou sobre os mínimos detalhes. Agora haviam adentrado mais a história, chegando ao povo estranho que havia esculpido os javalis de pedra, quando um sargento fuzileiro parou diante deles.

— Senhor?

Frederickson ergueu o olhar do esboço.

— Tom?

— Dois oficiais franceses ao sul, senhor. Xeretando. Taylor disse que estão ao alcance.

Frederickson olhou para Pierre.

— Que horas são?

— Ah. — Ele pegou o relógio. — Um minuto para as onze.

— Diga a Taylor que dispare dentro de um minuto. E diga que mate um dos desgraçados.

— Sim senhor.

Frederickson se virou de novo para o francês.

— Você viu o touro de pedra na ponte em Salamanca?

— Ah, aquilo é fascinante.

O sargento sorriu e se afastou deles. Em um minuto o Doce William voltaria a ser ele mesmo, falando inglês em vez de um francês pagão e matando os filhos da mãe. Voltou para os espinheiros, tentando pensar em qual outro fuzileiro deveria atirar junto com Taylor e ter a melhor chance de matar o outro oficial francês. O Doce William sempre dava uma ração extra de rum a quem provasse ter matado um oficial inimigo.

Sharpe estava de pé no entulho da muralha leste, entulho que agora terminava perto da trincheira rasa. A trincheira tinha menos de noventa centímetros de profundidade, era estreita demais, mas o parapeito de terra empilhada acrescentava trinta centímetros à profundidade de fato. Ia servir.

— Que horas são?

— Onze, senhor. — O capitão Brooker estava nervoso.

Sharpe olhou para os homens escondidos atrás da guarita. Os artilheiros estavam tão nervosos quanto Brooker, com os foguetes enfeixados parecendo varapaus numa feira de condado. Ele os fez disfarçar as fardas azuis com sobretudos dos *fusiliers*, e pareciam um bando maltrapilho. Sorriu para Gilliland e levantou a voz.

— Não fiquem ansiosos demais! Acho que eles vão para a torre de vigia antes de virem para cá!

Dois fuzis soaram ao longe, sons abafados, e Sharpe olhou em vão procurando a fumaça reveladora.

— Deve ter sido na encosta sul.

— Parece que o senhor está certo.

— É. — Sharpe parecia distraído.

— Devo ir? — Brooker estava ansioso para se afastar do entulho exposto. Ele levaria uma companhia de *fusiliers* ao vale que separava o castelo da torre de vigia, uma companhia reforçada pelo capitão Cross com vinte fuzileiros. Eles cobririam a retirada de Frederickson caso o morro fosse dominado pela infantaria francesa.

— Espere um minuto. — Não houve mais tiros na torre de vigia, nem homens em disparada vindo da encosta norte para a sul. Sharpe olhou de volta para o vilarejo. — Ah!

Sua exclamação saiu porque o único batalhão francês diante do vilarejo estava se movendo para o sul, em direção à torre de vigia, e Sharpe viu os homens nas companhias de trás atravessando o córrego perto da estrada. Então seria a torre de vigia! Tinha brincado com a ideia de os franceses estarem com pressa e que poderiam vir direto para o castelo e o convento, mas tempo não parecia ser a maior preocupação deles. Fariam a coisa do jeito certo. Sharpe via um batalhão indo para o sul. Por causa dos tiros de fuzil supôs que houvesse outro fora do campo de visão, do outro lado do morro, e logo Frederickson estaria com as mãos ocupadas. Sorriu para Brooker.

— Vá! Boa caçada!

Brooker e Cross sairiam do castelo pelo grande buraco aberto na face sul da torre de menagem, o buraco pelo qual muitos seguidores de Pot-au-Feu escaparam temporariamente. Sharpe pensou com satisfação na presença de Hakeswill, amarrado na masmorra, então imaginou o que aconteceria aos prisioneiros se os franceses dominassem o castelo. "Se". Ocorreu-lhe que ele queria sustentar sua posição por dois dias e quase um quarto desse tempo já havia passado; no entanto, sabia que ainda precisava ser testado pelos veteranos que se reuniam atrás do vilarejo.

— Senhor? — O corneteiro, ainda segurando o fuzil de Sharpe, apontou para a torre de vigia.

— O que foi?

— Não consigo ver agora, senhor, mas tem um homem correndo para cá. Correndo feito o diabo. Um fuzileiro, senhor.

O que poderia ter dado errado? Ainda não havia disparos no morro, nem fumaça pairando na brisa subitamente congelante. Ele tirou as luvas em algum momento da noite e esqueceu onde as deixou, por isso aqueceu as mãos com um sopro de ar quente e olhou para as nuvens. Estavam baixas e escuras, estendendo-se para baixo em direção ao cume da torre, trazendo uma promessa de neve que tornaria o passo traiçoeiro e a jornada de reforços longa e demorada.

— Ali está ele, senhor! — O corneteiro apontou.

Um fuzileiro havia saído correndo dos espinheiros onde o rio descia para o vale. Olhou de relance para os franceses à direita, viu que não corria perigo e foi a toda a velocidade para o castelo. Estava em forma, quem quer que fosse, correndo com um fuzil e as bolsas, saltando por cima da trincheira e chegando até Sharpe. O homem ofegava demais para falar, e simplesmente estendeu uma folha dobrada. Sua respiração saía em nuvens densas diante do rosto e ele só conseguiu ofegar uma palavra:

— Senhor!

No papel, um desenho estranho de um javali, que Sharpe não entendeu, foi rabiscado a lápis.

"O senhor se lembra do contra-ataque f. em Salamanca? Estou vendo. Atrás do vilarejo. Aposto dez guinéus que está indo na sua direção. Todos os escaramuçadores no oeste. 8 bats. Achei que o senhor tinha me prometido uma luta! 2 oficiais f. chegaram perto demais. Bangue, bangue. D. W." Sharpe gargalhou. Doce William.

Oito batalhões? Santo Deus! E Sharpe tinha acabado de mandar metade dos seus fuzileiros e um quinto dos seus mosquetes para os arbustos de espinhos. E se os franceses atacassem as duas posições? E se separassem Frederickson do castelo? Virou-se.

— Alferes!

— Senhor?

— Mande meus cumprimentos ao Sr. Brooker e diga que ele deve voltar o mais rápido possível! O capitão Cross também.

O alferes correu.

— Meu Deus, senhor! — O corneteiro estava encarando o vilarejo.

E devia estar mesmo, por Deus. O batalhão que havia se deslocado para o sul o fez com o objetivo de abrir caminho para as tropas que iriam atacar o castelo, tropas que se lançaram ao vale, arrebanhadas por oficiais montados, tropas que escureciam a extremidade leste do pasto.

— Ai, meu Deus!

— Senhor? — O corneteiro estava preocupado.

Sharpe sorria, a cabeça balançando incrédula.

— Cordeiros para o matadouro, garoto. Ai, meu Deus, ai, meu Deus, ai, meu Deus! — E se virou. — Capitão Gilliland!

— Senhor? — Gilliland saiu da sombra da guarita para a brisa gélida.

— Está vendo aquilo, capitão?

Gilliland olhou para o vilarejo, o rosto registrando incredulidade e choque.

— Senhor?

— Aqui tem início a primeira lição, capitão. — Gilliland não entendia o prazer súbito de Sharpe. — Você verá uma coluna francesa, capitão. É o maior alvo do mundo, e você vai despedaçá-lo. Está ouvindo, homem? — Sharpe sorria deliciado, esquecendo o frio. — Vamos matá-los! Traga suas canaletas!

Que Deus abençoasse o príncipe de Gales. Que Deus abençoasse o principezinho gordo e seu pai maluco, e que Deus abençoasse o coronel Congreve, e que Deus abençoasse o general francês que estava fazendo o que qualquer outro soldado faria no lugar dele. Sharpe sorriu para o corneteiro.

— Você tem sorte de estar aqui, garoto! Tem sorte de ver isso!

— Tenho, senhor?

Sharpe ficou de pé no entulho, com o vento agitando seu cabelo preto, e lhe ocorreu que talvez os franceses pretendessem passar pela abertura entre o castelo e o convento, mas podia dar um jeito nisso. Os foguetes poderiam ser virados para o norte com tanta facilidade quanto para o leste, e ele viu a arrumação desajeitada das fileiras francesas diante do vilarejo, notando como a linha central da primeira fila estava bem à direita da estrada, e soube que vinham em sua direção. Olhou de relance para a torre de vigia. Aquela massa crescente seria um alvo tentador para o canhão de Frederickson, mas Sharpe tinha dado ordens de que o canhão só seria usado para a defesa do morro. Frederickson teria de esperar.

Procurou o outro alferes que levava suas mensagens e ordenou que três companhias de *fusiliers* fossem para o pátio com todos os fuzileiros restantes. Agora o único problema eram os escaramuçadores franceses, uma verdadeira nuvem deles, e deviam ser mantidos decentemente longe da trincheira. Avançou até a escavação ridícula.

Trinta metros eram utilizáveis, e nesses trinta metros os homens de Gilliland estavam escavando quinze aberturas no parapeito, aberturas mirando para a frente, vendo para onde os foguetes iriam, caso fossem em linha reta, e viu onde eles cortariam a linha de ataque apenas cinquenta metros à frente. Assentiu.

— Perfeito.

Os artilheiros colocaram suas canaletas de metal nos leitos de terra. Estavam nervosos, aterrorizados, mas Sharpe sorriu para eles, brincou com eles, falou da vitória que obteriam, e seu humor se espalhou pelos homens. Deu um tapa no ombro de Gilliland.

— Traga-os. Faça isso casualmente, uns poucos por vez!

Tinha feito a Tropa de Foguetes usar sobretudos da infantaria, escondendo a arma até o último instante.

Os fuzileiros estavam no pátio, encarando a massa sólida do inimigo, e Sharpe os chamou. Ordenou que se deitassem em frente à trincheira, e seu serviço era manter os *voltigeurs* longe dos foguetes. Alinhou as três companhias de *fusiliers* no entulho. Alguns morreriam por causa dos escaramuçadores franceses, mas suas saraivadas criariam um terreno de matança diante dos fuzileiros.

Cada canaleta tinha dois artilheiros. Outros esperavam na reserva. Um deles colocaria as armas no berço de metal e o outro acenderia o pavio, e os dois se encolheriam na trincheira enquanto o propelente pegava fogo acima. E dispararia o mais rápido possível, um foguete depois do outro, cada canaleta capaz de disparar cinco vezes por minuto, o que resultava em setenta mísseis por minuto, mísseis com bombas na ponta, a morte ardente partindo da trincheira para um alvo que ainda estava sendo reunido no vilarejo.

Cross havia retornado ao pátio, com a respiração pesada e parecendo preocupado. Sharpe colocou cinco dos seus fuzileiros na torre do portão, o restante na frente da trincheira, e acrescentou a companhia de Brooker aos *fusiliers* alinhados junto ao entulho. Os homens pareciam aterrorizados, e não era para menos, uma fileira dupla de quatro companhias estava diante de uma coluna francesa, o instrumento que derrubou reinos, e sua única ajuda eram os foguetes finos deitados na trincheira, foguetes que foram descartados com desprezo, feito brinquedos.

— Carregar! — Sharpe os observava. — Na ordem de fogo vocês começarão com disparos de pelotão! Seu trabalho é manter os escaramuçadores longe da trincheira! Capitão Brooker?

— Senhor? — A companhia de Brooker era a mais próxima da torre do portão.

— Vigie aquele flanco aberto da trincheira! Se os escaramuçadores entrarem na trincheira estaremos todos mortos. Portanto não deixe isso acontecer! E não se preocupe com a coluna. Ela já está morta! — Ele sorriu para os homens. — Vocês estão fazendo isso pelo coronel Kinney! Que ele veja aqueles desgraçados indo para o inferno.

E então soaram os primeiros tambores, os tambores que impeliram colunas a Madri e Moscou, que levaram pilhas de bandeiras capturadas para Paris, os tambores que batiam o *pas de charge*, o ritmo que acompanhava todos os ataques franceses, que só paravam com a vitória ou a derrota. Bum-bum, bum-bum, bumabum, bumabum, bum-bum.

E desta vez eram para Sharpe, somente para Sharpe, um elogio do imperador a um homem saído de um lar de enjeitados em Londres, e ele se virou para encará-los, viu os franceses se colocarem em movimento e gargalhou, a boca aberta ao vento, gargalhou pelo orgulho que subitamente o dominou, que o empolgou, porque os tambores, enfim, eram para ele.

CAPÍTULO 23

O general se remexia. Tinha a sensação de que deveria fazer algum gesto, talvez cavalgar à frente de seus homens ou ficar de lado e saudá-los enquanto avançavam, mas descartou o pensamento, irritado. Os tambores e as bandeiras erguidas provocavam emoções que não eram adequadas para o inimigo digno de pena que seria esmagado com aquele golpe maciço. Uma marreta para quebrar uma noz! Sorriu, porque sabia que era verdade, mas, se a marreta fizesse o trabalho depressa, valeria a pena.

Tempo. Sempre a porcaria do tempo. Tinha perguntado a hora quando os primeiros escaramuçadores avançaram pelo terreno aberto. Quinze para o meio-dia. Quarenta e cinco minutos para juntar a coluna, o que não era nada mau, porém ainda eram quarenta e cinco minutos perdidos. Bom, ao meio-dia o fim chegaria para aquele inimigo despudorado, e então ele poderia mandar os lanceiros para o passo, em seguida começar a enviar os batalhões, e depois as desajeitadas carroças de suprimentos que tinham de levar comida e munição para o golpe no meio do inverno.

Um coronel de artilharia puxou as rédeas ao lado do general. O homem estava silencioso e ressentido, querendo liberar o poder de seus canhões contra os defensores do castelo, mas o general havia zombado da ideia. Bombardear o inimigo seria desperdiçar mais tempo, e ele suspeitava que os britânicos poderiam se abrigar atrás das muralhas de pedra que demorariam horas para ser reduzidas a entulho por seus artilheiros. Não, a infantaria poderia fazer isso rapidamente, perder alguns homens nas primeiras filas, depois passar por cima do entulho da muralha leste e abrir o caminho para Portugal.

No morro da torre de vigia, Pierre aceitou uma bebida do cantil do capitão Frederickson e assentiu para o vale.

— Acho que vocês estão prestes a perder.

Frederickson sorriu.

— Quer apostar?

Um sorriso e um dar de ombros da parte do francês.

— Não sou de apostar.

Frederickson olhou para o alto da torre.

— Alguma coisa para nós? — gritou.

— Não senhor.

Olhou de novo para o vale. Os escaramuçadores estavam numa ordem frouxa diante da coluna enorme, centenas de escaramuçadores desgraçados, e Frederickson não gostava da aparência deles. Iriam ameaçar a frágil barreira de terra onde sabia que Sharpe havia escondido os foguetes. Tinha visto as armas estranhas sendo levadas para a frente, observou fascinado, pelo telescópio, as canaletas serem alinhadas, e agora podia ver a linha fraca de fuzileiros que teriam de espantar os *voltigeurs*. Eles estariam sob muita pressão.

— Tenente Wise!

— Senhor?

Frederickson tinha mandado metade dos seus fuzileiros, quarenta homens, para o oeste. O tenente deveria levá-los até estarem quase ao lado da trincheira; e então, da borda dos espinheiros, dispararão contra o avanço dos *voltigeurs*. Frederickson gritou para irem.

— E matem os desgraçados dos oficiais!

No castelo, Sharpe estava dando as mesmas ordens aos seus fuzileiros, especialmente aos atiradores de elite na guarita.

— Nos oficiais! Mirem nos oficiais!

O capitão Gilliland, tentando controlar o nervosismo, parou ao lado de Sharpe na extremidade norte do entulho.

— Poderíamos disparar agora, senhor.

— Não, não, não. — A coluna estava a trezentos metros, seu ruído preenchendo o vale com um trovão de tambores, e Sharpe não tinha fé na precisão dos foguetes. A essa distância pelo menos três quartos deles iriam errar, provavelmente mais, e ele esperaria. Esperaria até as armas não terem como errar.

Mas, por Deus, os *voltigeurs* o preocupavam! Sozinhos já estavam em maior número que os seus defensores! Esperaria, mas, enquanto esperasse, os *voltigeurs* pressionariam. Então um fuzil estalou na guarita e o tiro provocou uma saraivada irregular da parte dos franceses, disparada de longe demais, mas as balas de mosquete agitaram o ar perto da muralha leste e Sharpe olhou para a direita, vendo o medo no rosto dos *fusiliers*.

E não era de espantar, por Deus. A coluna marchava para sudoeste, diretamente para o castelo, um enorme golpe de marreta composto de homens instigados por tambores, um grande bloco de tropas com trinta metros de largura e oitenta de profundidade, e para os observadores no morro parecia que eles haviam achatado um grande trecho de pastagem deixando uma marca feito um rolo pesado no vale.

Agora os fuzis estavam disparando, a fumaça subindo sobre a trincheira, as balas arrancando franceses com espadas, mas os *voltigeurs* continuavam avançando. Lutavam em pares, um homem se ajoelhando e atirando, o outro recarregando, e os fuzileiros estavam lamentavelmente em número inferior. Os jaquetas-verdes tinham de ficar deitados para evitar as saraivadas dos *fusiliers*, e um fuzil era uma arma difícil de carregar estando-se deitado. Sharpe observava os homens firmando as coronhas nos pés, enfiando as varetas, depois rolando de barriga para baixo para mirar e disparar outra vez.

E as balas de mosquete acertavam os *fusiliers*. Um homem gritou com o malar despedaçado, outro caiu para trás em silêncio, o corpo ainda no entulho, e os sargentos começaram a cerrar as fileiras. O campo estava coberto de escaramuçadores, os clarões de seus mosquetes eram constantes, a fumaça parecia formar nuvens sobre o capim.

— Os *fusiliers* vão avançar até a trincheira! — gritou Sharpe para eles. Mover-se era melhor que sofrer na imobilidade, e isso iria levá-los vinte metros mais perto do inimigo e daria aos seus mosquetes uma chance melhor de arrancar aquela porcaria de escaramuçadores da sua frente.

Os oficiais deram as ordens. Não que eles pudessem marchar sobre as pedras quebradas, mas avançaram de qualquer jeito, e Sharpe gritou para arrumarem as fileiras, manteve-os ocupados com suas ordens. Em seguida, olhou para a esquerda e viu que os primeiros *voltigeurs* estavam a apenas quarenta metros das trincheiras.

— Capitão Brooker?

— Senhor?

— Vocês abrirão fogo!

— Senhor! Batalhão! Apontar! — Uma pausa. A espada fina baixou. — Fogo!

Graças a Deus pelas horas de treinamento, graças a Deus porque, apesar de às vezes parecer estupidez, o Exército britânico era o único que treinava sua infantaria com munição de verdade. A primeira saraivada lançou para trás quatro escaramuçadores e espantou os outros, e os *fusiliers* continuaram com os movimentos que eram uma segunda natureza para um soldado. Fogo, carregar, fogo, carregar, fogo, quatro vezes por minuto, arrancando com os dentes as balas dos cartuchos de papel, ignorando o inimigo, sem ver nada além da fumaça suja que se espalhava irregular sobre a trincheira, derramando a pólvora, enfiando a bala e a bucha no cano de noventa e nove centímetros, apoiando a vareta no corpo, levando o mosquete pesado ao ombro e esperando a ordem do oficial para atirar. Não havia em que mirar, apenas uma nuvem de fumaça que escondia Deus sabe que horrores, uma nuvem de fumaça que às vezes se retorcia quando uma bala inimiga a atravessava, e então o próximo pelotão na linha disparava, o oficial gritava, e a coronha batia de novo no ombro, a pólvora na caçoleta fazia o rosto arder, e a bala de dois centímetros penetrava na fumaça e partia pelo campo.

E homens caíam. Alguns se levantavam com dentes trincados por causa da dor e continuavam atirando, enquanto outros se arrastavam para trás, sangrando e feridos, a vida indo embora enquanto os olhos se desbotavam, e Sharpe gritava para os sargentos dizendo que os feridos não deveriam receber ajuda. Homens usavam a desculpa de ajudar os feridos para escapar da batalha, e a voz de Sharpe se erguia clara acima das saraivadas dos pelotões, acima do som dos tambores.

— Qualquer homem que abandonar a linha vai levar um tiro. Vocês ouviram, sargentos!

Eles ouviram, e os feridos deveriam sangrar sem ajuda, e os mosquetes flamejavam e escoiceavam, e as saraivadas dos pelotões partiam como golpes de luz vermelha descendo pela face do meio batalhão.

E estava dando certo. Setecentas balas de mosquetes num minuto transformavam a frente da trincheira num local selvagem, e os *voltigeurs* se dividiram para a esquerda e para a direita. Sharpe havia avançado até ficar ao lado dos mosquetes, e viu através da fumaça os franceses vindo da esquerda. Virou-se.

— Capitão Brooker! Filas da esquerda, recuar dez passos! Inclinar!

E a direita! Que diabo ele poderia fazer à direita? Não havia homens suficientes para preencher a abertura na parede quebrada, e ele gritou para os fuzileiros:

— Atenção à direita!

Agora a companhia de Brooker dirigia seu fogo na diagonal, disparando contra a coluna que avançava, mas não tinham como mandar balas suficientes para fazer os *voltigeurs* recuarem. Sharpe viu os franceses correndo adiante, ajoelhando-se, outra pancada de chamas, e uma bala retiniu na ponta de aço da bainha de sua espada, fazendo-a balançar pendurada. Ouviu os fuzileiros na guarita e viu o homem que havia atirado contra ele cair, fazendo leves movimentos com uma das mãos como se remasse no ar em busca de apoio, então o francês estava embolado no chão.

E a coluna estava a caminho. A distância desde o vilarejo não era grande, no máximo três minutos de marcha, e agora os tambores soavam mais alto, tambores que eram a música francesa da conquista. Sharpe correu para a direita enquanto os homens de Brooker recarregavam, porque estava preocupado com esse lado.

Fumaça vindo dos espinheiros, chamas golpeando, franceses recuando, gritando alarmados, e Sharpe sorriu. Frederickson tinha mandado ajuda, e Sharpe soube que deveria ter pensado em pedi-la, mas não importava porque os fuzileiros estavam impelindo os franceses para trás. Um oficial *voltigeur* montado esporeou o cavalo e seguiu para lá, gritando para seus homens levarem as baionetas para os espinheiros, e Sharpe achou que o sujeito tivesse sido atingido por quatro ou cinco balas porque pareceu ser arrastado para trás, caindo do cavalo, a jaqueta subitamente manchada de vermelho. O cavalo relinchou, virou-se e galopou pela frente do castelo e foi atingido por uma saraivada de mosquetes.

De volta à esquerda, o ar preenchido pelo ruído da batalha, com mosquetes, gritos, gritos de dor, o raspar das varetas, os estalos das pederneiras pesadas recuando, os tambores, sempre os tambores. Os *voltigeurs* cobraram seu preço dos *fusiliers*, comendo as fileiras, derrubando um homem, e as saraivadas dos pelotões eram substituídas por homens que disparavam o mais rápido que podiam, carregando, atirando, os rostos escurecidos de pólvora, as bocas parecendo cheias de areia, o medo governado apenas pelos treinos repetidos vezes sem conta.

Um alferes se arrastou para longe da companhia de Brooker, vomitando sangue, os olhos lançando a Sharpe um último olhar acusador, então tombou, estremecendo em seguida quando uma bala francesa acertou seu corpo morto.

Sharpe voltou para o entulho, subiu e viu onde os *voltigeurs* estavam perto, perto demais da trincheira, em alguns lugares a apenas vinte metros, e entreviu, também, na fumaça agitada, os corpos imóveis de dois fuzileiros, e olhou para a esquerda. A coluna, com baionetas reluzentes, estava perto e continuava marchando. Dava para ver a boca aberta dos franceses, sabia que estavam gritando *"Vive L'Empereur"*, e Gilliland puxou a manga de Sharpe.

— Agora?

— Não! Espere!

Esperar enquanto os *voltigeurs* ficavam mais ousados, corriam um passo ou dois, ajoelhavam-se, e outro *fusilier* gritava e era jogado para trás, enquanto o sangue respingava nas fileiras e eles continuavam carregando e disparando, e homens xingavam quando pederneiras se partiam e os sargentos lhes traziam os mosquetes dos mortos, e eles continuavam atirando.

Os *voltigeurs* estavam se juntando à coluna. Agora ela estava perto, quase a hora de Sharpe soltar os foguetes, e ele sentiu a trégua quando as cornetas dos *voltigeurs* os convocaram a recuar, quando os convocaram a se juntar às fileiras daquele ataque avassalador, enquanto os tambores continuavam rufando, as baquetas usadas freneticamente pelos meninos como se, ao bater nas peles esticadas, pudessem impelir pessoalmente a coluna para dentro do castelo.

Um coronel francês morreu na frente da coluna. Na guarita, um dos homens de Cross sorriu.

— Quatro. — Então mordeu outro cartucho e começou a recarregar.

Na frente do convento, Patrick Harper estava com seus dezessete fuzileiros disparando através do vale. A essa distância não tinham como errar a coluna, mas não podiam ter esperanças de fazê-la parar.

Os dedos do general batiam em sua caixa de escrita no ritmo dos tambores. Olhou para Dubreton enquanto a frente da coluna parecia ser engolida pela fumaça dos mosquetes.

— É isso, Alexandre. É um bom treino para eles, hein?

Na torre de vigia, Frederickson e o ajudante de ordens capturado estavam de pé juntos. Frederickson coçou atrás do tapa-olho.

— Agora! Agora!

Sharpe colocou as mãos em concha.

— Fuzileiros para trás!

Agora via a coluna tão claramente quanto seus próprios homens. Via os jovens da primeira fila, que tentavam deixar crescer os bigodes grandes amados pela infantaria francesa, via os mosquetes baixando para a única saraivada que a primeira fila dispararia antes que as baionetas fossem liberadas.

— Tropa de Foguetes! — Ele esperou. Cinquenta metros. Não teriam como errar. Nunca foram usados em terra contra o inimigo. Uma coisa destruía uma coluna mais rápido que qualquer outra arma: a artilharia. E Sharpe ia disparar uma chuva de bombas. Viu os mosquetes franceses sendo erguidos para a saraivada apressada. — Fogo!

Os primeiros foguetes já estavam deitados nas canaletas, os bota-fogos tocaram nos pavios, e por um segundo nada aconteceu. A saraivada francesa, apenas cinquenta balas de mosquetes, agitou o ar, mas Sharpe não notou. Ouviu o primeiro grito dos franceses, os primeiros berros triunfantes de vitória, então eles foram abafados pelo chiado dos tubos dos foguetes pegando fogo, a fumaça, as fagulhas e as chamas bramindo e brotando da trincheira, e eles partiram.

Feito bolas de fogo lançadas numa velocidade inacreditável, feito os pesadelos de um soldado, a morte vinha do chão, rasgando a partir da trincheira, os foguetes sem chance de subir, apenas avançando à frente da tocha acesa, enterrando-se na coluna, foguetes vindo da frente e da direita, e os franceses que tinham começado a correr viram a fumaça súbita e inacreditável, mais densa que neblina, e no meio daquela densidade havia o corte serrilhado de chamas enormes, chamas que saltavam, e os foguetes cravaram sua ponta na coluna, penetrando, queimando com as caudas, o barulho agudo mais alto que os tambores, e a primeira ponta explodiu.

— *Fusiliers*! Fogo! Fogo! Fogo! — Os *fusiliers* tinham voltado das chamas furiosas e agora estavam parados, perplexos, vendo a arma pela primeira vez. Sharpe falou com raiva: — Fogo! Seus desgraçados! Fogo!

Meu Deus, ele deixou que chegassem perto. Precisava da saraivada para derrubar as filas dianteiras, porque os franceses ainda podiam vencer se tivessem o tino de correr para a frente.

Mais foguetes, o segundo disparo, algumas equipes eram mais rápidas em carregar as canaletas de metal que outras, uma esquiva rápida enquanto a cauda pegava fogo acima, então colocavam outro foguete de doze libras na canaleta e punham fogo na cauda.

— Mais rápido! Mais rápido! — Gilliland estava quase pulando de empolgação. — Mais rápido!

Um foguete conseguiu subir, ressoando no ar do vale, uma tira de chamas que deixava um rastro de fumaça, e os franceses no vilarejo viram, eles viram aquela coisa estranha subir para a nuvem baixa.

— Que diabo...? — O general não conseguia ver nada no castelo, apenas uma enorme cortina de fumaça que parecia se iluminar com o brilho intermitente de chamas.

— Uma explosão? — Ducos franziu a testa.

Um francês veio do meio da fumaça, com medo e perdido, a baioneta brilhante, viu os homens na trincheira e soube qual era seu dever. Os fuzileiros, que receberam ordem de permanecer com a Tropa de Foguetes, viram-no e dois dispararam. O francês caiu para trás e um foguete se alojou em seu corpo, começou a girar, cuspindo fumaça e fagulhas, e um cabo fuzileiro correu até ele, chutou para soltar a ponta que partiu deslizando mais e mais rápido no capim, desaparecendo na própria fumaça.

A parte da coluna mais ao norte estava escapando dos foguetes. Eles ouviram o barulho, os gritos, viram as explosões que pareciam vir de vinte metros fileiras adentro, mas continuaram avançando. E Sharpe gritou mostrando o alvo à companhia de Brooker.

— Fogo!

Foi uma saraivada pequena, mas os conteve, colocou uma barreira de mortos no capim, então Gilliland passou por Sharpe, pisoteou o capim com a bota, abrindo uma canaleta, e um artilheiro pôs um foguete nela. Outro homem acendeu um bota-fogo usando a empunhadura de aço da pistola e uma pederneira, e Sharpe se afastou do terror das chamas.

— Quantos lançadores mais você tem?

— Quatro!

— Pegue-os!

Os corpos amontoados dos franceses sugavam a força terrível dos foguetes. Os mísseis acertavam, diminuíam de velocidade enquanto escavavam as fileiras, então paravam, alojados em carne, e as chamas do propelente abriam uma vastidão de espaço queimado, em seguida a bomba, cujo pavio ficava escondido no tubo de metal, fazia respingar sangue e fragmentos de ferro nos franceses.

Ninguém poderia entrar naquela nuvem lancetada por chamas. O barulho dos tambores foi totalmente abafado, obliterado pelo som dos foguetes, pelo estrondo das explosões, e os foguetes continuavam vindo, continuavam procurando mais fundo nas fileiras, rasgando novos canais de destruição, explodindo, e os franceses não conseguiam ver nada além de fumaça, chamas à esquerda e à direita, e seus ouvidos se enchiam de barulho, de gritos dos camaradas agonizantes, e eles recuaram.

Outros foguetes subiram acima das cabeças na coluna, um deles passou à altura das cabeças e acertou o vale aberto, por cima do capim amassado, e se desviou para a esquerda, subiu, e os comandantes franceses observaram espantados. O barulho preencheu o vale, a fumaça se estendia atrás da chama comprida, então a bomba explodiu a norte do vilarejo e os fragmentos se espalharam partindo da fumaça preta, e a vara, queimando, tombou no chão.

Ducos observava a fumaça da explosão como se estivesse hipnotizado.

— Coronel Congreve.

— O quê?

— É o sistema de foguetes de Congreve. — Ele fechou o telescópio.

O general balançou a cabeça e voltou o olhar para a coluna. A retaguarda parecia inabalada, as fileiras ainda em forma, mas agora via as explosões, e a frente de sua coluna enorme parecia enterrada numa nuvem de chamas se retorcendo.

— Eles não estão se movendo.

Outros dois foguetes voaram em arco sobre a coluna, acertaram o chão, ricochetearam e explodiram no vale. Outros dois foram para o norte, subindo insanamente sobre o convento, mas a maioria se enterrava na coluna, retorcendo-se e abrindo caminho em chamas pelo alvo humano, rasgando ruído e fogo, explodindo nas fileiras, e os *fusiliers* continuavam atirando.

— Alexandre! — O general esporeou o cavalo. Não podia ficar olhando seus homens morrerem. Partiu a galope pela estrada e gritou para Dubreton: — Que diabo são foguetes?

— Artilharia!

O general xingou repetidas vezes. Agora conseguia ouvir as armas e que os tambores haviam parado de tocar. Conseguia ouvir gritos, o som do pânico, e soube que a qualquer segundo as fileiras cuidadosamente disciplinadas se dissolveriam numa turba em pânico.

— Por que, em nome de Deus, eles os trouxeram para cá?

Dubreton gritou a terrível verdade:

— Eles sabiam que nós vínhamos!

— Continuem atirando! — gritava Sharpe aos seus homens. — Vocês estão derrotando os desgraçados! Fogo! Fogo!

Ciência na guerra. A morte levada pelo fogo, e os foguetes continuavam escapando das canaletas, caíam no capim, deslizavam diante das chamas, cada vez mais rápidos, subiam alguns centímetros e saltavam para o inimigo. Alguns chegavam à altura dos joelhos, cortando fileira após fileira, outros derrubavam homens e viravam na diagonal em meio à massa de franceses, e os franceses correram. Partiram-se. Com as explosões e as chamas parecendo encher o vale, eles viviam num lugar de morte misteriosa, fumaça densa e fragmentos serrilhados das bombas, e sempre aquelas coisas infernais retumbando, vindo mais rápido que um raio, retinindo nos ouvidos e matando, matando e matando.

— Continuem atirando!

Agora os homens de Frederickson haviam saído dos espinheiros, carregando e atirando, mirando em qualquer oficial que parecesse estar comandando um grupo de homens, e os *fusiliers* mandavam as saraivadas para dentro da fumaça que obscurecia tudo, e à frente havia gritos, mais gritos, porém os tambores haviam parado.

Outro crescendo de barulho que não se parecia com mais nada no mundo, feito uma grande cachoeira que sibilava, fumegava e retumbava, e as chamas deixavam fagulhas e fumaça para trás. Sharpe via os clarões indo longe na fumaça, alguns subindo, e os clarões vermelhos não paravam ao acertar os homens, mas continuavam até sumir do campo de visão, e ele gritou cessar-fogo.

A ordem foi repetida por oficiais e sargentos.

— Cessar-fogo! Cessar-fogo!

Silêncio. Não, não era silêncio. Era um silêncio aparente porque agora a morte não ressoava, apenas os agonizantes. Gemidos, gritos, choros, pedidos de socorro, palavrões para uma vida acabada, e na esteira dessa dor Sharpe sentiu a raiva da luta se esvair.

— Capitão Brooker?

— Senhor?

— Duas fileiras no entulho. Pode cuidar dos seus feridos.

— Senhor. — Brooker parecia perplexo. Não queria ter lutado ali, tinha pensado que Sir Augustus Farthingdale era um homem de prudência e bom senso, e não conseguia acreditar que haviam lutado e vencido.

A voz de Sharpe estava irritada.

— Há mais por vir, capitão! Ande logo!

— Senhor!

Mais por vir. Porém a fumaça se dissipava lentamente, levada pela brisa que a transportava por cima dos britânicos mortos e feridos, e, à medida que a fumaça ia embora, Sharpe viu os frutos do seu trabalho. As marcas de queimado que se espalhavam em leque a partir da trincheira rasa, e então o sangue. Não pareciam corpos depois da batalha, parecia que uma mão gigantesca havia matado o inimigo esmagado, espalhado pedaços de carne e sangue no capim de inverno sob as nuvens baixas, então viu corpos, partidos e queimados, e os feridos se remexiam na carnificina feito criaturas saindo de uma mortalha de sangue.

Os homens da Tropa de Foguetes estavam com mãos e rostos queimados, com fardas chamuscadas, mas sorriram ao se levantar da trincheira, sorriram porque tinham sobrevivido; bateram a terra dos sobretudos e das calças e se viraram para olhar o inimigo.

Sharpe também olhou, olhou para onde os foguetes haviam rasgado e se retorcido no meio das fileiras. Havia chamas onde as varas queimavam, uma delas fazendo a farda de um francês pegar fogo. O sujeito não conseguiu se livrar das roupas e sua bolsa de munição explodiu, lançando mais fumaça no capim, e os mortos pareciam se estender por metade do caminho até a aldeia, e Sharpe nunca tinha visto um campo após a batalha daquele jeito. Soava, no entanto, como um campo após a batalha, o som, normalmente o som baixo, de homens morrendo.

— Capitão Gilliland?

— Senhor.

— Obrigado pelos seus esforços. Diga isso aos seus homens.

— Sim senhor. — A voz de Gilliland saiu contida, como a de Sharpe.

O oficial fuzileiro continuava olhando para o campo. Podia ver dois cavaleiros a meio caminho do vilarejo, cavaleiros que olhavam como ele, e mais além a infantaria francesa se arrumava lentamente em fileiras diante do povoado. Sharpe balançou a cabeça. Quinze canhões disparando metralha teriam causado mais destruição, mas havia algo nas marcas chamuscadas, nos mortos queimados, na quantidade de feridos e cadáveres que não se parecia com nada que já tinha visto.

— Acho que um dia todos os campos de batalha serão assim.

— Senhor?

— Nada, capitão Gilliland. Nada. — Ele balançou a cabeça para afastar aquele humor, virou-se e viu que o corneteiro ainda estava com seu fuzil num ombro magricelo. Tirou o fuzil dele, soltando a correia do braço esquerdo, com lágrimas nos olhos porque o garoto tinha uma bala de mosquete cravada no cérebro. Deve ter sido rápido, mas o garoto jamais seria fuzileiro.

O primeiro floco de neve caiu enquanto Sharpe se afastava. Caiu suave como o amor, pareceu hesitar, depois pousou na testa do corneteiro. Derreteu, ficando vermelho, e sumiu.

CAPÍTULO 24

Era a segunda trégua em um dia, uma trégua que duraria até as quatro horas. Desta vez o general cavalgou com Dubreton para ver pessoalmente esse tal de Sharpe e concordou com a trégua até as quatro horas porque sabia que neste dia não haveria como atravessar o passo. Precisava de tempo para esboçar novas ordens para se desviar do atraso imposto pelo fuzileiro alto, sério e com o rosto marcado pela cicatriz. Precisava de tempo para recolher os feridos em frente ao castelo, tirá-los desse lugar de carne assada e capim queimado.

Tantos feridos, tantos mortos. Sharpe tentou contar da torreta da guarita, mas os corpos estavam densos demais no vale, e meramente anotou num pedaço de papel que tinham destruído mais de um batalhão inimigo. A maioria estava ferida, apinhando as salas dos médicos franceses, carregados de volta pelas ambulâncias leves ou em macas lentas através da neve que caía.

A nordeste da aldeia, apanhados num emaranhado de espinhos, alguns lanceiros encontraram um foguete que se exaurira e não tinha explodido. Levaram-no de volta para Adrados, mas não antes que um deles visse cavaleiros no alto dos morros, que visse uma chama de mosquete, e, quando entregaram a arma ao major Ducos, deram-lhe a notícia de novos inimigos nos morros. Guerrilheiros.

Ducos se curvou sobre o foguete na hospedaria, espiando sua construção, separando o tubo de metal da ponta de modo a ver onde o pavio havia se soltado, de algum modo. Empertigou-se, os olhos perdendo o foco, e imaginou qual seria o tamanho da vareta que havia se queimado. Devia ser possível enfiar mais pólvora no cilindro, pensou, colocar uma nova vareta e testar a arma. Começou a fazer medições na ponta do foguete, anotando os números num papel com sua letra apertada, enquanto acima dele os feridos gritavam quando os médicos descolavam pano chamuscado da pele queimada.

No pátio do castelo, os *fusiliers* ferviam água para derramá-la no cano dos mosquetes para limpar os depósitos de pólvora suja. Enchiam as bolsas de munição, olhavam a neve se assentar e esperavam que tivesse sido o bastante para os franceses.

Na masmorra do castelo, Obadiah Hakeswill esfregou os pulsos onde as cordas estiveram, sorriu para os outros prisioneiros e prometeu que iriam escapar. À luz fraca, longe das tochas de palha que iluminavam os degraus onde os guardas estavam, ele se arrastou junto à parede dos fundos, pelos excrementos e pelas poças geladas, até chegar ao canto mais escuro. Lá ficou de pé, sua nudez pálida contra as pedras escuras, e sua cabeça sofreu um espasmo enquanto ele puxava uma pedra no alto da parede. Movia-se devagar, em silêncio, sem querer atrair atenção. Tinha se lembrado da única coisa que todo mundo parecia ter se esquecido.

No morro da torre de vigia, Frederickson escreveu num pedaço de uma folha do caderno de desenho e entregou ao oficial francês.

— É o endereço do meu pai, embora só Deus saiba se vou morar perto dele.

Pierre tinha um cartão de visitas formal, em cujo verso colocou seu endereço.

— Depois da guerra, talvez?
— Você acha que ela vai acabar?

Pierre deu de ombros.

— Não estamos todos cansados dela?

Frederickson não estava, mas não parecia algo educado a se dizer.

— Depois da guerra então? — Ele olhou para o lanceiro alemão capturado, cuja lança estivera enfeitada com um pano branco sujo. O lanceiro não estava feliz, odiando carregar a bandeira improvisada, e Frederickson passou a falar em alemão: — Se você não levar isso, seu próprio pessoal vai atirar em você. — Então olhou de volta para Pierre e mudou de novo para o francês. — Você vai observar todos os absurdos usuais? Esperar para ser trocado, não lutar contra nós até então?

— Vou observar todos os absurdos usuais. — Pierre sorriu.

— E não vai contar o que viu aqui?

— Claro que não. Mas não posso falar por ele. — Pierre olhou para o lanceiro.

— Ele não viu os foguetes na torre. Não pode contar nada. — Frederickson abriu um sorriso animado com a mentira, pois sabia que o sargento Rossner havia descrito em detalhes ao jovem lanceiro os foguetes inexistentes empilhados em cima do morro. — Lamento vê-lo partir, Pierre.

— É bondade sua deixar que eu vá. Boa sorte! Venha nos visitar depois da guerra!

Frederickson observou-os indo embora. Olhou para um dos seus sargentos.

— Um homem muito gentil aquele.

— É o que parece, senhor.

— E sensato também. Prefere a velha Catedral de Salamanca à nova.

— Verdade, senhor? — O sargento não havia notado nenhuma catedral em Salamanca, quanto mais duas.

Frederickson se virou e viu o tenente Wise subindo pelos espinheiros.

— Parabéns, tenente! Alguma baixa?

— O cabo Baker perdeu um dedo, senhor.

— Da mão esquerda ou da direita?

— Esquerda, senhor.

— Bom, ainda pode atirar com um fuzil. Esplêndido! E quando ficarmos sem munição ele pode jogar bolas de neve! — Ele abriu um sorriso largo para o sargento. — Que venham os quatro cantos do mundo com armas, sargento, e vamos deixá-los em choque.

— Uma chance seria uma coisa ótima, senhor.

— Ela virá, sargento, ela virá!

Ao norte do vilarejo, muito longe dos fuzileiros atiradores de elite, duas baterias de canhões franceses foram desatreladas. Os cavalos foram levados para longe, a munição de uso imediato foi empilhada junto às peças e a neve se acomodou nas bulbosas pilhas de balas sólidas e nos sacos de pólvora. Os artilheiros eram fortes e estavam confiantes. A infantaria havia fracassado, e agora o general teve a sensatez de chamar a artilharia. Não só a artilharia, mas a artilharia francesa, a arma do próprio Napoleão. Cada artilheiro na França tinha orgulho de o imperador ser artilheiro. Um sargento limpou a neve do "N" com guirlanda gravado na culatra do canhão e olhou do cano para o convento. Logo, meu querido, logo. Deu um tapinha no canhão como se o monstro de latão, ferro e madeira fosse um filho preferido.

Durante a trégua Sharpe foi até o convento, as botas deixando marcas na neve, e parou junto ao portão para observar os canos encurtados dos canhões, canhões que olhavam direto para ele. Entrou, passou pelo arbusto que mais uma vez havia sido decorado com uma delicada renda de neve, e parecia impossível que ele tivesse visto na manhã de ontem os fuzileiros alemães enfeitando os galhos nus.

Falou com os oficiais, surpreendendo-os com suas palavras, fez com que repetissem as ordens e depois o acompanhassem através das posições para que ele soubesse que haviam entendido. Os oficiais *fusiliers* pareceram aliviados com suas palavras.

— Não defenderemos o convento, senhores.

— Algum truque na manga, senhor? — Harry Price sorriu.

— Não, Harry.

Sharpe desceu a escada e encontrou Harper.

— Patrick?

— Senhor? — O sorriso larguíssimo.

— Tudo bem?

— Sim. E o que está acontecendo? — Sharpe contou e o rosto largo irlandês assentiu. — Os rapazes ficarão felizes em voltar a acompanhar o senhor, ficarão mesmo.

— Eu ficarei feliz em tê-los de volta. Diga a eles.

— Eles sabem. Como vai meu amigo, o soldado Hakeswill?

— Apodrecendo na masmorra.

— Ouvi dizer. — Harper sorriu. — Isso é bom.

— Você estragou o canhão?

— Sim, eles não poderão atirar com ele tão cedo. — Harper havia cravado um prego no ouvido da arma, depois limado o prego até nivelá-lo com o buraco. Todo o ouvido teria de ser retirado, depois substituído por uma cunha de ferro com um ouvido novo perfurado, que era inserido por dentro do cano e moldado de modo que cada disparo subsequente da arma o colocasse mais no lugar. Harper coçou a têmpora. — O senhor acha que vai ser esta noite?

— Ao anoitecer?

— É.

— Boa sorte.

— Irlandeses não precisam de sorte, senhor.

— Só que os ingleses parem de encher o saco, não é? — Sharpe gargalhou.

Harper sorriu.

— Está vendo como a promoção trouxe tino ao senhor?

Sharpe voltou atravessando o vale. Agora a neve caía mais densa, deixando apenas algumas moitas de capim visíveis acima da brancura limpa. Pensava que os franceses atacariam o convento, embora fosse possível que o posicionamento dos canhões fosse uma tentativa de enganá-lo, mas achava que não. Os franceses queriam o convento para colocar seus grandes canhões atrás da proteção de sua parede e golpear a muralha norte do castelo. Em seguida tentariam dominar a torre de vigia, de modo que seus canhões pudessem lançar fogo no pátio, e acima de tudo ele temia os morteiros que lançariam os projéteis à altura das nuvens antes de caírem no meio dos defensores. Amanhã.

A neve rangia sob suas botas, acomodava-se em seu rosto, tocava as velhas muralhas com uma camada branca, curiosamente linda. A neve havia coberto as manchas escuras no capim. Perguntou-se por quanto tempo poderiam sustentar essa posição. Tudo que esse clima faria era adiar a chegada de qualquer reforço, e agora restavam apenas quatrocentos foguetes. Gilliland não pôde trazer mais porque precisou transportar os suprimentos dos *fusiliers*, mas por algum motivo Sharpe achava que os foguetes não seriam muito mais usados no Portal de Deus. Pensou num uso para eles, um uso desesperado, mas eles serviram ao seu propósito, assim como os pavios rápidos que ele tirou de Gilliland com outro propósito. Os pavios serviam para disparar lotes de foguetes, e Gilliland não gostou de perdê-los, mas a hora deles chegaria.

No andar de cima do castelo, o cirurgião dos *fusiliers* serrava uma perna. Havia puxado para trás a aba de pele que se dobraria por cima do coto, cortado o músculo, amarrando os vasos sanguíneos, e trabalhava rápido com a serra curta. Ordenanças seguravam o *fusilier* na mesa, o sujeito tentando conter o grito, engasgando com a almofada de couro dobrado que já aplacara a dor de outros quinze homens, e o cirurgião grunhiu enquanto o osso se lascava, virando pó sob os dentes da serra.

— Quase lá, filho. Bom garoto! Bom garoto!

Na trincheira de onde os foguetes foram disparados, os fuzileiros alemães de Cross enterravam seus dois mortos. Tinham aprofundado a trincheira, colocado os corpos dentro e depois coberto com pedras que impediriam que as patas dos animais carniceiros desenterrassem a carne morta. Jogaram terra por cima, ficaram observando Cross dizer palavras tristes, inadequadas, e então, enquanto a neve salpicava o monte da sepultura, cantaram a canção nova da qual os alemães dessa guerra tanto gostavam. "*Ich hatt' einen Kameraden, Einen bess'ren findst du nicht...*" As vozes chegaram até Sharpe na torre de menagem do castelo. "Tive um camarada um dia, você não encontraria outro melhor."

O capitão Brooker estava de pé, diante de Sharpe. O capitão *fusilier* tinha feito a barba, a farda tinha sido escovada, e fez Sharpe se sentir sujo e maltrapilho.

— Qual é a conta, capitão?

— Quinze mortos, senhor. Trinta e oito gravemente feridos.

— Sinto muito. — Sharpe pegou o papel e o enfiou na bolsa. — Munição?

— Bastante, senhor.
— Rações?
— Para dois dias, senhor.
— Vamos torcer para que não demore tanto. — Sharpe esfregou o rosto.
— Então estamos reduzidos a cento e oitenta *fusiliers* no castelo?
— Cento e oitenta e dois, senhor. Com os oficiais, claro, há mais.
— É. — Sharpe sorriu, tentando romper a reserva de Brooker. — E estamos segurando um exército inteiro.
— Sim senhor. — Brooker parecia melancólico.
— Não se preocupe, capitão. Você receberá noventa *fusiliers* do convento esta noite.
— O senhor acha?

Sharpe quase gritou para deixar claro que não diria se não achasse isso, mas conteve a reprovação. Precisava da cooperação de Brooker, e não da inimizade.

— E ainda há quase cento e cinquenta no morro da torre de vigia.
— Sim senhor. — O rosto de Brooker estava lúgubre, feito um pastor metodista que adorasse fazer previsões do fogo do inferno.
— Verificou os prisioneiros?

Brooker não tinha verificado, mas estava com medo de Sharpe.

— Sim senhor.
— Bom. Não preciso daqueles desgraçados às minhas costas. Ponha novos homens como guardas esta noite.
— Vamos alimentá-los, senhor?
— Não. Deixe os desgraçados passarem fome. Sabe que horas são, capitão?

Brooker pegou um pesado relógio de bolso.

— Quinze para as quatro, senhor.

Sharpe foi até o grande buraco na parede, onde pedras haviam tombado de uma seteira. A neve caía na diagonal no vale. Estava escuro lá fora, o céu quase preto, as nuvens trazendo um crepúsculo prematuro abaixo. Viu o capitão Cross perto de uma nova sepultura, menor, e viu um fuzileiro que já foi corneteiro levar aos lábios o instrumento do garoto morto. Primeiro deu o toque dos corneteiros, curto e simples, as notas nítidas no vale que escurecia. Depois um toque longo, pedido por Sharpe para o garoto morto, o toque que servia para estabelecer o turno de vigia. Terminava em notas longas e lentas, tocadas com doçura. *Ich hatt' einen Kameraden.*

Houve um barulho de pés junto à porta, uma tosse pedindo atenção, e Sharpe se virou, vendo um fuzileiro.

— Sim?

— O capitão Frederickson manda seus cumprimentos, senhor. — Ele estendeu um papel.

— Obrigado. — Sharpe desdobrou. "Guerrilheiros ao norte, leste e sul. Senha para esta noite? Vou lutar ou não?" Desta vez estava assinado "Capitão William Frederickson, 5º Bat., 60º, aposentado." Sharpe sorriu, pegou um lápis emprestado com Brooker e apoiou o papel na laje quebrada da seteira. "Senha para esta noite: paciência. Contrassenha: virtude. Espere sua luta ao amanhecer. Durante a noite nenhuma patrulha minha irá a leste do córrego. Boa caçada. Richard Sharpe." Entregou-o ao fuzileiro, ficou observando-o ir embora e depois deu a senha a Brooker. — E é melhor alertar às sentinelas sobre os guerrilheiros. Pode ser que alguns queiram vir à noite.

— Sim senhor.

E anime-se, seu desgraçado, era o que Sharpe queria acrescentar.

— Pode ir, capitão Brooker.

Minutos passaram. Artilheiros tiravam a neve dos ouvidos dos canhões que logo estariam quentes demais para a neve que estava com quase três centímetros de espessura nos canos de latão, cada cano com mais de dois metros de comprimento, entre as rodas com um metro e meio de altura. Cada carro de munição deixou quarenta e oito balas sólidas, e cada caixa das carretas dos próprios canhões continha mais nove, e os artilheiros ficariam felizes em disparar todos aqueles tiros para derrubar a face leste do convento, deixando entrar o batalhão de infantaria. Esse batalhão estivera na retaguarda da coluna, virtualmente intocado pelos foguetes, e atacaria às últimas luzes. Então os canhões iriam se mover sob a cobertura da escuridão, troneiras seriam arrebentadas na parede sul, e aqueles monstros de doze libras tomariam o castelo. Que os artilheiros mostrassem como se fazia.

Aos cinco minutos para as quatro o vale parecia deserto. Os *fusiliers* se encontravam atrás de muralhas de pedra, os fuzileiros no morro estavam nas escavações rasas que tinham feito no meio dos espinheiros, os franceses estavam escondidos pelo vilarejo.

Sharpe subiu à torreta sobre a guarita, bateu os pés na neve fria e falou com os fuzileiros daquele posto.

— Deve estar quase na hora.

Sacos de sarja foram enfiados nos canos, depois a bala redonda que ficava presa na sapata de madeira que queimaria durante o voo. Espetos foram enfiados nos ouvidos das armas para furar os sacos de pólvora, e depois o tubo de escorva era empurrado para o lugar, com a inclinação dos ouvidos fazendo as penas se inclinarem para a frente de modo a serem expelidas nessa direção. O coronel olhou para o relógio. Dois minutos para as quatro.

— Uma sífilis para aqueles desgraçados. Fogo!

Oito canhões escoicearam para trás, oito conteiras rasgando a neve limpa, e as equipes estavam trabalhando instantaneamente, ajeitando os canhões com ganchos e cordas, outros homens limpando com esponjas o cano que sibilava, outros prontos com a próxima carga.

Os primeiros tiros quicaram cem metros antes do convento, subiram e bateram na parede. À medida que os canos esquentassem, esse primeiro ricochete aconteceria mais perto do convento, até não haver mais ricochete.

— Fogo!

Os canhões estavam escondidos da guarita, mas as chamas compridas que saíam dos canos espalhavam clarões vermelhos na neve. Sharpe observava cada sequência de disparos brotar vermelho-rosa na brancura. Eles eram bons. Os tiros vinham rápido, o ritmo crescendo com o trabalho de equipe de artilheiros bem treinados, onde cada homem conhecia seu serviço e cada homem se orgulhava de fazê-lo bem. O vermelho-rosa brilhava, as balas batiam no convento e a parede, que não foi construída para defesa, rachava e desmoronava.

— Fogo!

A fumaça pairava em direção ao convento, pairava devagar com a neve que caía, e agora os flocos sibilavam ao bater nos canos quentes, e de novo os canhões recuavam, as rodas quicando, e de novo as equipes os arrastavam, socavam, escorvavam, disparavam, e o portão do convento já havia sumido.
— Fogo!
E cada descarga de tiros parecia tingir de vermelho a nuvem móvel, de modo que o céu estava preto-acinzentado, o vale branco e a borda norte eram locais de vermelhidão.
— Fogo!
O barulho ecoava nos morros, arrancava a neve dos beirais das casas do vilarejo, tilintava os vidros na cozinha da hospedaria.
— Fogo!
Um pedaço de parede despencou, a poeira parecendo fumaça, e o projétil sólido seguinte atravessou uma parede interna, quebrando reboco e pedra antiga, e os canhões recuaram de novo, as equipes com calor e suando apesar do frio, e o coronel artilheiro sorriu de prazer por seus homens.
— Fogo!
Agora o claustro superior estava aberto para o vale, o convento fechado despedaçado pela artilharia disparada de perto, e a primeira fumaça acre dos primeiros tiros pairava entre colunas quebradas e esculturas caídas.
— Fogo!
A bétula foi acertada no tronco, pareceu voar, as raízes arrancando ladrilhos e neve, e os botões e as fitas que a haviam enfeitado foram lançados ao chão junto com a árvore que caía.
— Fogo!
O gato que andou delicadamente pelas telhas na manhã de Natal agora sibilava no porão, as garras estendidas. Os pelos no dorso estavam eriçados. A construção parecia sacudir ao redor.
— Fogo!
Um fuzileiro na guarita apontou.
— Senhor?
O batalhão francês estava se movendo ao longo da borda norte do vale, as casacas azuis parecendo escuras na penumbra onde a fumaça rolava sobre a neve.

— Fogo!

A última descarga soou, fazendo desmoronar um arco esculpido, derrubando telhas numa avalanche de argila e neve do telhado, e os *voltigeurs* gritaram comemorando e correram desajeitados na neve, então os primeiros mosquetes dispararam contra o convento.

— Agora — disse Sharpe. — Agora!

— Senhor?

— Nada. — Estava quase escuro, tanto que seus olhos criavam truques na escuridão.

Os defensores do convento, abrigados no claustro inferior, correram como havia sido ordenado. Subiram a escada, subiram a rampa do claustro mais distante dos canhões, então chegaram aos seus lugares. Uma saraivada, mosquetes e fuzis furando a escuridão, e em seguida eles pularam. Alguns desceram pelo entulho até o claustro superior, passaram sobre os destroços da parede e correram para o castelo. Outros saltaram do telhado, caindo desajeitadamente na encosta coberta de neve, e também correram para a segurança das muralhas. Sharpe olhou para o alto do vale. Não havia cavalaria, não havia necessidade de mandar as três companhias de *fusiliers* para dar cobertura à retirada.

Os franceses os viram ir embora, comemoraram, dispararam uma rápida saraivada de despedida e então o batalhão passou por cima dos destroços criados pelos canhões, e gritos franceses ecoaram pelo vale, porque haviam tido sua primeira vitória.

— Andem logo! — O coronel queria que os canhões fossem levados rapidamente para o convento. Os morteiros, que não haviam disparado, já estavam atrelados aos cavalos.

O batalhão se espalhou pelo convento, encontrando os barris de bebida que Sharpe tinha deixado para eles, barris que ele esperava que os deixassem bêbados e impotentes. Os oficiais também viram, apontaram as pistolas e arrebentaram as tábuas de baixo, de modo que o líquido escorreu pela neve.

— Andem! Andem! Andem! — Uma passagem para os canhões precisava ser liberada.

Os defensores do convento passaram pelo arco do castelo. Um homem mancava, com o tornozelo torcido na queda, outro xingava porque uma bala de mosquete francês estava alojada em sua nádega. Risadas receberam seu anúncio dolorido. Sharpe se inclinou por cima da torreta para o pátio.

— Façam a chamada!

Os *fusiliers* informaram primeiro:

— Todos presentes!

Os fuzileiros de Cross:

— Presentes!

— Tenente Price?

O rosto do tenente estava pálido quando ele olhou para cima.

— Está faltando Harps, senhor! — Havia incredulidade em sua voz. Ao redor dele os homens da companhia de Sharpe olharam para a torreta e em seus rostos havia a esperança de que Sharpe pudesse realizar um milagre.

A voz do tenente Price estava angustiada.

— O senhor me ouviu?

— Ouvi. Bloqueiem o portão.

Alguém lá embaixo ofegou.

— Senhor?

— Eu mandei bloquear o portão! — Havia raiva na voz de Sharpe.

Ele se virou e a neve pairava suave no crepúsculo, pairava indo para além das muralhas até pousar nas sepulturas, pairava pelo passo longo de onde deveria chegar a ajuda, acomodava-se na parede leste do convento, despedaçada.

O tenente Price estava na torreta, ofegando por causa da subida rápida pela escada em caracol.

— Ele estava conosco, senhor! Não vi nada acontecer com ele!

— Não se preocupe, Harry.

— Podemos voltar à noite, senhor! — Price estava ansioso.

— Eu disse para não se preocupar, Harry. — Sharpe olhava para o norte, para o crepúsculo enfumaçado.

Ich hatt' einen Kameraden, Einen bess'ren findst du nicht.

CAPÍTULO 25

Na guerra, como no amor, poucos planos são realizados exatamente como foram pensados, e o general francês refez os seus diante da lareira da hospedaria.

— O objetivo continua sendo o mesmo, senhores: atrair os ingleses para o norte. Se não pudermos chegar a Vila Nova, ainda poderemos chegar a Barca de Alva. Terá o mesmo efeito. — Ele se virou para o coronel artilheiro. — Quanto tempo até seus canhões estarem posicionados?

— À meia-noite, senhor. — Os canhões precisavam ser manobrados para dentro do convento e troneiras precisavam ser abertas na parede sul, mas o trabalho ia rápido. Eles haviam temido que os ingleses mandassem fuzileiros para atrapalhar o serviço, mas ninguém veio.

— Bom. O nascer do sol, alguém?

— Às sete e vinte e um. — Ducos era sempre preciso com essas coisas.

— Essas noites longas! Mesmo assim, sabíamos que seria assim quando começamos. — O general bebericou o café espesso e olhou de novo para o artilheiro. — Morteiros, Louis. Não quero que ninguém seja capaz de se mexer naquele pátio amanhã.

O coronel sorriu.

— Senhor. Posso colocar mais dois lá.

— Faça isso. — O coronel sorriu para Dubreton. — *Merci*, Alexandre. — Pegou o charuto oferecido, girou-o entre o indicador e o polegar e aceitou o isqueiro. — Quando poderemos abrir fogo?

O artilheiro deu de ombros.

— Quando o senhor quiser.

— Às sete? E colocaremos mais duas baterias na borda sul da aldeia para atirar direto do outro lado da brecha, certo? — O coronel assentiu. O general sorriu. — Metralha, Louis. Isso vai impedir a porcaria dos foguetes deles. Não quero nenhum homem vivo se eles deixarem o abrigo das muralhas.

— Não haverá, senhor.

— Mas os seus artilheiros estarão ao alcance daqueles fuzileiros malditos que estão no morro. — O general falava devagar, pensando em voz alta. — Acho que devemos mantê-los ocupados. Você acredita nesse informe de que eles têm foguetes? — Ele havia se virado para Dubreton.

— Não senhor. Não vejo como eles poderiam dispará-los através dos espinheiros.

— Nem eu. Bom. Vamos mandar um batalhão morro acima, certo? Eles podem manter os fuzileiros ocupados.

— Só um, senhor?

O fogo estalava na lareira, cuspindo fagulhas nas botas que secavam diante das chamas, e os planos eram feitos meticulosamente. Um batalhão, reforçado por *voltigeurs*, atacaria a torre de vigia enquanto dois canhões de doze libras, em vez de ir para o convento, encheriam os espinheiros com metralha suficiente para matar os jaquetas-verdes escondidos. Os morteiros no convento fariam do pátio do castelo um lugar de morte levada pelas bombas, enquanto os canhões ao sul da aldeia alvejariam o entulho e as trincheiras de modo que nenhum foguete pudesse ser levado aos lançadores. E a infantaria iria atacar de novo no meio da manhã, uma infantaria protegida pelos canhões, que levaria as baionetas a uma guarnição partida, desmoralizada. Então os franceses poderiam marchar para a ponte em Barca de Alva, para a vitória. O general levantou uma taça de conhaque.

— À vitória em nome do imperador.

Eles brindaram em voz baixa, beberam, e somente Dubreton murmurou uma dúvida.

— Eles entregaram o convento com muita facilidade.

— Eles tinham poucos homens lá, Alexandre.

— Verdade.
— E meus canhões os tinham amaciado. — O coronel da artilharia sorriu.
— Verdade.
O general ergueu sua taça de novo.
— E amanhã venceremos.
— Verdade.

A brisa acomodava a neve em pilhas dentro do pátio do castelo. Os flocos sibilavam no fogo, derretiam-se no dorso dos cavalos da Tropa de Foguetes que estavam encolhidos dentro do pátio da torre de menagem, acomodava-se úmida e fria no sobretudo dos homens que encaravam a noite e temiam um grito de ataque vindo da escuridão. Trapos estavam enrolados nos fechos dos mosquetes e dos fuzis, para impedir que a umidade chegasse à pólvora na caçoleta. Fogueiras foram acendidas no convento, e as chamas mostravam onde os soldados franceses trabalhavam no antigo portão, erguendo e golpeando pedras para formar uma rampa rústica por onde os canhões pudessem ser empurrados. Ocasionalmente um tiro de fuzil estalava no vale e sua bala tirava lascas de pedra perto dos franceses ou derrubava um homem, xingando e ferido, mas então os franceses protegeram o lugar com uma carroça de munição vazia e os fuzileiros economizaram a munição. Outros fuzileiros, da companhia de Frederickson, patrulhavam o vale. Suas ordens eram manter os franceses acordados, atirar contra luzes, sombras, desgastar os nervos do inimigo durante a noite, enquanto no morro os *fusiliers* xingavam e amaldiçoavam, perguntando-se que tipo de maníaco iria lhes ordenar que procurassem tocas de coelho à noite. Tocas de coelho!

Homens dormiam inquietos, as fardas quase secas pelas fogueiras, os mosquetes sempre ao alcance da mão. Alguns acordavam na escuridão, imaginando por um instante onde estavam; e, quando se lembravam, o medo gélido voltava. Estavam num lugar ruim.

O major Richard Sharpe parecia distraído. Mostrava-se educado, atento a cada detalhe, reservado quanto aos planos do dia seguinte. Ficou na torreta da guarita até meia-noite, quando parou de nevar, então se juntou à sua companhia para uma refeição precária de carne-seca fervida. Daniel Hagman garantiu a Sharpe que Harper sobreviveria, mas houve pouca convicção na voz do velho caçador, e Sharpe apenas sorriu para ele.

— Eu sei, Dan, eu sei. — Houve pouca convicção na voz de Sharpe também.

Sharpe andou por todas as muralhas, falou com cada sentinela, e o cansaço era como uma dor em todas as partes do corpo. Queria estar quente, queria dormir, desejava que a presença enorme e afável de Harper estivesse no castelo, mas sabia, também, que dormiria pouco esta noite. Uma hora ou duas, talvez, encolhido em algum canto frio. O quarto que Farthingdale havia tomado como seu, o quarto com a lareira, foi dada aos feridos, e nenhum homem no vale teve uma noite pior que eles.

O vento era frio. A neve parecia quase luminosa no vale, um lençol branco que trairia qualquer movimento inimigo. As sentinelas lutavam para se manter acordadas no alto das muralhas, ouvindo os passos de seus sargentos, perguntando-se o que o amanhecer traria do leste.

Havia um brilho no céu ao sul, uma claridade vermelha que marcava onde os guerrilheiros passavam as horas de escuridão. Em algum lugar, uma única vez, um lobo deu um uivo soluçante que soou fantasmagórico na noite avançada e escura.

A última visita de Sharpe às sentinelas foi aos homens que vigiavam o buraco aberto na face sul da torre de menagem. Olhou para os espinheiros cobertos de neve no morro e soube que, se eles fossem dominados no dia seguinte, aquela era a rota de fuga. Muitos jamais iriam tomá-la, estariam caídos morrendo no castelo, e ele se lembrou do inverno de quatro anos antes, quando comandou a companhia de fuzileiros, num tempo pior que esse, numa retirada tão desesperada quanto poderia ser a do dia seguinte. A maioria daqueles homens estava morta, mortos por doença ou pelo inimigo, e Harper foi um dos que lutaram indo para o sul nas neves da Galícia. Harper.

Foi até a escada que levava direto às masmorras. *Fusiliers* com ferimentos leves vigiavam os prisioneiros e faziam isso num fedor terrível, um fedor que subia dos corpos sujos e amontoados no escuro. Os guardas estavam nervosos. Não havia porta para as masmorras, só a escada, e eles tinham feito uma barricada até a altura do peito, na base da escada, e a iluminavam com tochas de palha que mostravam a umidade pegajosa do trecho de piso mais próximo. Cada guarda tinha três mosquetes, carregados e engatilhados, e a ideia era que nenhum prisioneiro teria tempo de passar pela barricada antes que uma bala o jogasse para trás. Os guardas ficaram satisfeitos ao ver Sharpe. Ele se sentou com eles nos degraus.

— Como eles estão?
— Com um frio de lascar, senhor.
— Isso vai mantê-los quietos.
— Eu fico arrepiado, senhor. Sabe aquele filho da mãe grandalhão?
— Hakeswill?
— Ele se soltou.

Sharpe olhou para a escuridão além das tochas. Dava para ver os corpos seminus amontoados para se aquecer, podia ver alguns olhos brilhando para ele, mas não conseguia ver Hakeswill.

— Onde ele está?
— Fica o tempo inteiro lá atrás, senhor.
— Não causou encrenca para vocês?
— Não. — O homem cuspiu um jato de sumo de tabaco por cima da borda da escada sem corrimão. — Nós dissemos que se eles chegassem a três metros da barricada iríamos atirar. — Ele deu um tapinha na coronha do mosquete, capturado dos homens de Pot-au-Feu.
— Bom. — Sharpe olhou para a meia dúzia de homens. — Quando vocês vão ser rendidos?
— De manhã, senhor — respondeu o autoeleito porta-voz.
— O que têm para beber?

Eles sorriram e levantaram os cantis.
— Rum, senhor.

Sharpe desceu os degraus e empurrou a barricada. Parecia bem firme, uma mistura de pedras e madeira velha. Olhou para a escuridão e entendeu por que aquele lugar úmido amedrontaria um homem. Era chamado de masmorra, mas na verdade mais parecia um porão enorme, ramificado, com arcos baixos feitos de pedras grandes, mas sem dúvida era um local onde homens morreram através dos séculos. Como os que Hakeswill tinha matado ali, como os prisioneiros muçulmanos que teriam defendido sua fé recusando-se a se converter apesar das facas, dos acúleos, dos ferros em brasa e das correntes dos cristãos. Perguntou-se se alguém já foi feliz naquele lugar, se alguém já riu ali. Aquele era o túmulo da felicidade, um lugar onde nenhuma luz do sol entrou durante séculos. Virou-se de volta para a escada, satisfeito por sair dali.

— Sharpezinho! Sharpezi-nho! — A voz estava atrás dele agora, uma voz que Sharpe conhecia muito bem. Ignorou Hakeswill, começou a subir a escada, mas a risada zombeteira e espertalhona voltou. — Está fugindo, é, Sharpezinho?

A contragosto, Sharpe se virou. A figura arrastou os pés até a luz da tocha, o rosto se retorcendo, o corpo enrolado numa camisa tirada de outro prisioneiro. Hakeswill parou, apontou para Sharpe e deu sua gargalhada que parecia um cacarejo.

— Você acha que venceu, não é, Sharpezinho?

Os olhos azuis tinham um brilho nada natural à luz da tocha, ao passo que o cabelo grisalho e a pele amarela pareciam macilentos, como se o corpo inteiro de Hakeswill, a não ser os olhos, fosse uma ferida de lepra.

Sharpe se virou de novo e falou alto com as sentinelas:

— Se ele chegar a cinco metros da barricada, atirem.

— Atirem! — O grito era de Hakeswill. — Atirem! Sharpe, seu filho sifilítico de uma puta sifilítica! Seu desgraçado! Mandando outros fazerem seu trabalho sujo? — Sharpe se virou na metade da escada e viu Hakeswill sorrindo para os guardas. — Acham que podem atirar em mim, garotos? Tentem, andem! Tentem agora! Estou aqui! — Ele abriu os braços nus, rindo, a cabeça no pescoço alongado sofrendo espasmos para eles. — Vocês não podem me matar! Podem atirar em mim, mas não podem me matar! Eu vou pegar vocês, garotos, vou esmagar seu coração no escuro. — As mãos se juntaram. — Vocês não podem me matar, garotos. Muitos tentaram, inclusive aquele sacana sifilítico que se diz major, mas ninguém me matou. Ninguém nunca vai me matar. Nunca!

Os guardas estavam pasmos com a força de Hakeswill, com a convicção passional que havia na voz rouca, com o ódio.

Sharpe olhou para ele, odiando-o.

— Obadiah? Vou mandar sua alma para o inferno em menos de vinte dias.

Os olhos azuis ficaram sem piscar, os espasmos sumiram, e a mão de Hakeswill foi subindo lentamente para apontar para Sharpe.

— Richard Sharpe, seu canalha. Eu o amaldiçoo. Eu o amaldiçoo pelo vento e pela água, pela névoa e pelo fogo, e enterro seu nome na pedra. — Parecia que sua cabeça ia sofrer um espasmo, mas Hakeswill usou toda a sua força de vontade, e o espasmo não passou de um tremor na boca cerrada com força, um tremor seguido de um berro de fúria. — Enterro seu nome na pedra! — E se virou de volta para as sombras.

Sharpe ficou observando-o se afastar, então se virou, e, depois de trocar uma palavra com os guardas, subiu até o topo da torre de menagem do castelo. Subiu a escada em caracol até estar no ar frio e límpido que soprava dos morros e respirou fundo como se pudesse limpar a alma de todas as maldades. Tinha medo de maldições. Queria ter levado o fuzil, porque havia arrancado uma lasquinha na culatra da arma para que houvesse um ponto de madeira sem verniz, e assim poderia ter pressionado a madeira com um dedo para lutar contra a maldição. Tinha medo de maldições. Eram armas do mal, armas que sempre traziam o mal para a pessoa que amaldiçoava, mas Hakeswill não tinha futuro além da maldade, por isso podia dizer as palavras.

Um homem podia lutar contra balas e baionetas, até foguetes, se entendesse a arma, mas nenhum homem entendia os inimigos invisíveis. Sharpe queria saber como propiciar o Destino, o deus dos soldados, mas era uma divindade caprichosa, sem lealdade.

Ocorreu-lhe que, se conseguisse ver uma estrela, uma só, a maldição seria retirada, por isso se virou de um lado para o outro no alto da muralha examinando o céu escuro, mas não havia nada além de nuvens e peso. Procurou desesperadamente uma estrela, mas não via nenhuma. Então gritaram para ele do pátio, procurando-o, e ele desceu pela escada em caracol para aguardar a manhã.

CAPÍTULO 26

Havia fantasmas no Portal de Deus, era o que diziam as pessoas de Adrados, e os soldados acreditavam, mesmo que ninguém tivesse lhes dito isso. As construções eram velhas demais, o lugar era remoto demais, as imaginações eram receptivas demais. O vento soava em pedras despedaçadas, farfalhava nos espinhos compridos, suspirava na borda do passo.

Quatro soldados franceses estavam de sentinela perto do canhão no porão do convento. Olhavam para o castelo e sua visão era obscurecida por rajadas de vento que pegavam montes de neve e os lançavam por cima da borda do passo, de modo que, às vezes, por um bom tempo, o ar entre o convento e o castelo ficava lindo com dobras brancas e brilhantes na escuridão.

E atrás deles, atrás do canhão inutilizado, havia as pilhas de crânios, coisas de fantasmas, e os soldados tremiam e olhavam as sentinelas britânicas nas muralhas delineadas pelas fogueiras no pátio do castelo, e então outra rajada de vento arrancava a neve branca e fantasmagórica transformando-a em plumas oscilantes que iam para o oeste se assentar de novo no passo.

Marretas soavam acima deles, os estrondos abafados pelas pedras que ficavam no meio do caminho. Os artilheiros teriam suas troneiras na parede sul.

Um francês fumava um cachimbo curto, com as costas confortavelmente apoiadas nos crânios, mas outros o tinham visto se recostar ali e fizeram o sinal da cruz nos sobretudos.

— Vapor — disse um deles.

— O quê?

— Estive pensando nisso. Vapor, é isso que eram. Vapor.

Vinham conversando sobre a arma estranha que havia despedaçado a coluna. Um dos homens cuspiu no escuro.

— Vapor — disse com escárnio.

— Você já viu alguma máquina a vapor? — perguntou o primeiro.

— Não.

— Eu vi, em Rouen. Fazia um barulho desgraçado! Exatamente como hoje de manhã! Fogo, fumaça, barulho. Tem de ser vapor!

Um recruta, que praticamente não tinha falado a noite toda, reuniu coragem para dizer uma coisa.

— Meu pai diz que o futuro está no vapor.

O primeiro olhou para ele, incerto quanto a esse apoio sem bigode. Decidiu que era bem-vindo.

— Aí está! Estou dizendo! Eu vi uma num moinho. Uma sala enorme com traves enormes subindo e descendo, e fumaça por todo lado! Era igual ao inferno, igual ao inferno! — Ele balançou a cabeça, sugerindo ter visto coisas que eles não tinham visto, horrores que não compreenderiam, embora, na verdade, sua visão tivesse sido no máximo breve e igualmente incompreensível. — Seu pai está certo, filho. Vapor! Vai estar em toda parte.

Outro homem gargalhou.

— Você vai ter um mosquete a vapor, Jean.

— E por que não? — O primeiro homem foi levado longe por sua visão do futuro. — Infantaria a vapor. Estou dizendo! Isso vai acontecer! Vocês viram o que aconteceu hoje de manhã.

— Eu faria um bom uso de uma puta a vapor, agora.

Houve um estrondo do lado de fora, gritos de comemoração, e um trecho de parede caiu na neve. O homem que estava com o cachimbo soprou a fumaça que foi levada para o passo.

— Deveriam bloquear esse buraco.

— Deveriam mandar a gente de volta para a porcaria de Salamanca.

Houve passos no porão atrás e Jean espiou entre os crânios.

— Oficial.

Eles xingaram baixinho, ajeitaram as fardas e adotaram poses sugerindo uma vigilância incessante da neve lá fora. O tenente parou junto ao canhão.

— Alguma coisa?

— Não senhor. Tudo calmo. Acho que eles estão enfiados na cama.

O oficial passou o dedo no prego limado no ouvido do canhão.

— Isso vai acabar logo, rapazes.

— Foi o que disseram a eles, senhor. — O homem com o cachimbo virou a haste para os crânios das freiras.

O tenente olhou para os crânios.

— Meio assustador, não é?

— A gente não se incomoda, senhor.

— Bom, isso vai acabar logo. Temos quatro morteiros lá em cima. Além disso, vão ser mais quatro canhões. Eles os estão posicionando. Mais uma hora e vamos abrir fogo.

— E depois, senhor? — perguntou Jean.

— Depois nada! — Ele sorriu para os homens. — Vamos proteger os canhões e assistir ao ataque.

— Sério?

— Sério.

Os soldados sorriram. Outros estariam lutando e morrendo. O tenente espiou pelo grande buraco e viu a neve turvar o alto do passo.

— Vai acabar logo.

A hora passou lentamente. Acima os artilheiros preparavam suas ferramentas, seus cortadores, suas "cabeças de minhoca", seus espetos e seus pavios. Os morteiros, canhões obscenamente atarracados, apontavam para o ar, e os artilheiros se agitavam ao redor. A distância era pequena, e os oficiais estavam discutindo quanta pólvora colocar em cada cano. Os artilheiros esperavam com suas conchas de cabo comprido para alimentar os canos virados para o céu, que lançariam os projéteis de seis polegadas por cima do vale. Muito antes disso a bétula que havia crescido entre os ladrilhos foi levada como combustível para as fogueiras que queimavam no pátio inferior.

A leste havia a claridade fraquíssima de uma tira de céu no horizonte, um alvorecer falso que foi visto por poucos, a não ser pelos fuzileiros no morro da torre, e para as quatro sentinelas que estavam de novo sozinhas na sala de crânios e ossos a noite permanecia escura como sempre. Parecia que o alvorecer jamais chegaria, que estavam presos eternamente naquele lugar frio, naquele lugar escuro, onde os crânios dos mortos chegavam ao teto e tremiam, olhavam a noite acima da neve e esperavam o amanhecer. Um deles pareceu subitamente alarmado.

— O que foi isso?
— O quê?
— Um barulho! Aqui. Escutem!

Eles escutaram. O recruta balançou a cabeça.

— Um rato?
— Cala a porcaria dessa boca!

Jean, sem seu entusiasmo de uma hora antes, se recostou na culatra do canhão.

— Ratos. Deve ter milhares de porcarias de ratos. De qualquer modo, não sei como você pode ouvir alguma coisa com todas essas pancadas lá em cima. O que eles estão fazendo lá? Um carnaval?

Os artilheiros estavam ajustando as conteiras dos canhões de doze libras para acertarem o mesmo ponto da muralha do castelo.

O coronel artilheiro havia cavalgado até o convento e agora entrava no outro claustro, esfregando as mãos, e sorriu para seus homens.

— Tudo pronto?
— Sim senhor.
— Quanta pólvora nos morteiros?
— Meia libra, senhor.
— É demais. Mesmo assim... Vai esquentar os canos. Meu Deus! Está frio. — Ele entrou na capela, agora aberta ao sul, e viu dois de seus canhões de doze libras que tinham sido arrastados pela porta alargada e agora apontavam através de buracos enormes para o castelo. — Aqueles fuzileiros estão incomodando vocês?
— Não senhor.
— Vamos torcer para que eles estejam com poucas balas. — Em seguida andou por cima dos destroços da capela e encontrou um curioso pedaço de granito que se projetava no chão. O topo era liso, e ele se perguntou

por que aquilo estaria ali. Era típico da porcaria dos espanhóis não limpar o terreno adequadamente antes de construir o convento, mas não fazia ideia do motivo para alguém construir um convento nesse lugar incivilizado. Não era de espantar que as freiras tivessem ido embora. Voltou para a porta. — Muito bem, rapazes! Vocês fizeram um bom trabalho trazendo-os para cá! — E era verdade.

No claustro, olhou para o leste e viu a primeira claridade fraca do alvorecer verdadeiro. Havia cinco centímetros de neve nos restos despedaçados da parede do convento.

— Certo! Vamos testar os morteiros! Vocês vão disparar longe demais, com certeza!

Um capitão gritou para um tenente no telhado observar a queda do projétil, em seguida gritou a ordem para disparar, e quatro bota-fogos tocaram quatro pavios, e os morteiros pareceram tentar se enterrar nos ladrilhos com neve pisoteada. O barulho sacudiu a neve dos ladrilhos, a fumaça brotou densa e sufocante e o tenente no telhado gritou para o pátio.

— Sessenta acima!

— Eu falei!

Manhã no Portal de Deus. A tosse dos morteiros, o risco súbito e quase imperceptível de pavios queimando, voando, caindo, e os projéteis quicavam na colina ao sul da torre de menagem, rolavam e em seguida explodiam numa nuvem de fumaça suja. A neve estava riscada de preto, espinhos estalavam enquanto os fragmentos eram lançados.

Então os canhões de doze libras dispararam, batendo no reboco solto da capela, soltando flocos de tinta de ouro que esvoaçava até a poeira no chão, e as balas maciças atingiram a muralha do castelo, arrancaram grandes lascas, e Sharpe, na torreta, gritou para as muralhas abaixo:

— Não atirem até eu dar a ordem!

Mais de cinquenta fuzileiros se alinhavam na muralha norte, fuzileiros que tinham sido postos ali por Sharpe e proibidos de disparar contra as troneiras irregulares que tinham feito brotar fogo e fumaça na escuridão da madrugada. Os *fusiliers* montavam guarda ao amanhecer, virados para o sol nascente, mas os fuzileiros foram convocados por Sharpe.

— Esperem!

O disparo dos canhões era um sinal. Arrancou o sono dos homens em todo o vale, alertou-os de que a morte cavalgava de novo para o Portal, mas acima de tudo era o sinal para um homem. Ele alongou os músculos enormes, perguntando-se se o frio os havia tornado inúteis, e rezou por mais uma descarga ensurdecedora dos canhões acima. Sua mão direita envolveu o fecho da arma de sete canos.

Sharpe e Harper não contaram esse plano a ninguém, ninguém, porque um único prisioneiro apanhado na noite poderia contar a verdade. Harper fez um covil entre os ossos, um covil forrado de cobertores e sustentado por uma mesa cujas pernas tinham sido serradas de modo que só houvesse espaço para o irlandês se deitar. Quando Price berrou a ordem para fugir, Harper ecoou o grito, empurrou homens e ficou de lado numa sombra, para ver seus colegas saírem correndo do convento. Ninguém sentiu sua falta, todos estavam preocupados demais em escapar dos franceses cujos gritos eram audíveis do outro lado da parede arrebentada, e Harper voltou para o ossuário. Arrastou-se de costas por baixo do abrigo de madeira, puxou os cobertores em volta do corpo, empilhou crânios diante do rosto e esperou.

Esperou no frio, na escuridão absoluta, com a proximidade da morte ao redor. Apertou com força o crucifixo e algumas vezes dormiu. Às vezes escutava vozes a poucos metros e tentava imaginar quantos homens teria de matar.

Sua caverna ficava num dos lados do aposento, nos fundos da pilha de ossos, e ele havia garantido que o peso dos esqueletos em cima não fosse grande demais. Passou o dedo na pederneira da arma de sete canos, perguntando-se por que os canhões não atiravam de novo, e então eles atiraram, mandando o tremor do coice através das pedras do convento.

As quatro sentinelas ouviram os ossos chacoalhar enquanto os canhões disparavam. Olharam para o outro lado do vale, para ver onde os projéteis cairiam.

Harper gemeu quando suas costas sentiram o peso da mesa e dos mortos, e o gemido aumentou até um grito de guerra enquanto ele se levantava, e o jovem recruta foi o primeiro a ver que os mortos estavam se movendo! Crânios caíam, rostos sorridentes se remexiam na pilha, e os ossos estavam se levantando na escuridão. As outras sentinelas se viraram enquanto os ossos cascateavam para fora e uma figura sombria, com os dentes à mostra como os dos crânios, veio para eles saindo do lugar da morte.

O grito de Harper foi abafado pelo estrondo da arma de sete canos flamejando lívidos na escuridão do ossuário, a fumaça branca feito os crânios, e as sentinelas nem tiveram tempo de virar os mosquetes para a súbita aparição. Dois homens morreram imediatamente, ambos com balas na cabeça, um terceiro foi lançado para trás, atingido no peito, e só o recruta ficou intocado.

Harper cambaleou com o coice da arma, quase tropeçou num crânio que se esmagou sob o calcanhar da sua bota, e o recruta gaguejou com medo.

— Sem problema, garoto — resmungou a voz irlandesa. — Fique parado.

A arma pesada foi invertida e a coronha de latão avançou uma vez, então o recruta caiu num silêncio inconsciente. Harper olhou de relance para os outros três, mas nenhum deles iria incomodá-lo. Em seguida se virou para o corredor que levava ao interior do convento.

Silêncio. Nenhum grito de alarme, nem passos, mas ele não queria ser incomodado, por isso, com um pedido de desculpa mudo aos mortos, encostou o ombro numa das grandes pilhas de ossos e fez força. Eles balançaram, mas estavam notavelmente ancorados juntos. Harper se perguntou se o frio teria minado suas forças e empurrou de novo. Sentiu-os se mexer, raspando e estalando, e grunhiu ao pôr toda a força nos ossos que de repente desmoronaram no corredor. Andou pela destruição, os pés esmagando ossos secos, e se arrastou nas partes do ossuário ainda de pé. Levantou a mão e seus dedos se engancharam em órbitas mortas, rasparam em dentes amarelados, e mais partes da pilha despencaram. Continuou puxando até que o bloqueio estivesse mais alto que ele próprio e até que a primeira voz do outro lado gritasse uma pergunta nervosa na escuridão.

Ignorou-a. Voltou às sentinelas e encontrou, perto do homem ferido, um cachimbo caído, com o tabaco ainda aceso, e o pegou e sugou-o até que o fornilho estivesse reluzindo intensamente. Depois se virou de novo para seu covil.

Puxou a mesa de onde ela havia caído, empurrou alguns ossos para os lados com os pés, e na parede, pendurados como um feixe de cordas brancas, estavam os pavios. Eles iam até barris de pólvora empilhados embaixo do piso da extremidade leste do convento, barris de pólvora que o próprio Harper havia posicionado ao longo de três longas horas arrastando-se na escuridão absoluta. Tinha empilhado pedras em volta dos barris e depois levado os pavios até o ossuário.

Mais vozes gritaram para ele, vozes que foram silenciadas por um oficial que depois também gritou. Harper não entendeu o que era dito, mas mesmo assim respondeu:

— *Oui.*

Houve um segundo de silêncio.

— *Qui vive?*

— Hã? — Harper encostou o fornilho reluzente nos pavios e o fogo pareceu saltar por eles, cuspindo fagulhas e fumaça, e ele ficou por apenas um ou dois segundos, até ter certeza de que o fogo havia pegado e de que o convento estava condenado. Um minuto. Menos.

Recuou por cima dos ossos e parou para pegar e pendurar no ombro a arma de sete canos. Pôde ouvir os franceses empurrando os ossos na outra ponta do corredor bloqueado. A sentinela ferida olhou para ele em silêncio, mas Harper não podia fazer nada pelo sujeito. Ele morreria de qualquer jeito.

— Desculpe, meu chapa. — Ele se abaixou, pegou o mosquete do rapaz e mirou no teto acima dos ossos. — Isso é pela Irlanda!

A bala ricocheteou no teto e veio para baixo, derrubando um crânio aos pés do tenente francês.

— Certo, filho. Vamos. — Harper pegou o recruta no colo, olhou de relance para o pavio escurecido, queimado, balançando no espaço escuro que passava embaixo do piso do convento. Então pulou pela abertura para o passo coberto de neve.

— Seção número um, fogo! — gritou Sharpe.

Uma dúzia de fuzis, alertados para ignorar a troneira rústica de onde Harper saiu cambaleando e escorregando, disparou contra o parapeito do convento.

Harper xingou, lutou para atravessar a neve e jogou o recruta de lado quando avaliou que o garoto evitaria os efeitos da explosão. Baixou a cabeça e correu pela encosta branca, imaginando a infantaria francesa atrás, e a primeira bala de mosquete fez neve espirrar aos seus pés.

— Fogo! — gritou Sharpe, e o restante dos fuzis lançou chamas por cima das muralhas do castelo, e as balas acertaram pedra ou zumbiram no ar perto da cabeça dos franceses.

— *Tirez!* — Franceses com frio tentavam manusear os fechos, puxavam os trapos que alguns não haviam tirado das armas, e o fuzileiro enorme corria mais rápido e a fumaça dos primeiros mosquetes obscurecia o alvo.

— *Tirez!* — Mais fumaça e chamas enfeitaram a cornija do convento e as balas atingiam a neve rasa na borda do passo.

— Corre! — gritou Sharpe. Por um instante medonho pensou que tinham acertado Harper, porque o grandalhão caiu, rolou pela encosta, mas em seguida o irlandês estava de pé, as pernas em movimento, e os fuzileiros no castelo recarregaram, deslizaram o cano das armas sobre as pedras e lhe deram fogo de cobertura.

A princípio o estrondo quase não foi audível, parecendo as primeiras sugestões de um trovão distante numa noite de verão.

Os antigos construtores não escolheriam a borda do passo como local para erguer o convento, mas a Virgem Maria o escolheu pessoalmente, por isso precisaram enfrentar as dificuldades impostas por ela. O pedregulho de granito devia ser a peça central da capela, a Pegada Santa teria um lugar adequado, santificado, por isso os antigos pedreiros construíram uma plataforma de pedra na beira da rocha e a sustentaram com arcos sólidos que, a oeste, deixavam espaço para celas, um salão e a cozinha do convento. Mas a leste não havia espaço para cômodos, por isso o chão subia inclinado até a plataforma de pedra, e foi nesse espaço, escuro e frio, que os barris de pólvora se incendiaram.

Oito conjuntos de barris — barris tirados do estoque que os espanhóis haviam entregado em Adrados, em vez de em Ciudad Rodrigo — esperavam no escuro. Boa parte de sua força foi de lado, mas uma quantidade suficiente levantou o leito de pedra de modo que, para um artilheiro atônito, pareceu que os morteiros eram erguidos da superfície do claustro, e então os ladrilhos se despedaçaram, fumaça e chamas dispararam para cima, e o barulho aumentou, afogando o vale em som. Chamas se lançaram para o alto, chamas que por um segundo pareceram uma haste do próprio sol, então a pólvora para os morteiros pegou fogo e um lençol de chamas se espalhou de lado enquanto o piso da capela subia. Os sacos de sarja para os canhões de doze libras acrescentaram sua força à explosão, e, para os observadores no vale, parecia que todo o canto sudeste do prédio antigo estava derretendo em fogo e fumaça.

Harper ofegou, parou e se virou para ver seu trabalho. Espanou neve da farda.

O tenente Harry Price estava na torreta da guarita.

— O senhor sabia! — acusou. — Por que não disse nada?

Sharpe abriu um sorriso largo.

— Imagine se um de vocês fosse capturado e mantido no convento durante a noite. Poderia ficar em silêncio?

Price deu de ombros.

— Mas o senhor poderia ter contado quando nós voltamos.

— Achei que a surpresa poderia animar vocês.

— Meu Deus. — Price parecia enojado. — Eu fiquei todo preocupado!

— Desculpe, Harry.

Agora o convento era uma nuvem de fumaça agitada, chamas lambendo qualquer combustível que encontravam, e homens cambaleavam, escurecidos e queimados, saindo dos destroços. A maior parte do prédio continuava de pé, mas as rodas de todos os canhões, menos dois, estavam partidas, a munição se foi e o convento não representava mais ameaça ao castelo.

Patrick Harper estava no pátio, sorrindo, exigindo desjejum para um homem grande, enquanto os *fusiliers* e os fuzileiros comemoravam porque seu dia havia começado com outra vitória.

No convento, a luz do dia era filtrada por fumaça e poeira, passando por pedras quebradas e traves queimadas, e a claridade tocou um pedaço de granito polido que não via a luz do dia havia oitocentos anos.

O domingo, 27 de dezembro de 1812, havia começado.

CAPÍTULO 27

Os franceses ainda tinham canhões, e agora os artilheiros eram alimentados pela raiva. O sul da aldeia estava amortalhado numa fumaça esgarçada enquanto a metralha soava feito uma chuva de metal sobre as muralhas do castelo. Também havia morteiros disparando, e mesmo que não pudessem mais atirar pelo flanco e assim continuar disparando até a infantaria estar à beira do pátio, poderiam mandar os projéteis da proteção da aldeia e transformar o castelo num lugar de ferro fumegante.

Uma hora, duas, e os canhões continuavam atirando, a metralha matava sentinelas e as pedras do chão estavam queimadas pelos obuses que explodiam num lugar onde a neve tinha se transformando em lama preta.

Desta vez não houve trégua. O coronel artilheiro estava morto, esmagado pela queda de um cano de morteiro, e ainda era perigoso entrar na parte de cima do convento por causa dos projéteis de morteiro que continuavam explodindo e acrescentando fumaça nova à pira funerária de mais de cem homens. O general francês jurou vingança e ordenou que os canhões a iniciassem. Os artilheiros lutavam pelo coronel morto.

Dois canhões salpicavam de metralha o morro da torre de vigia, as balas de mosquete voando entre os espinheiros, arrancando neve dos galhos, lançando gravetos e espinhos nos fuzileiros agachados em seus buracos. Coelhos sabem onde cavar, e um buraco de coelho era um bom começo para uma trincheira. Frederickson instigava seus homens.

— Atirem, desgraçados! Estamos prontos para vocês! — Ele também estava. Esperava que viessem do leste ou do norte, e sua força estava pronta para eles, força que empurraria o ataque para o espaço aberto na encosta norte do morro por onde planejava rolar seus barris de pólvora, com pavios protegidos da neve com bainhas de couro costuradas, e com os barris iriam as balas sólidas de quatro polegadas deixadas para o canhão espanhol. — Venham, desgraçados! — Seus homens sorriam, ouvindo o grito de batalha do Doce William. Ele mantivera a maior parte dos *fusiliers* na encosta reversa do morro, longe do fogo de artilharia, e só iria usá-los se os franceses virassem sua linha de fuzileiros escondidos.

A maioria dos canhões trabalhava contra o castelo. Eles arrebentaram o teto do estábulo e provocaram um incêndio nos caibros e nas carroças vazias de Gilliland, que ardiam em chamas e derretiam a neve ao redor. Os franceses arrancaram do lugar o único canhão que estava na parede leste do castelo, levantando-o numa explosão e fazendo-o deslizar numa avalanche de pedras, neve, latão e madeira, descendo pelo entulho. Um obus penetrou no pátio interno, ricocheteando nas paredes da torre de menagem, e sua explosão matou seis cavalos imediatamente. Os *fusiliers* abriram caminho pelos animais que relinchavam em pânico, escorregando numa mistura de sangue, neve e urina de cavalos, para sacrificar os animais feridos. E os canhões continuavam disparando.

O castelo estava cheio de fumaça das explosões, sacudia-se com o estrondo dos disparos, e os canhões de doze libras misturavam balas maciças com metralha, algumas balas acertavam pedras antigas, meio soltas, e um fuzileiro gritou porque uma laje caiu sobre sua perna.

Na neve diante da muralha norte os projéteis dos morteiros que caíam antes do alvo criavam padrões em forma de estrela, estrelas pretas e violentas, crateras de calor na brancura, e um projétil aterrissou na torreta da guarita onde um fuzileiro, velho de guerra, correu para ele com a coronha do fuzil erguida. O pavio fumegava ensandecidamente enquanto a bomba girava. O fuzileiro parou um segundo e depois deu um golpe de lado na bola de ferro. O pavio foi arrancado totalmente e a bomba ficou inofensiva. O homem sorriu para os companheiros apavorados.

— Sempre sai se você acertar direito.

As bandeiras tinham ido embora, levadas de volta para os *fusiliers* agachados atrás de uma barricada baixa que protegia a entrada da torre de menagem. Eles lutariam com seus próprios estandartes nesta última batalha e se perguntaram quanto tempo deveriam suportar as explosões lá fora, os gritos dos cavalos atrás, o barulho dos canhões que enchiam o vale de um jeito mais pavoroso que qualquer rufo dos tambores franceses.

Sharpe se agachou ao lado do capitão Gilliland no alto da torre de menagem. Precisava gritar mais alto que o som dos canhões.

— Você sabe o que fazer?

— Sim senhor. — Gilliland estava abatido. O restante dos seus foguetes seria usado de um modo que não lhe agradava. — Quanto tempo, senhor?

— Não sei! Uma hora? Talvez duas?

Homens queriam que os franceses viessem, queriam o fim dessa tempestade de metal, queriam terminar essa luta.

Frederickson gritava para os franceses atacarem, chamava-os de desgraçados amarelos, de mulherzinhas, com medo de um morrinho com alguns espinheiros espalhados, e a infantaria não vinha. Um fuzileiro gritou de dor porque uma bala de metralha se alojou em seu ombro. Frederickson berrou para ele ficar quieto.

Os artilheiros trabalhavam feito escravos em suas máquinas, serviam-nas, puxavam-nas, alimentavam-nas com vingança pelo coronel morto.

No alto da face leste da torre de menagem Sharpe observava a aldeia. Uma vez se encolheu quando uma caixa de metralha arrancou lascas de pedra afiada feito navalha do buraco por onde espiava. Em algum lugar um homem gritou e o grito foi interrompido logo; o barulho corria pelo vale, a fumaça dos canhões pairava alta sobre o passo, o metal continuava chegando contra as muralhas e os obuses explodiam no pátio.

— Senhor? — Harper apontou.

Os franceses estavam vindo.

Não numa coluna, não numa das orgulhosas colunas francesas, mas em fileiras desenrolando-se feito serpentes saindo da aldeia, quatro homens em cada fileira, e três batalhões marchavam pela estrada, marchavam rápido, os canhões continuavam trovejando e os homens de Sharpe continuavam morrendo um ou dois por vez, e os projéteis continuavam atingindo os defensores.

Mil e quinhentos homens, baionetas caladas, mantendo-se no centro do vale, bem longe do disparo dos canhões.

Sharpe os observava. Tinha sustentado esse lugar por um dia e havia esperado desesperadamente conseguir por dois. Não seria o caso. Ainda tinha uma carta para jogar, só uma, e, quando ela fosse baixada, seria o fim. Ele recuaria para o sul através dos morros, torcendo para que a cavalaria francesa tivesse alvos melhores para perseguir do que sua força exaurida, e deixaria seus feridos à mercê dos franceses. Fizera a guarnição empilhar os sobretudos e as mochilas na saída sul da torre de menagem, a saída usada pelos homens de Pot-au-Feu, que agora era vigiada por vinte *fusiliers* para impedir que os de coração fraco partissem antes da hora. Abriu um sorriso para Harper.

— Foi uma boa luta, Patrick.

— Ainda não acabou, senhor.

Sharpe sabia que não era o caso. A maldição estava sobre ele como um peso de chumbo, e ele achava que a maldição traria a derrota, deixaria os franceses atravessarem o passo, e se perguntou se teria tempo para ir à masmorra antes do pânico da fuga atabalhoada para o sul e matar o sujeito disforme de rosto amarelo. Isso acabaria com a maldição.

Na masmorra, Hakeswill prestava atenção. Era capaz de ler uma batalha pelos sons e sabia que o momento ainda não havia chegado. Tinha esperado que fosse durante a noite, mas um tenente *fusilier* ficou sentado com as sentinelas durante boa parte das horas de escuridão, e Hakeswill não fez nada. Seria logo, prometeu a si mesmo, logo.

Sharpe se virou para o homem que havia substituído o corneteiro.

— Pronto?

— Sim senhor.

— Em um minuto. Espere.

Os franceses estavam perto, os batalhões virando para o castelo, vindo pelo terreno onde na véspera os foguetes despedaçaram as fileiras, mas hoje não havia arma disparando contra eles.

Os canhões pararam. Parecia haver silêncio no vale.

O batalhão francês da esquerda começou a correr, fazendo uma curva mais pronunciada para a esquerda, indo para o sudeste. Corriam para a torre de vigia porque atacariam da única direção onde, como Dubreton supôs acertadamente, havia poucas defesas.

Os outros dois batalhões gritaram, baixaram as baionetas e correram para o entulho da parede leste. Dos defensores não partiu nenhum disparo de mosquete, nem de fuzil, e o canhão que os teria flanqueado estava caído, despedaçado, inútil nas pedras. Os dois homens que o teriam disparado estavam esparramados nas pedras sem vida.

Um fuzileiro nas ameias da torre de menagem gritou para Sharpe, gritou alto, mas a mensagem não chegou até ele. Os franceses estavam no pátio.

CAPÍTULO 28

A notícia veio de Salamanca, de onde vinham tantas notícias porque o reverendo doutor Patrick Curtis foi professor de astronomia e história natural na Universidade de Salamanca. Em termos estritos, Don Patricio Cortes, como os espanhóis o chamavam, ainda era professor e reitor do Colégio dos Irlandeses, mas estava residindo temporariamente em Lisboa desde que os franceses descobriram que o padre irlandês de 72 anos se interessava por outras coisas além de Deus, estrelas e história natural da Espanha. Don Patricio Cortes também era o principal espião britânico na Europa.

A notícia chegou ao doutor Curtis em Lisboa duas noites antes do Natal. Estava ouvindo confissões numa igreja pequena, ajudando o sacerdote local, e um dos penitentes não tinha nada a confessar, então, em vez disso, passou a novidade através da treliça. O doutor Curtis saiu do confessionário rapidamente, sorrindo como quem pede desculpas aos paroquianos e, depois de fazer o sinal da cruz às pressas, abriu os papéis que foram enviados do outro lado da fronteira. O mensageiro — um comerciante de cavalos que vendia aos franceses, portanto podia viajar sem impedimentos — deu de ombros.

— Sinto muito se é tarde demais, padre. Não consegui encontrar o senhor antes.

— Você fez bem, filho. Venha comigo.

Mas o tempo era desesperadamente escasso. Curtis foi ao quartel--general de Wellington e retirou o major Hogan do jantar, e o pequeno major irlandês, que também era encarregado do que Wellington chamava de sua "inteligência", recompensou o mensageiro com ouro e depois levou rapidamente ao general o despacho francês capturado.

— Inferno. — Os olhos frios do general espiaram Hogan. — Alguma dúvida?

— Nenhuma, senhor. É o código do imperador.

— Inferno. — Wellington encolheu levemente os ombros num pedido de desculpas ao velho padre, depois blasfemou de novo. — Inferno.

Não havia tempo para mandar a notícia a Ciudad Rodrigo e Almeida, para acordar Nairn em Frenada e pôr a divisão ligeira em movimento, mas não era isso que preocupava o par. Ele estava preocupado com o ataque diversivo dos franceses que viria dos morros e desceria para o vale do Douro. Inferno! Wellington planejava para esta primavera uma campanha como nunca vista na península. Em vez de atacar ao longo das grandes rotas de invasão, as estradas que levavam de Ciudad Rodrigo e Badajoz para o leste, estava levando tropas para onde os franceses achavam que elas não poderiam ir. Iria guiá-las para o nordeste, a partir dos morros do norte de Portugal, num grande circuito para cortar a rota de suprimento francesa e forçar a batalha contra um inimigo perplexo e flanqueado. Para fazer isso precisaria de pontões, os grandes barcos desajeitados que sustentavam estradas sobre os rios, porque sua rota de invasão era cruzada por rios. E os pontões estavam sendo construídos no rio Douro, e a força francesa planejava descer para aquela área, uma área que normalmente teria pouca importância a não ser no inverno. Inferno, e inferno de novo.

— Desculpe, Curtis.

— Nem precisa dizer, senhor.

Naquela noite, mensageiros foram para o norte, mensageiros que trocavam de cavalos a cada vinte quilômetros, mais ou menos, mensageiros que iam avisar aos ingleses que os franceses estavam vindo, e Wellington os seguiu pessoalmente, indo primeiro a Ciudad Rodrigo porque temia perder aquele grande portão para a Espanha. Com sorte, pensou, Nairn poderia conter os franceses em Barca de Alva.

O general de divisão Nairn olhou uma vez para a ordem, pensou por um instante e desobedeceu. O par havia esquecido — ou talvez não tivesse ligado o nome de Adrados ao Portal de Deus — que os ingleses já tinham uma força que poderia bloquear os franceses. Uma força dolorosamente pequena, um único batalhão com um conjunto mal-ajambrado de fuzileiros e fogueteiros, mas, se ela pudesse manter o passo durante apenas doze horas, Nairn seria capaz de reforçá-lo. Sua gripe desapareceu como se por mágica.

E agora estava atrasado. A neve o retardou e ele temia que fosse tarde demais. Encontrou-se com Teresa vindo do passo e ouviu sua mensagem, jogou charme para cima dela e a levou com suas tropas que lutavam contra a neve. Depois veio Sir Augustus Farthingdale, gélido e com raiva, que insistiu ter reclamações, reclamações sérias, do major Richard Sharpe, mas Nairn educadamente se recusou a ouvi-las, então insistiu rudemente até por fim ordenar que Sir Augustus e Lady Farthingdale seguissem seu caminho. No início da noite de 26 de dezembro o vento trouxe mais neve e o ribombo dos canhões.

Marcharam antes do alvorecer, e Nairn ouviu uma explosão enorme nos morros, e a luz mostrou uma grande mortalha de fumaça que soprava em sua direção, mas os canhões continuavam soando. Marchar para os canhões, sempre para os canhões, e ele mandou suas melhores tropas à frente com ordens para subir rápido, e Teresa foi com um batalhão espanhol de tropas ligeiras que podiam escalar os morros ao lado do passo e descer pelo flanco francês. Ela iria guiá-las, e se esforçaram no frio, na neve, sem parar de ouvir os canhões que lhes diziam que a batalha ainda vivia, que sua ajuda era necessária, então os canhões pararam.

Um silêncio aparente nos morros. Os canhões descansaram.

Os franceses estavam no pátio. Estavam comemorando, correndo, passando como um enxame sobre as pedras da muralha leste, e não havia inimigo.

Os oficiais franceses estavam com as espadas desembainhadas. Olharam para as ameias e para as torretas em busca de alvos para seus homens, mas o castelo parecia vazio e silencioso, então veio um grito de um francês e ele pôde ver os *fusiliers* apinhados no arco atrás da barricada de pedra baixa.

— Avançar!

— Fogo! — A saraivada dos *fusiliers* abriu uma avenida de tiros de mosquete no pátio.

— Fogo! — A segunda fileira passou pela primeira.

— Fogo! — A terceira estava na frente, com outras duas atrás, enquanto as fileiras que haviam disparado recarregavam e vinham em seguida.

— Fogo! — O arco estava em segurança.

— Portas! — Oficiais franceses levavam seus homens pelas passagens para a guarita e a torreta noroeste, mas as portas foram solidamente bloqueadas com pedras, assim como a escada para o topo da muralha norte, e a infantaria francesa continuava se apinhando no pátio, acreditando que tinha a vitória.

— Agora! — rosnou Sharpe ao corneteiro. — Agora!

Dubreton havia previsto isso. Imaginava que o pátio seria uma ratoeira, um beco sem saída, a não ser que os homens pudessem abrir caminho para a torre de menagem.

Oficiais franceses gritavam com seus homens.

— Fogo! Fogo contra o arco!

Então a corneta soou. As notas subiram a oitava inteira uma, duas, três vezes. "Abrir fogo."

As varetas dos foguetes que restavam foram tiradas, para desgosto de Gilliland, e agora a Tropa de Foguetes punha fogo nos pavios, esperava para ver o fogo pegar e em seguida jogava os cilindros sem vara pelas seteiras, por aberturas entre as pedras, por cima das muralhas, deixando-os cair no pátio atulhado de franceses.

Os cilindros tombavam com a fumaça intricada atrás, e então tossiam e rugiam incendiando-se, e sem as varas não conseguiam voar, simplesmente se lançavam em padrões frenéticos e sem direção no pátio.

— Andem! Joguem!

Mais foguetes vinham, as bombas das pontas começando a explodir, e mais foguetes chegavam, as caudas fustigando os franceses com fogo, açoitando erraticamente sobre as pedras, partindo tornozelos, alojando-se em corpos, explodindo, queimando, e Sharpe gritou para os homens jogarem mais. Alguns serpentearam até o estábulo, aumentando o incêndio e lançando fumaça nos franceses desorganizados, enquanto a maioria abria fendas nas fileiras apinhadas e explodiam seus fragmentos de ferro em círculos de morte, enquanto os foguetes de ponta sólida lançavam o peso contra os pés, as pernas e os corpos feridos, e os franceses gritavam alarmados, em confusão, e outros continuavam chegando.

— Para baixo! — Sharpe foi à frente de Harper e do corneteiro descendo para onde os *fusiliers* esperavam esse momento. Duzentos deles aguardavam com suas bandeiras, e Sharpe empurrou o corneteiro. — Toque o cessar-fogo! — Ele olhou para os *fusiliers*, os que não estavam guardando a passagem em arco. — Calar baionetas!

A corneta tocava repetidamente sua mensagem para a Tropa de Foguetes, mas Sharpe não escutava. Só ouvia o som raspado e estalado das lâminas de quarenta e cinco centímetros se prendendo aos mosquetes, e desembainhou sua espada, o metal reluzindo na penumbra da passagem. Esperou até ter certeza de que nenhum foguete estava sendo atirado para baixo.

— Vamos para o entulho! Não vamos passar de lá! — Ele liberaria o pátio, mataria o inimigo, porque neste momento de derrota ainda podia ferir e mutilar essa força francesa e esperar enfraquecê-la para que não realizasse o dever para o qual havia sido enviada.

— Atacar!

Esse era o modo de terminar com aquilo! Espada empunhada e atacando, e, ainda que a batalha estivesse perdida, ele era capaz de fazer aqueles franceses lamentarem o dia em que vieram ao Portal de Deus. Podia incutir medo neles para a próxima batalha, faria com que se lembrassem deste lugar com amargura.

— Peguem-nos! — A espada se retorceu em sua mão quando raspou em osso, mas o homem estava caído, então ele ouviu o estrondo da arma de sete canos e teve um vislumbre dos *fusiliers*, dentes à mostra acima dos cinturões brancos atravessados sobre as fardas vermelhas, lâminas estendendo-se à frente. O pátio estava cheio de fumaça, fedendo a carcaças de foguetes, e os franceses fugiam da linha de homens que irromperam na penumbra. Sharpe viu um oficial tentando organizá-los e desferiu uma estocada contra o sujeito, sentiu a espada do francês raspar por toda a extensão de sua lâmina, então estava em cima do homem, golpeando com a espada, e viu o entulho à frente. — Vamos!

Puxou a espada, soltando-a, e procurou outro inimigo, mas os franceses tinham recuado, o pátio era dele. Gritou para que Brooker alinhasse os *fusiliers* no entulho. Viu as duas bandeiras, meio rasgadas e escurecidas, orgulhosas sobre a linha, e ficou de pé diante delas, a espada vermelha na mão, e sentiu um impulso louco de atacar pelo vale como se seus duzentos *fusiliers* pudessem varrer os franceses dos morros.

Esta era a última cartada, a última surpresa, a última rasteira nos franceses. Agora não restava nada além de mosquetes, fuzis e baionetas. Teria de recuar antes do próximo ataque, e uma pequena parte sua dizia que seria sensato ir agora, enquanto os franceses não estavam pressionando a retaguarda, enquanto ainda poderia tirar Frederickson do morro, mas Sharpe não recuaria enquanto não pudesse ver o rosto do inimigo. Não recuaria.

Podia ouvir disparos à esquerda e se perguntou se os franceses estariam atacando pelo portão.

— Vigie o portão, Sr. Brooker!

— Senhor!

Onde estavam os desgraçados? Por que não vinham? Este era o momento da vitória deles, o momento em que Sharpe não poderia enfrentá-los, então se perguntou se os canhões voltariam a disparar e se a metralha espirraria vermelho nos *fusiliers* e despedaçaria pedras, mas continuou olhando para a fumaça dos foguetes e se perguntando por que o inimigo não vinha.

A fumaça se espalhou lentamente, dissipou-se, e ele viu por que os canhões não atiravam.

O batalhão que havia atacado o morro da torre de vigia estava em retirada total, espalhando-se pelo vale. Sharpe riu. O Doce William os havia sangrado.

O Doce William estava ensandecido de fúria.

— Desgraçados! Desgraçados! — Ele balançava o punho para os homens de farda azul-celeste, homens que vieram por trás do castelo e atacaram com baionetas o batalhão que seguia para Frederickson. — Desgraçados! — Os espanhóis haviam lhe roubado uma batalha.

— Senhor! — Harper apontava para a esquerda. — Senhor! — Sua voz era triunfante.

Fuzileiros. Centenas de fuzileiros! Jaquetas-verdes! Como, diabos, haviam chegado ali?, pensou Sharpe. Sentiu o peso da derrota sair das costas e ficou olhando, quase incrédulo, os franceses fugirem do convento, a linha de escaramuça que estava em seu flanco. Em seguida olhou para a direita e viu as fardas espanholas no morro. Tinham vencido!

— *Fusiliers*! Avante!

E Hakeswill atacou.

CAPÍTULO 29

Apenas uma fração do ouro que Sharpe e Dubreton levaram com tanta dificuldade para o Portal de Deus tinha sido encontrada. Punhados foram levados pelos prisioneiros, perdidos para sempre nas bolsas de soldados franceses e britânicos, mas o grosso ainda estava no castelo. Estava escondido, porque o ouro era uma coisa útil de se esconder, um tesouro que poderia ser recuperado à vontade quando o inimigo tivesse partido, e Hakeswill o escondeu bem. Estava na masmorra, atrás da parede suja de sangue onde ele torturou e assassinou homens e mulheres que o desagradavam. Agora precisava do ouro.

Não pegou tudo. Apenas o bastante para durar algumas semanas e o suficiente para tirá-lo do castelo. E, quando avaliou pelo som da batalha que a torre de menagem do castelo estava com poucos defensores, agiu.

Jogou uma moeda. Ela tilintou pesada, rolou dois degraus e estremeceu até parar. Um soldado de sentinela, nervoso por causa do barulho da batalha, encarou, incrédulo, o ouro.

Outra moeda veio do escuro, refletiu a luz da tocha de palha e quicou na pedra do último degrau.

A sentinela sorriu e desceu até o porão. Um colega, com ciúme de sua sorte, gritou um alerta amargo para ter cuidado, mas então uma chuva de ouro reluziu na luz, caiu numa colheita rica sobre a escada, e as sentinelas bradaram pela sorte e gritaram umas com as outras para alguém vigiar os prisioneiros enquanto pegavam as moedas e colocavam nas bolsas.

Veio mais ouro. Ouro que era mais do que um *fusilier* poderia ganhar em cinco anos de serviço, ouro voando da escuridão, ouro que retinia pesado nas pedras, e Hakeswill observou as sentinelas ficarem de quatro e de joelhos para enriquecer.

— Agora!

Um dos guardas conseguiu cambalear para trás, puxar um gatilho e mandar um desertor para trás, por cima da barricada, com uma bala no cérebro, mas então também foi apanhado pelos homens seminus, homens que fediam, que o espancaram com punhos e depois arrancaram sua vida com a coronha de seu próprio mosquete.

— Parem! — Hakeswill se agachou no meio da escada, perto do corpo ensanguentado do único homem que lutou. — Esperem, rapazes, esperem.

Levava sua bolsa de ouro na mão. Esgueirou-se escada acima e viu que a passagem do outro lado da porta estava vazia. Mochilas e sobretudos estavam empilhados na passagem e, melhor ainda, mosquetes encostados numa parede. Os mosquetes tinham sido postos ali por Sharpe, para a defesa final e desesperada do castelo, mosquetes capturados dos homens de Pot-au-Feu e que agora voltavam para eles.

Hakeswill se moveu rápido. Foi para a esquerda e espiou o pátio interno, xingando em silêncio ao ver o piquete que guardava a saída sul. Foi para o outro lado, pegando um sobretudo, e viu que o pátio estava estranhamente vazio, a não ser pelos mortos franceses e estranhos cilindros que soltavam fumaça, caídos nas pedras do piso. Voltou para a escada do porão.

— Tem casacas lá em cima, pessoal, e mosquetes. Cada um pega um e vai atrás de mim. — Ele atravessaria o pátio, depois a muralha, e correria direto para os espinheiros. Preparou-se, firmou-se para a corrida, planejou a rota que faria para o sul. Sorriu para os colegas desertores, esperou que um espasmo na cabeça passasse. — Eles não podem me matar, rapazes. Nem a vocês enquanto estiverem comigo.

Observou a luz do dia no pátio do castelo, os cilindros soltando fumaça, os mortos, e só pensou na vida. Na chance de uma nova vida. Gargalhou consigo mesmo e tirou o cabelo escorrido dos olhos. Obadiah Hakeswill não podia ser morto.

— Venham!

Correram, os pés nus escorregando nas pedras escorregadias, mas o desespero os forçava a seguir em frente. Enfrentariam um pelotão de execução na certa se fossem obrigados a ir para o oeste, então era melhor correr para os selvagens morros do sul nesse inverno que enfrentar a fila de mosquetes em algum campo de Portugal. Passaram correndo pelo entulho, alguns apoiando-se no canhão espanhol tombado, então Hakeswill estava em terreno aberto, virando para a direita. Um soldado espanhol o viu, ficou com medo do homem enorme, de rosto amarelo, que parecia nu embaixo do sobretudo desabotoado. O espanhol levou o mosquete descarregado ao ombro.

Esse movimento salvou sua vida. Hakeswill viu apenas a ameaça da bala, viu as fardas azul-celeste nos espinheiros atrás do sujeito e virou para a esquerda de novo, para o vale aberto, conduzindo seu bando maltrapilho e sujo para o ar transparente e limpo dos campos de Adrados.

— Corram!

Eram como ratos que fugiram do fogo apenas para se ver cercados por chamas. À esquerda estavam *fusiliers* e fuzileiros, à direita os espanhóis que continuavam chegando pelos espinheiros e à frente os franceses. Os espanhóis já entravam no caminho dos desertores, gritando para se renderem, e, mesmo que não soubessem que eles eram inimigos, os espanhóis sabiam que aquele grupo imundo e de aparência maligna não era formado por amigos.

Hakeswill correu para o vale aberto, com a respiração pesada nos ouvidos, os pés dormentes pela neve. Olhou para a esquerda e viu que tinha corrido muito à frente dos *fusiliers*, e pensou ter visto Sharpe, mas isso não era sua preocupação no momento. Então viu os fuzileiros atrás de Sharpe e temeu suas armas, por isso virou para a direita, correndo em desespero, o ouro no bolso do sobretudo, o mosquete pesado na mão. Os franceses! Não havia para onde ir, nenhum lugar! Ofereceria seus serviços aos franceses, desertaria adequadamente, e, ainda que esta não fosse uma grande opção, era melhor que ser morto feito um cachorro nesse campo coberto de neve. Correu para o batalhão de infantaria francesa mais próximo, um batalhão que recuava para o vilarejo, então ouviu os cascos atrás.

Os cascos tinham sido abafados pela neve, e ele percebeu, desesperadamente, que o cavaleiro estava perto. Virou-se, com a boca desdentada arreganhada de horror, e viu a arma erguida que ameaçava esmagar seu crânio com um pesado punho de latão. Pegou desajeitadamente o mosquete, girou-o enquanto caía para longe do golpe desferido de cima para baixo e puxou o gatilho.

Riu loucamente. A morte, sua senhora, não o abandonara, e isso merecia uma oração! Não desse jeito, talvez, mas riu ao ver a bala levantar o cavaleiro do cavalo, uma bala que passou pela base do pescoço, viajando para cima, e a morte foi rápida como só ela pode ser. O corpo foi erguido, o cavalo se desviou e o corpo caiu, esparramado, batendo na neve. O fuzil descarregado, que ameaçou sua vida com o acabamento de metal na culatra, caiu no frio.

Hakeswill fez uma pausa. Era um momento de doce vitória, um momento a ser lembrado nos próximos dias, e deu seu grito de vitória para as nuvens baixas enquanto seu corpo seminu estremecia de júbilo! Tinha sobrevivido! A morte ainda o favorecia! Então se virou e correu para as fileiras francesas.

— Não atirem! Não atirem!

Hakeswill viveria! Cambaleou até o batalhão francês, ofegando com os pulmões doloridos, e sorriu enquanto sua cabeça sofria um espasmo. Tinha escapado.

CAPÍTULO 30

Sharpe viu Hakeswill correr para o campo aberto, xingou, mas então uma voz o chamou por trás e ele se virou, vendo o general de divisão Nairn sorrindo para ele de cima de um cavalo.

— Sharpe! Meu caro Sharpe!

— Senhor!

Nairn gemeu enquanto descia da sela.

— Major Sharpe! Você teve uma guerra em escala total enquanto eu estava de costas!

— É o que parece, senhor. — Sharpe sorriu.

— Você atrapalha o meu Natal e me obriga a arrastar os ossos cansados pela neve do inverno! — Ele deu um sorriso largo. — Achei que vocês todos já estariam mortos!

— Chegou a me ocorrer, senhor.

— Sir Augustus disse que você estaria morto.

— Disse?

Nairn gargalhou do tom de Sharpe.

— Eu o mandei embora com sua dama. Ela é uma beldade, Sharpe!

— É sim, senhor.

— Veja bem, sua esposa me disse que ela era gorda demais! Disse outra coisa também, que tenho certeza que não pode ser verdade. Algo a ver com o fato de que a dama não é nem um pouco dama! Dá para acreditar, Sharpe?

— Não faço ideia, senhor.

Nairn sorriu, mas não disse nada. Estava vendo os franceses recuarem para o vilarejo e olhou para a esquerda e para a direita onde suas primeiras tropas haviam dominado os restos do convento e agora reforçavam o morro da torre de vigia. Nairn bateu com os pés no chão.

— Acho que nossos amigos franceses vão parar por hoje! Não acha? — Ele bateu palmas, deliciado. — Não vão atacar de novo, e dentro de algumas horas eu estarei em posição de atacá-los. — Ele olhou para Sharpe. — Parabéns, major! Parabéns.

— Obrigado, senhor. — Sharpe não estava olhando para Nairn. Estava olhando para um cavalo solto, uma figura escura na neve, e sua voz soou distante, distraída.

— Sharpe?

— Senhor? — Mas Sharpe já estava andando para longe, e a caminhada virou uma corrida, e ele continuava olhando para a figura na neve.

Os cabelos eram pretos contra o branco puro, compridos e pretos. Ele o viu assim num travesseiro branco quando, provocando, ela levantou a cabeça e esparramou os cabelos num grande leque tentador. O sangue no pescoço era como um colar de rubis partido, meio derramado na neve, e os olhos espiavam as nuvens sem enxergar.

Ajoelhou-se ao lado dela, sem palavras, e sentiu um aperto na garganta, a ardência das lágrimas nos olhos, passou os braços em volta do corpo magro, levantou-a, e a cabeça tombou para trás de modo que o grande rubi no pescoço deixou escorrer um fio lento em direção ao queixo. Pôs a mão sob a cabeça, sentindo onde os cabelos encostavam na neve fria, apertou o rosto dela contra o seu e chorou, porque Teresa estava morta.

As mãos dela estavam na neve, mãos frias congeladas pela corrida, mas ainda restava calor nela. Um calor que sumiria. Apertou-a, como se pudesse forçar a vida de volta para o corpo, e chorou nos cabelos pretos. Ela o amou com um amor puro que perdoava, entendia, amou.

Sharpe não tinha nenhum retrato de Teresa. Ela seria uma lembrança que se esvairia assim como o calor, mas se esvairia no correr dos anos, e ele esqueceria a paixão que deu vida àquele rosto. Ela fervilhou de vida. Foi inquieta e forte, uma matadora nos morros da fronteira, no entanto possuía uma fé infantil no amor. Ela se deu a ele e jamais duvidou da sabedoria do presente, como às vezes ele duvidava. Manteve a fé, e estava morta.

Ele chorou, sem se importar com quem olhasse, balançou-a nos braços e a apertou com força porque não a havia segurado o suficiente enquanto ela vivia. Conheceram-se na guerra, a guerra os manteve separados, e agora a guerra fez isso. Deveria ter sido ele a morrer, pensou, não isso, e seu sofrimento era informe, incoerente, uma dor que traía o amor e enchia o universo.

— Sharpe?

Nairn tocou em seu ombro, mas Sharpe não ouviu, não viu, apenas balançava o corpo nos braços. Seu braço esquerdo estava entrelaçado nos cabelos dela, apertando-o porque não queria perdê-la, não queria ficar sozinho, e ela era mãe de sua filha, de sua filha órfã. Nairn ouviu o gemido, meio uivo, que saiu da garganta de Sharpe. Nairn viu o rosto do corpo e se empertigou.

— Ai, meu Deus.

Patrick Harper se agachou ao lado de Sharpe.

— Deve haver um padre com os espanhóis, senhor. — Ele teve de repetir, então Sharpe levantou os olhos, olhos estranhos a Harper.

— O quê?

— Um padre, senhor. A alma dela deve ser encomendada.

Sharpe parecia não entender. Segurava Teresa como se Harper fosse tirá-la, mas então franziu a testa.

— Depois da morte?

Harper não ficou embaraçado com as lágrimas.

— Sim senhor. Isso pode ser feito. — Ele estendeu a mão e, com uma gentileza extraordinária, fechou as pálpebras de Teresa. — Devemos mandá-la para o céu, senhor. Seria melhor ela estar deitada, seria mesmo.

— Ele falava como a uma criança, e Sharpe obedeceu.

Ficou ajoelhado perto do corpo até que o padre chegou; estava no mundo confuso do sofrimento, balbuciou promessas para ela, e por dentro havia a esperança insana de que os olhos se abrissem e ela sorrisse para ele, provocasse-o como costumava fazer, mas não havia movimento. Teresa estava morta.

Sua capa estava aberta na cintura, e ele a puxou para cima do corpo e sentiu o volume enfiado na faixa que ela usava. Tirou o embrulho de pano, desenrolou e olhou o fuzileiro que era o presente para sua filha, e não achou que aquilo fosse digno dela, por isso o quebrou, despedaçou-o, espalhou as pequenas lascas na neve.

Ficou de pé, sem ver, enquanto o padre se ajoelhava perto do corpo, enquanto as palavras em latim redemoinhavam sobre a neve como coisas mortas, sem sentido. A hóstia foi posta entre os lábios mortos, o sinal da cruz foi feito, e Sharpe olhou para o rosto que estava tão calmo, imóvel e absolutamente sem vida.

— Sharpe? — Nairn tocou em seu cotovelo. Apontou para o leste.

Dubreton cavalgava lentamente na direção deles, e atrás do coronel francês vinha o sargento Bigeard, andando, e seguro por Bigeard estava outra vez Hakeswill. Hakeswill apertava o sobretudo em cima da nudez e se agitava impotente, seguro pelo francês enorme.

Dubreton saudou Nairn, falou baixo com ele, depois se virou para Sharpe, que tinha dado um passo, de modo protetor, na direção do corpo de Teresa.

— Major Sharpe?

— Senhor?

— Foi ele quem fez isso. Nós vimos. Eu o entrego — disse simplesmente Dubreton.

— Foi ele?

— Foi.

Sharpe olhou para o homem de rosto amarelo que sofria espasmos e se encolhia de medo porque Bigeard estava segurando-o para Sharpe. Sharpe percebeu a inutilidade do ódio que sentia por Hakeswill quando comparado com a dor da perda. Sua espada estava caída ali perto, largada quando correu para o corpo, mas não havia desejo de pegá-la e enterrá-la naquele maltrapilho cuja maldição havia matado a mãe da sua filha. Sharpe queria que esse lugar de morte fosse pacífico.

— Sargento Harper?

— Senhor?

— Pegue o prisioneiro. Ele vai viver para um pelotão de fuzilamento.

— Senhor.

O vento agitou a neve formando ondas poeirentas que se juntavam contra as botas de Teresa. Sharpe odiou aquele lugar.

Dubreton falou de novo.

— Major?

— Senhor?

— Está tudo acabado.

— Acabado?

Dubreton deu de ombros.

— Vamos embora. Você venceu. Você venceu.

Sharpe olhou para o coronel francês sem entender.

— Venci?

— Venceu.

Venceu para que o presente de uma criança pudesse ser espalhado na neve. Venceu para poder sentir essa dor que era maior que qualquer coisa que já sentiu.

Perto do vilarejo, o major Ducos olhou pelo telescópio enquanto Sharpe erguia o corpo da neve e andava com ele em direção ao castelo. Viu o grande sargento pegar a espada na neve, depois Ducos fechou a luneta. Tinha jurado se vingar de Sharpe, do fuzileiro que impedira sua vitória no inverno, mas Ducos acreditava no provérbio espanhol: a vingança é um prato que se come frio. Esperaria.

A neve caiu sobre o boneco quebrado no Portal de Deus.

O Natal havia terminado.

EPÍLOGO

Sharpe estava na sala onde tudo começou, no ano anterior. Ano passado. Parecia estranho, mas 1813 tinha dez dias de vida. A morte de Teresa estava duas semanas no passado, a primavera viria, e com ela uma nova campanha.

O fogo queimava na mesma lareira onde Sharpe ficou sabendo de sua promoção, com tanta alegria. Agora não havia alegria.

Wellington olhou para Hogan como se pedisse ajuda, mas o major deu de ombros. O general pôs leveza na voz.

— Terei de manter aquelas porcarias de foguetes, Sharpe. Você garantiu isso.

Sharpe afastou o olhar do fogo.

— Sim, senhor. — Ele supunha ter garantido isso. Depois do sucesso em Adrados, os foguetes não poderiam ser mandados de volta à Inglaterra. — Sinto muito, senhor.

— Vamos encaixá-los em algum lugar. — Wellington fez uma pausa. — Assim como vamos encaixá-lo em algum lugar, major. — Ele deu um dos seus raros sorrisos. — Você assumiu muita coisa, Sharpe. Um batalhão inteiro sob seu comando?

Sharpe assentiu.

— Sir Augustus reclamou que eu assumi muita coisa, senhor.

Wellington resmungou.

— Você fez bem. Qual era o problema do sujeito? Era covarde?

Sharpe deu de ombros, depois decidiu que a verdade era melhor que a polidez.

— Sim, senhor.

— Como foi a sensação de lutar com um batalhão? Boa?

— Às vezes, senhor.

— É como ser um general, hein? Talvez você descubra isso, Sharpe.

— Duvido, senhor.

Os olhos azuis e penetrantes de Wellington o observavam. O general estava de pé com as botas enlameadas diante do fogo, a bainha da capa de montaria erguida por mãos apertadas.

— A glória fica manchada, não é?

— É, senhor.

— Algumas pessoas nunca aprendem essa verdade. Acham que eu gosto disso, mas é um serviço, Sharpe, é só um serviço. O mesmo que ser varredor de rua ou carrasco. Alguém tem de fazer, caso contrário a sujeira nos domina. — Ele parecia envergonhado por ter falado tanto.

— É, senhor.

Wellington gesticulou para a porta.

— Vou mandar chamá-lo, major Sharpe. Vamos arranjar um serviço para você. Um major que trava minhas batalhas deve ter um serviço!

Sharpe foi em direção à porta, seguido por Hogan, que o arrebanhava protetoramente, mas o general os fez parar.

— Sharpe?

— Senhor?

Desta vez Wellington parecia de fato envergonhado. Olhou para a poltrona, depois de volta para Sharpe.

— Pareceria inapropriado, Sharpe, se eu dissesse que tudo passa?

— Não, senhor. Obrigado.

O major Michael Hogan, um dos velhos amigos no Exército, atravessou as ruas de Frenada com Sharpe.

— Tem certeza, Richard?

— Tenho.

Andaram em silêncio por um minuto e Hogan odiou o peso que havia em seu amigo, o sofrimento aparentemente inconsolável e particular que infeccionava por dentro.

— Depois me encontro com você.

— Depois?

— Depois — disse Hogan com firmeza. Nesta noite planejava embebedar Sharpe. Planejava forçar o sofrimento a sair e faria isso como os irlandeses sabiam fazer: com um velório. O tempo já havia passado, mas ele e Harper concordaram, forçaram Sharpe a concordar, e o capitão fuzileiro, Frederickson, iria também. Hogan gostou de Frederickson instantaneamente, divertiu-se com a reclamação de que ninguém queria lutar contra ele, e ficou satisfeito ao ver a modesta negativa de Frederickson quando leu as palavras no relatório de Sharpe. Um velório, um velório decente, bêbado, com gargalhadas. Hogan havia ordenado que Harry Price comparecesse e forçaria Sharpe a beber, a falar, a se lembrar de Teresa, e de manhã o sofrimento já estaria se transformando num pesar saudável. — Depois, Richard. — Hogan passou por uma vala funda na encruzilhada. — Ouviu dizer que Sir Augustus requisitou uma licença em casa?

— Ouvi.

— E que "Lady Farthingdale" está de volta em Lisboa?

— É. Ouvi. — Josefina escreveu uma carta amarga para Sharpe, uma carta reclamando que ele faltou à palavra revelando o que sabia a Sir Augustus, uma carta que fedia à sua futura fortuna perdida. Acabava dizendo que a amizade dos dois estava terminada. Sharpe rasgou a carta em pedacinhos e jogou no fogo, depois se lembrou de Teresa vendo-o flertando com Josefina e chorou pelo sofrimento que podia ter causado à esposa. À sua esposa.

Ela foi enterrada em Casatejada, na cripta de pedras da capela minúscula onde eram feitos os sepultamentos da sua família. Antonia cresceria falando espanhol, sem conhecer mãe nem pai, e Sharpe viajaria em breve para vê-la, para olhar para a filha que cresceria sem conhecê-lo.

Às vezes ele acordava à noite e ficava feliz por um instante, até lembrar que Teresa estava morta. Então a felicidade ia embora.

Às vezes via o cabelo comprido e preto numa mulher magra na rua e seu coração pulava dentro do peito, a alegria crescia incontrolável, então a mortalha do que sabia baixava outra vez. Ela estava morta.

O batalhão de South Essex havia marchado para o norte, até Frenada, e estava reunido num quadrado oco com um dos lados aberto, e no lado aberto havia uma bétula. Não era nova como a que os alemães haviam enfeitado para o Natal, e sim uma árvore adulta, e na frente dela havia uma cova aberta, e ao lado da cova um caixão vazio.

Quando o cadáver fosse posto no caixão eles fariam todo o batalhão marchar diante dele e seria dada a ordem. "Olhar à esquerda!" Cada homem deveria olhar o castigo para a deserção.

Os prebostes o trouxeram, e o pelotão de fuzilamento ficou vendo-o ser amarrado à árvore, mas Sharpe não olhou. Era fim de tarde e ele olhou para a neve que estava no alto dos morros ao redor de Frenada, e esperou até que um oficial preboste se aproximasse.

— Estamos prontos, senhor.

O céu estava sem nuvens, um dia de inverno com claridade intensa, um dia em que um desertor morreria.

Ele não queria morrer. Tinha enganado a morte antes e tentava forçar as amarras, a cabeça sofrendo espasmos, o cuspe espumando nos lábios enquanto ele xingava e se sacudia, forçava as cordas e se jogava de um lado para o outro, de modo que os quatorze mosquetes do pelotão de fuzilamento iam de um lado para o outro.

— Fogo!

Quatorze mosquetes bateram em quatorze ombros, e Hakeswill foi lançado estremecendo contra o tronco, sangue espirrando na camisa que usava, mas ainda vivia. Afrouxou-se, com uma tosse agarrando na garganta, e então estava gargalhando em triunfo, a loucura dominando-o porque sabia que tinha enganado a morte outra vez, e se sacudiu, retorceu-se, e o sangue manchou as calças, a terra, e os olhos azuis no rosto amarelo subiram para ver o oficial fuzileiro andar lentamente em sua direção.

— Você não pode me matar! Você não pode me matar! Você não pode me matar!

Isso deveria ser feito com uma pistola, mas Sharpe puxou para trás a pederneira do fuzil e soube que a maldição iria embora quando a pederneira saltasse adiante. Hakeswill estava pendurado nas cordas, o rosto virado para cima, gritando e cuspindo sangue e saliva.

O cano do fuzil subiu lentamente.

— Você não pode me matar! — E desta vez a voz desmoronou num choro, um choro que parecia de uma criança porque Obadiah tinha consciência de que estava mentindo. — Você não pode me matar.

A bala o matou. Fez sua cabeça sofrer um espasmo pela última vez, matando-o instantaneamente, matando o homem que não podia ser morto. Sharpe havia sonhado com esse momento por quase vinte anos, mas não sentiu nem um pouco do prazer que tinha esperado.

Atrás dele, sem ser vista, vésper surgia pálida contra o céu de inverno. Um vento fraco agitou os galhos da árvore.

Dois corpos marcavam esse inverno. Aquele cujos cabelos se espalharam na neve do Portal de Deus e este. Obadiah Hakeswill, sendo posto no caixão, morto. O inimigo de Sharpe.

NOTA HISTÓRICA

A ideia de um "exército" particular de desertores saídos de todas as nacionalidades lutar na Guerra Peninsular pode forçar demais a credulidade. Talvez não tanto quanto a ideia de uma "Tropa de Foguetes". No entanto, as duas coisas existiram.

Pot-au-Feu existiu, um sargento francês renegado que se autopromoveu a marechal e que sobreviveu aterrorizando uma ampla área do interior da Espanha. Dentre seus seguidores estavam soldados franceses, britânicos, espanhóis e portugueses, e dentre seus crimes estavam sequestros, estupros e assassinatos. Temo tê-lo transformado num homem mais agradável do que ele era de verdade. O general francês de Marbot conta como os franceses o destruíram e depois entregaram os desertores aliados às forças de Wellington. Acho que Sharpe tomou o crédito por um sucesso francês.

Em outra distorção da história, levei a Tropa de Foguetes à Espanha alguns meses antes do tempo. Wellington viu pela primeira vez uma demonstração do Sistema de Foguetes de Sir William Congreve em 1810, quando um destacamento naval levou algumas armas para terra em Portugal. Wellington não ficou impressionado. Em 1813, no entanto, uma Tropa de Foguetes havia se juntado ao seu exército e desfrutava do patrocínio entusiasmado do príncipe regente. Para descrever seu funcionamento, permaneci próximo do *Livro de instruções* escrito pelo próprio Sir William Congreve (chegando até as pontas de lança destacáveis, certamente um triunfo da esperança do inventor sobre o bom julgamento). Era um sistema extraordinário que, em seu nível mais ambicioso, tinha um foguete

"Bola de Luz" que lançava um sinalizador com paraquedas, para lutas à noite. E isso em 1813! O Corpo de Foguetes propriamente dito passou a ter existência formal em 1º de janeiro de 1814, mas já havia sido usado na península e, de fato, o sistema de Congreve fora vendido em 1808 ao Exército austríaco, onde era conhecido como *Feuerwerkscorps*. Wellington continuou sem confiar, mas o usou na travessia do Adour, enquanto no norte da Europa o sistema teve seu dia mais bem-sucedido na Batalha de Leipzig, onde observadores estrangeiros ficaram muito impressionados. Uma bateria de foguetes estava presente em Waterloo, e em algumas pinturas desse enfrentamento as trilhas dos foguetes podem ser vistas sobre o campo de batalha.

Embora nunca tenha sido um grande sucesso, o Corpo de Foguetes encontrou seu lugar na história graças a um inimigo contra o qual foi empregado de modo tão ineficaz (o problema era simplesmente de precisão, motivo pelo qual Sharpe escolheu esperar até que eles não tivessem como errar o inimigo). Foguetes apareceram na guerra de 1812 contra os Estados Unidos; foram usados pelos ingleses no cerco ao Forte McHenry. Uma canção foi escrita sobre aquele cerco e depois colocada na melodia de uma canção de bebedeiras usada pelo Clube Anacreon em Londres. Essas palavras e a música fazem parte, claro, do hino nacional dos Estados Unidos. É estranho pensar que sempre que *The Star-Spangled Banner* é cantado, antes de cada jogo de beisebol e futebol, os antigos inimigos da Grã-Bretanha se lembram da invenção de Sir William Congreve no verso "*The rockets' red glare*" [O clarão vermelho dos foguetes]. Assim a arma secreta da Grã-Bretanha encontrou a fama duradoura!

Sir Augustus Farthingdale plagiou seu livro principalmente da obra do major Chamberlain, e agora devo confessar um plágio. A refeição de Natal de Sharpe, e o cozido de lebre que Pot-au-Feu comeu no convento, vieram do magnífico *French Provincial Cooking*, de Elizabeth David, um livro que me deu mais prazer do que a maioria. Se algum leitor quiser recriar a ceia de Natal de Sharpe (uma experiência recompensadora), devo indicar o livro da Sra. David. *Potage de marron dauphinois* (sopa de castanha), *perdreau roti au four* (perdiz assada) e o *cassoulet de Toulouse à la ménagère*, ao qual acrescentei batatas assadas por causa de Sharpe, e mudei a receita para se encaixar nos alimentos que estariam disponíveis no inverno espanhol. O cozido de lebre se exalta no nome *civet de lièvre de Diane de Chateaumorand*. Falando estritamente, não é um cozido, mas não me lançarei à tarefa impossível de rivalizar com Elizabeth David como escritor de culinária. Agradeço a ela.

Além do exército de desertores e do sistema de foguetes, todo o resto em *O inimigo de Sharpe* é ficção. O Portal de Deus não existe nem houve nenhuma batalha travada no Natal de 1812. O 60º Regimento existiu, o Royal American Rifles, mas todos os outros são fictícios. Quis escrever uma história que refletisse o último inverno em que os ingleses estariam contidos de novo em Portugal. Apesar da derrota esmagadora de Napoleão na Rússia, ainda parecia haver um número suficientemente grande de soldados para que a guerra pudesse durar para sempre, mas em alguns meses a estratégia de Wellington mudou toda a Guerra Peninsular e nunca mais os ingleses recuariam. Sharpe e Harpe marcharão de novo.

Este livro foi composto na tipografia ITC New Baskerville Std,
em corpo 10,5/16, e impresso em
papel off-white no Sistema Cameron da
Divisão Gráfica da Distribuidora Record.